La memoria

479

Alicia Giménez-Bartlett

Giorno da cani

Traduzione di
Maria Nicola

Sellerio editore
Palermo

1997 © *Alicia Giménez-Bartlett*

2000 © *Sellerio editore via Siracusa 50 Palermo*
e-mail: info@sellerio.it
www.sellerio.it

2010 *Ventiseiesima edizione*

Giménez-Bartlett, Alicia <1951>

Giorno da cani / Alicia Giménez-Bartlett; traduzione di Maria
Nicola. - 26. ed. - Palermo : Sellerio, 2010.
(La memoria ; 479)
EAN 978-88-389-1612-0
863.64 CDD-20

CIP - *Biblioteca centrale della Regione siciliana «Alberto Bombace»*

Titolo originale: *Día de perros*

Giorno da cani

1

Ci sono giorni che cominciano strani. Ti svegli nel tuo letto, riprendi conoscenza, metti un piede a terra, prepari il caffè… eppure, l'idea di futuro che ti vedi davanti supera lo spazio di una giornata. Senza guardare avanti, vedi. Poi, il minimo gesto comincia ad assumere lo stesso tono profetico e fatale. «Sta per succedere qualcosa», ti dici, ed esci di casa decisa a stare all'erta, sensibile, permeabile agli imprevisti, analitica con la realtà. Per esempio, quella mattina, una mattina apparentemente normale, incrociai sulla porta un'anziana vicina. Dopo avermi salutata, si avventurò in un monologo interminabile per finire col dirmi che la casa dove abito, a Poble Nou, era stata a suo tempo una casa d'appuntamenti.

Edotta di questo dato storico, rimasi per un bel pezzo a percorrere il mio domicilio con curiosità. Forse stavo cercando di captare qualche eco dei passati ardori consumatisi fra quelle pareti. Eppure, niente. Forse la ristrutturazione cui avevo sottoposto l'edificio era stata troppo drastica; i muratori dovevano aver murato ogni lussuria e gli imbianchini imbiancato ogni vestigio carnale. Forse, cercando tracce dello scomparso lupanare, stavo esprimendo il desiderio in-conscio di concedermi qualche allettante diversivo. Non c'era da stupirsi. Per ben due anni lavoro, lettu-ra, musica e giardinaggio erano stati la mia unica di-strazione. E non me ne preoccupavo neppure troppo giacché, dopo due divorzi, la noia ha il buon sapore della pace. Bene, comunque fosse, l'idea della passata esistenza di quel lupanare aveva smosso per la prima volta in due anni la mia consapevolezza, spingendomi a domandarmi se non avessi un po' esagerato con i miei desideri di solitudine.

Quello fu un primo segnale senza troppe conseguen-ze immediate sulla mia esistenza. È il destino ad assu-mersi ogni volta il compito di neutralizzare gli impul-si a una rivoluzione personale, e il mio destino lascia-va intendere che sarei rimasta giudiziosa ancora per un pezzo. Smisi di farmi domande imbarazzanti su passioni trascorse, senza che la cosa mi costasse gran-de sforzo; anzi con gran facilità, grazie al fatto che tutte le mie energie erano assorbite dal lavoro. Mucchi di libri da classificare al Servizio Documentazione? Neanche per idea, questo non avrebbe potuto carpire la mia attenzione più dello stretto indispensabile. Si dava il fatto che al viceispettore Garzón e a me fosse stato affidato un nuovo caso. Questo giustificava la strana sensazione mattutina molto più del fantasma di una casa di tolleranza. Si trattava di un caso modesto, riconosciamolo, che però giunse a complicarsi al pun-to da trasformarsi in una faccenda strana, senza pre-cedenti nella moderna storia investigativa.

Devo premettere che per tutto quel tempo, pur rimanendo buoni amici, il viceispettore ed io ci eravamo visti soltanto al bar di fronte al commissariato. La nostra era un'amicizia circoscritta all'ambito professionale, senza che cene o serate al cinema ci permettessero di approfondire la conoscenza. E tuttavia, lì, in quel bar unto e bisunto, avevamo preso insieme tanti caffè da levare il sonno a un intero santuario di monaci buddhisti.

Garzón non si mostrava entusiasta del caso assegnatoci, ma era contento di tornare a condividere con me un po' d'azione. Secondo quella che sembrava ormai un'abitudine, quella scocciatura era stata affibbiata a noi perché il resto dei colleghi era sovraccarico di lavoro. Sarebbe stato da fessi non accontentarsi di un caso che a priori appariva come «normale routine». Neppure il modo in cui ci presentarono il problema fu rivestito di particolare solennità. «Un tale», disse il commissario, «si è preso una manica di botte». Niente faceva supporre che ci volesse un detective di Scotland Yard a condurre a buon fine quell'indagine; anche se c'erano, è vero, tre punti da chiarire. Primo, chi era il tale che se le era prese, visto che addosso non aveva documenti. Secondo, perché se le era prese. E, terzo, chi era stato a dargliele.

A prima vista sembrava che fossimo alle prese con una rissa di strada, ma quando l'ispettore capo aggiunse che il tipo era ricoverato all'ospedale Valle Hebrón, ed era in coma, capimmo che la manica di botte era stata un vero cappotto. Non si trattava di una zuffa fra ubriachi, ma di una gravissima aggressione.

Sulla strada per l'ospedale, Garzón era ancora del-
l'umore festoso inaugurato per il nuovo caso. Era così felice che sembrava dovessimo affrontare un picnic
invece che una serie di indagini. Di certo, finché non
ci fossimo trovati davanti il comatoso, per lui non sarebbero esistiti che motivi di contentezza: avremmo
lavorato di nuovo insieme ed erano ancora relativa-
mente freschi gli allori del nostro primo caso. Mi sentii lusingata, non tutti i giorni qualcuno ti regala la
sua amicizia, anche se quel qualcuno è un poliziotto
panzone che ha già varcato da un pezzo la soglia dei
cinquant'anni.

L'ospedale Valle Hebrón è uno di quei mastodonti
costruiti dalla Seguridad Social negli anni sessanta.
Brutto, enorme, imponente, sembra un posto più
adatto per seppellirci dei faraoni che per curare dei
cittadini. Fin dalla scalinata centrale cominciò a im-
porsi alla vista la tipica popolazione ospedaliera costi-
tuita da gente di paese, vecchi asmatici, donne delle
pulizie e frotte di personale sanitario. Mi rattrappii
un po', sentendomi spersa fra i giganteschi padiglioni
dei nove piani, senza sapere a chi rivolgermi o come
addentrarmi in quel colosso. Fortunatamente, il collega Garzón era dotato di un'anima funzionariale che
gli permetteva un chiaro discernimento dei passi necessari. Si muoveva lungo quei corridoi di marmo scuro con la massima naturalezza. «Bisogna parlare con
la caposala», disse, «e chiedere chi c'era al pronto soccorso quando è arrivata la vittima». Io ero meravi-

gliata, perché, come se fossimo in possesso di un amuleto magico, al nostro passaggio si aprivano una dopo l'altra le porte verso la tana dell'orco, senza che mai un errore ci costringesse a retrocedere. Alla fine, un'infermiera alta e forte come un muro ci condusse all'ultima tappa.

– Vi conviene andare a vedere quel poveretto mentre io cerco la cartella clinica e verifico chi c'era stanotte di guardia.

Entrammo in una stanza a tre letti. Il nostro uomo occupava quello di sinistra; un'infinità di tubi collegati al corpo annunciava la sua presenza inerte. Era come un cadavere, silenzioso, immobile, pallido. Non riuscii a far caso ai tratti del suo volto finché non ebbi superato la fascinazione che hanno sempre esercitato su di me le figure giacenti, soprattutto nella scultura. Ogni volta che mi trovo davanti a certe torte di pietra che rappresentano Carlo V, gli amanti di Teruel o il duca d'Alba, una frustata di stupore rispettoso mi percorre la schiena. Eppure, ben poco aveva a che vedere quel giacente con la regalità e la gloria patria. Somigliava piuttosto a un passerotto calpestato, a un gatto investito sull'autostrada. Asciutto, breve, con mani deformi e volgari posate sul lenzuolo, aveva la faccia gonfia per le botte, una delle palpebre era bluastra e sulle labbra erano rimasti appiccicati resti di sangue annerito.

– È impressionante, – dissi.

– L'hanno conciato per le feste.

– Crede sia stata una lite?

– Dubito che si sia difeso. Una lite fa su un puttanaio, ci sarebbero stati dei testimoni.

– Cosa dice il verbale della Guardia Urbana?

– Individuo non identificato, privo di documenti, rinvenuto in calle Llobregós, quartiere del Carmelo, alle tre del mattino. Nessun testimone dell'aggressione. Nessun indizio o traccia. Trasportato immediatamente al policlinico Valle Hebrón. Ricoverato al pronto soccorso.

– Buio assoluto.

Quel tipo aveva i capelli di un rosso sgargiante, sicuramente tinti. Di che faccia avesse in condizioni normali ci si poteva a stento fare un'idea. L'infermiera comparve col medico che era stato di guardia la notte precedente. Lui ci portò in un ufficio minuscolo e malandato. Non sembrava molto impressionato dal fatto che fossimo poliziotti.

– Vi leggo il foglio di ricovero,– disse, e si calò sul naso un paio di spessi occhiali di tartaruga che contrastavano con la sua aria giovanile. – «Ricoverato all'alba del 17 ottobre. Paziente maschio di circa quarant'anni. Nessun segno particolare. Al momento del ricovero presentava politrauma grave e commozione cerebrale. Escluso l'incidente automobilistico. Le lesioni sembrano derivare da ripetute percosse, inferte probabilmente con un oggetto contundente. Prestate le prime cure al pronto soccorso di chirurgia. Attualmente in stato di coma, sottoposto a un periodo di osservazione. Alimentato per via endovenosa. Prognosi riservata».

– Crede che riprenderà conoscenza?

Si strinse nelle spalle.

– Non si può mai dire. Può svegliarsi, può morire anche domani, o rimanere così per molto tempo.

– L'hanno cercato? È venuto qualcuno a trovarlo?

– Ancora no.

– Se dovesse presentarsi qualcuno...

– Sarete avvisati.

– E, se è possibile, trattenete il visitatore fino al nostro arrivo.

– Non fatevi troppe illusioni. Qui di gente che muore senza nessuno ce n'è parecchia.

– Potrebbe mostrarci che cosa aveva addosso?

Ci accompagnò in un magazzino che sembrava un ufficio oggetti smarriti. Gli averi del nostro uomo erano in un sacco di plastica su cui era stato appuntato un numero. Non c'era molto: un paio di jeans luridi, una camicia arancione con tracce di sangue, un giubbotto e una spessa catena d'oro massiccio. Le scarpe, di gomma e molto consumate, erano in un involto a parte. Niente calzini.

– Questa catena così vistosa e di cattivo gusto indica chiaramente che abbiamo a che fare con un soggetto non troppo raffinato, – decretai con il mio migliore birignao.

– E che non l'hanno aggredito per derubarlo. Quest'affare deve valere parecchi soldi, – aggiunse Garzón.

Mi rivolsi all'addetta del magazzino:

– In tasca non aveva niente, spiccioli, chiavi?

Dovette sembrarle una domanda offensiva, perché rispose con malgarbo:

– Senta, tutto quello che aveva addosso è stato messo lì dentro. Qui nessuno tocca niente.

Sempre la stessa storia. Non ferire la suscettibilità del lavoratore ispanico è più difficile che passeggiare lungo le cascate del Niagara senza essere sfiorati da uno spruzzo.

Nel varcare l'uscita di quel palazzo imperiale in declino eravamo già in grado di trarre le prime conclusioni. Quel tale era un poveraccio. Chi l'aveva fatto a pezzi non aveva interesse a derubarlo, però gli aveva svuotato le tasche. Le possibilità erano due: o non voleva che lo identificassimo o stava cercando qualcosa in particolare. La vittima doveva essersi cacciata in qualche brutta storia, altrimenti un tipo così non avrebbe mai avuto i soldi per comprarsi una catena d'oro come quella.

– Permette che le risolva il caso, ispettore? – disse Garzón di punto in bianco.

– Ma prego, non faccia complimenti!

– È evidente che si tratta di una vendetta, di un regolamento di conti. E dato l'aspetto e le caratteristiche del soggetto non sembra che ci muoviamo nell'alta finanza mafiosa. No, punteremo più in basso. Ci giocherei quello che vuole che si tratta di droga, è la cosa più comune. Questo povero disgraziato è un piccolo *pusher*, un cammello da due soldi che ha fatto una cazzata. Qualcuno ha voluto dargli una lezione e gli è scappata un po' la mano. Un caso banalissimo.

– Allora è probabile che sia schedato, – congetturai.

– Se non per spaccio, per qualche piccolo reato di poco conto.

– Quando avremo i risultati delle impronte?

– Oggi pomeriggio.

– Molto bene, viceispettore, allora secondo lei il caso potremmo considerarlo chiuso.

– Aspetti a cantar vittoria. Se è come le dico, questa canzone la canteranno altri. Per le faccende di droga c'è una squadra apposita, e quelli non lasciano mangiare nessuno nel loro piatto. Daranno un'occhiata e, se il tipo non è implicato in cose grosse, saranno loro a chiudere la pratica. All'inferno, un cammello in meno nel vasto deserto!

Neppure per un momento dubitai che avesse ragione. E non perché nutrissi una fede cieca nelle doti sbirresche del mio vice, ma perché la sua catena di supposizioni teneva abbastanza bene. Anche la conclusione... che cosa poteva significare un cammello in meno sulla faccia della terra? Di certo non sarebbe passato dalla cruna dell'ago, così come nessun ricco trafficante sarebbe entrato nel Regno della Legge. Forse quello stesso pomeriggio il caso sarebbe finito in mano ad altri.

– E adesso?

– Adesso s'impone una sosta al Carmelo, Petra. Ispezioniamo la zona, parliamo con la gente. Poi, dal ristorante dove andremo a pranzo chiameremo il laboratorio per vedere se hanno identificato le impronte e se dobbiamo fare nuove domande. Non mi viene in mente altro.

Il Carmelo è uno strano quartiere operaio di Barcellona. Cresciuto disordinatamente su una collina, ha certe vie strette che fanno pensare a un piccolo paese.

Malgrado la sua estrema modestia, finisce per essere più accogliente di quelle distese incolte di periferia dove palazzoni immensi si allineano, ordinati e morti, lungo la ferrovia o l'autostrada. Di ristoranti propriamente detti non se ne vedevano, ma c'erano molti bar dove si poteva anche mangiare, tutti frequentati da operai, tutti arredati secondo l'ispirazione casuale di un padrone poco meticoloso, tutti olezzanti dell'irrespirabile olio dei fritti. Suggerii a Garzón che ci saremmo potuti accontentare di uno spuntino in piedi in un posto qualsiasi; ma lui si rivoltò come se avessi insultato Dio, la patria e l'onore nello stesso tempo.

– Lo sa che se non mangio qualcosa di caldo poi mi viene mal di testa!

– Non ho detto niente, Fermín, mangiamo pure dove vuole lei.

– Le piaceranno questi bar, sono pieni di lavoratori, veramente democratici.

Tastammo il polso alla democrazia concretamente vissuta in un bar della calle Dante chiamato El Barril. I tavoli cui Garzón ambiva non erano individuali ma collettivi. Ti sedevi gomito a gomito con uno sconosciuto, esattamente come nei più modesti ristoranti del Quartiere Latino.

La clientela entrava a frotte, quasi tutti indossavano tute da lavoro, di colore diverso a seconda dell'occupazione. Andavano a occupare posti prefissati dalla consuetudine, e ci lanciavano un saluto come probabilmente usavano fare con i non habitué.

Subito cominciarono a comparire piatti di minestra,

fagioli in umido, insalata russa e cavolfiori gratinati. Il chiasso generale dimostrava che tutti avevano una certa fame ed erano ragionevolmente felici. Ridevano, incrociavano battute da un tavolo all'altro e solo di tanto in tanto gettavano sguardi distratti a un televisore che tuonava inutilmente in un angolo.

Era davvero una situazione simpatica, perfino invidiabile, che dava luogo a un certo cameratismo gastronomico. Eppure quel piccolo paradiso di solidarietà non sembrava aperto a tutti in ugual misura. Io ero l'unica donna.

Garzón si era adattato in fretta all'ambiente. Faceva giustizia al suo cavolfiore di buon appetito, sorseggiava il suo vino, e quando sullo schermo comparvero le notizie sportive e tutti tacquero per un istante, anche lui rimase incantato di fronte ai goal e ai passaggi del pallone. Poi, attaccò discorso col suo vicino, un uomo robusto che si trovò pienamente d'accordo con lui nel definire «bandito» un allenatore. Lo ammirai senza limiti per la sua capacità di inserirsi ovunque con tanta naturalezza.

Prendemmo un buon caffè in mezzo alle briciole e ai tovaglioli di carta sgualciti. Solo quando la sua brama di cibo si fu saziata, Garzón si alzò e fece un giretto chiedendo a tutti che cosa sapessero dell'aggressione avvenuta nel quartiere. Non ottenne alcun risultato. Subito dopo, andò a telefonare al laboratorio per le impronte digitali. Lo vidi tornare immediatamente, ma l'espressione sul suo viso non bastò a orientarmi da lontano.

– Porca miseria! – esclamò.

– Che cosa succede?

– Quel tale non è schedato.

– Sarebbe stato troppo facile. E poi, perché dobbiamo considerarlo un delinquente? Per il momento, è solo la vittima.

– Mi stupirei se fosse incensurato.

– Forse è un delinquente ma non è ancora stato schedato.

– Quei figli di puttana lo sono quasi tutti, ispettore.

Uscimmo dal bar diretti al numero 65 della calle Llobregós. Era più o meno a quell'altezza che l'avevano trovato. Un primo sguardo non rivelò niente di interessante: portoni, una bottega di calzolaio e, un po' più su, una rivendita di vino sfuso. Tutti nella zona sapevano del tragico rinvenimento, ma, come avevano dichiarato ai vigili urbani, nessuno conosceva il ferito.

– Se fosse stato della zona qualcuno lo saprebbe, di vista ci conosciamo quasi tutti.

Ciò malgrado, decidemmo di verificare personalmente e di fare un altro giro di interrogatori nel vicinato. Ma appena suonammo ai piani rialzati quasi non ci fu bisogno di continuare, le signore aprivano la porta, uscivano sul pianerottolo e a volte scendevano a fare due chiacchiere e a offrirci il loro aiuto. Molte di loro erano vestite da casa, in pantofole e grembiule. Si mostravano eccitate e curiose, ma anche preoccupate del fatto che cominciassero a succedere cose simili nel loro tranquillo quartiere. Rivendicavano le loro origini con orgoglio:

– Siamo gente che lavora. Qui di delitti non ne ca-
pitano, ci mancherebbe ancora questa, che tutta la
feccia venisse ad accapigliarsi sotto casa nostra.

Era chiarissimo che, se mai una di loro avesse saputo qualcosa, ce l'avrebbe riferito volentieri. Comunque, per essere esaustivi e puntigliosi, continuammo a
battere quella maledetta via per altri tre giorni. Senza
alcun frutto. Nessuno conosceva quell'uomo, nessuno
l'aveva visto quella notte, nessuno aveva sentito niente di strano nelle prime ore del 17 ottobre. La possibilità che l'avessero pestato da qualche altra parte e
poi l'avessero mollato lì sembrava sempre più verosimile. Ma perché proprio lì? Questa era un'incognita
sulla quale non valeva la pena di fare troppe ipotesi.
Quello, di notte, era un posto poco frequentato e male illuminato, motivo sufficiente per essere scelto allo
scopo.

Solo tre giorni dopo ci rendemmo conto di aver perso tre giorni, i fatidici primi tre, che di solito sono i
giorni decisivi per la risoluzione di qualunque caso. In
quel lasso di tempo, che avrebbe dovuto essere pre-
zioso, ci toccava anche andare al Valle Hebrón per sapere se lo stato del paziente fosse cambiato o se qualcuno fosse venuto a cercarlo. Eppure no, il Bell'Addormentato rimaneva imperturbabile e solo. Era davvero triste. Che qualcuno possa perdere tutta la sua
famiglia nel corso di una vita può essere comprensibile, ma che uno non abbia neanche un amico che si
preoccupi della sua sorte è desolante.

Andavamo a trovarlo verso sera. Malgrado l'aggressione fosse ancora recente, gli ematomi sul viso avevano cominciato a sfumare e i lineamenti si distinguevano con più chiarezza. Aveva qualcosa di deteriore, un relitto, magari per i suoi stessi eccessi, un miserabile ritratto di Dorian Gray. Garzón guardava dalla finestra, fraternizzava con i vecchietti vicini di letto e ogni tanto scendeva al bar. Io, in perenne stato di fascinazione, non toglievo gli occhi di dosso a quell'uomo.

– Finirà con l'affezionarcisi, – mi disse un giorno il viceispettore.

– Forse sarò la prima in tutta la sua vita.

Alzò le spalle con aria severa.

– Non faccia la sentimentale.

– Com'è possibile che nessuno si accorga della sua scomparsa?

– Una quantità di gente sparisce dall'oggi al domani senza che nessuno se ne accorga: vecchietti che puzzano per due mesi nei loro letti prima che li trovi la Guardia Urbana, mendicanti stecchiti nelle stazioni di metropolitana, vecchie pazze che marciscono per anni in un istituto psichiatrico della Beneficencia senza che si faccia vivo un solo parente... Ce ne sarebbero da raccontare!

– Eppure mi fa un po' pena. Ridotto com'è dipende completamente dagli altri, è una cosa terribile. Guardi: le infermiere non l'hanno nemmeno rasato, e i capelli color carota cominciano a mostrare il bianco alla radice.

– Bah, per quel che gliene può fregare a lui!

Con quella volgare esclamazione Garzón aveva chiu-

da, ma non ci cavo neanche da vivere. Se avessi potuto l'avrei già venduto.

– Lucena pagava puntualmente?

– Sì, andava tutto troppo bene, qualcosa prima o poi doveva succedere.

– Sa se per caso fosse invischiato in storie di droga?

Si spazientì:

– Le ho già detto che non so niente, che non ho mai visto quell'uomo in vita mia. È molto semplice: un tizio che affittava da me è stato pestato a sangue, giusto? D'accordo, magari vendeva droga, magari era un magnaccia e un altro magnaccia ha voluto saldare qualche conto in sospeso... tutto può essere, ci siamo? Solo che io non ne ho mai saputo niente.

L'agenzia immobiliare Urbe sembrava l'anello mancante che ci avrebbe permesso di stabilire se il nostro moribondo fosse Ignacio Lucena Pastor. Ci andammo. Lì una signorina ci informò che del contratto con il Lucena si era occupata una segretaria che non lavorava più lì.

– Bene, perfetto, ci dia il suo indirizzo. Abbiamo bisogno di identificare una persona, – ordinò Garzón.

– Il fatto è che Mari Pili si è sposata un anno fa. Ha lasciato il lavoro e si è trasferita a Saragozza.

– E non avete un recapito, un numero di telefono?

– No. Quando è andata via ha detto che avrebbe scritto, che saremmo rimaste in contatto, però sa come vanno queste cose...

Garzón cominciava ad assumere un tono disperato.

– E nessun altro ha mai parlato con l'inquilino? Nessuno incassava l'affitto? Nessuno l'ha mai visto?

La ragazza era sempre più mortificata.

– No.

– Ma, avrete pure il nome della banca, il numero di conto corrente.

– No, non ce l'abbiamo, quel signore mandava un assegno circolare per posta il giorno due del mese, e visto che non c'è mai stato nessun problema...

– E, naturalmente, l'indirizzo del mittente era sempre quello dell'appartamento, – disse Garzón ormai sul punto di mangiarsela.

– Sì, – mormorò la ragazza intimorita, e aggiunse, temendo chissà quali rappresaglie: – È tutto regolare.

– Ci faccia vedere il contratto.

– Non so dove sia.

– Benissimo, adesso è tutto chiaro. Affittate a immigrati clandestini, gente senza documenti, e lo fate in modo che non risulti da nessuna parte, vero?

– Sarebbe meglio che ne parlasse con il titolare.

– Non si preoccupi, farò rapporto in commissariato e manderanno qualcuno a vedere cosa cazzo capita qui dentro.

La ragazza sospirò, forse perché sapeva che prima o poi i panni sporchi sarebbero saltati fuori.

In macchina, Garzón era indignato.

– Ma insomma, è uno schifo! E poi dicono che siamo tutti schedati, che il nostro nome compare in un'infinità di elenchi, che si conoscono ufficialmente anche i nostri più reconditi pensieri. E invece no, non è vero niente, potremmo vivere cent'anni nello stesso buco e alla fine è come se non fossimo mai esistiti, nessuno ci ha mai visti in faccia!

– Si calmi, Fermín. Andiamo a vedere se Pinilla ha tirato fuori qualcosa dai vicini.

Il sergente Pinilla fu tassativo: niente. Nessuno era in grado di riconoscere il ferito guardando la fotografia presa all'ospedale, nessuno. E neppure all'anagrafe figurava il suo nome.

– Provateci voi, magari la gente ha più paura della polizia che dei vigili urbani; anche se ne dubito, è troppo facile dire che non si conosce nessuno! Perché andarsi a cacciare nei guai?

– Dove lo tenete il cane che era nell'appartamento? – domandai.

– In deposito.

– Possiamo vederlo?

Ricevetti dai due uomini uno sguardo di sconcerto e curiosità.

– Mi piacerebbe interrogarlo, – scherzai.

Pinilla se ne uscì in una risata e si avviò:

– Per me può anche condannarlo all'ergastolo! Tenere cani in deposito è una complicazione e basta, mi creda.

Ci condusse verso un grande stanzone negli scantinati. Gli oggetti più disparati erano stipati su rozze scansie di legno. In un angolo, isolato da una rete metallica, c'era un cane sdraiato accanto a una ciotola piena di cibo e a un'altra piena d'acqua. Nel vederci, diede un balzo in verticale e si mise ad abbaiare a pieni polmoni.

– Eccolo qua il cagnetto! Come vedete, non si è ancora perso d'animo.

27

– Quant'è brutto, povera bestia! – disse Garzón.

Brutto lo era davvero. Rachitico, lanoso, nero, con le orecchie enormi. Le zampe corte e storte si inserivano in un corpo di peluche sdrucito. Eppure, c'era nei suoi occhi uno sguardo di realistica consapevolezza che mi colpì. Infilai la mano fra le sbarre e gli accarezzai la testa. Mi trasmise all'istante, attraverso le dita, un calore affettuoso. L'animale fissò su di me le sue pupille interrogative e mi allungò una leccatina sincera.

– È simpatico, – sentenziai. – Ce lo incarti, sergente, lo prendiamo. Ne abbiamo bisogno per l'indagine.

Pinilla non fece una piega, ma Garzón era stupefatto. Si voltò verso di me:

– Senta, ispettore, cosa diavolo dovremmo farcene di questa bestia?

Gli rivolsi uno sguardo autoritario che da tempo con lui non avevo più usato.

– Glielo comunicherò, Garzón, per il momento ce lo portiamo via.

Per fortuna afferrò al volo la situazione e tacque, non era il caso di rendere più evidente di quanto già non fosse la sua sorpresa.

– Posso chiedervi un favore? – domandò Pinilla. – Vi dispiacerebbe portarlo voi al canile quando avrete finito con le indagini? Non penso che un giorno di più o di meno presso di noi sia la fine del mondo, dico io.

Gli eravamo capitati come il cacio sui maccheroni, al sergente, che si levava di torno lo scomodo animale prima del previsto. Non gliene importava un fico secco di cosa potessimo farcene, purché glielo togliessimo dai piedi. A Garzón, invece, interessava un po' di più. Anzi, non vedeva l'ora di chiedermelo, solo che dopo quella mia dimostrazione di autorità non si sarebbe mai permesso di fare altre domande. Suppongo che quando arrivammo all'ospedale avesse già cominciato a intuire qualcosa, ma nemmeno allora parlò.

La prima difficoltà del mio piano consisteva nel portare il cane fino alla stanza della vittima senza che nessuno se ne accorgesse. Non mi venne neppure in mente di chiedere un permesso ufficiale per entrare con un cane fra quelle mura. Non che mi stessi convertendo a metodi poco ortodossi, ma avevo il presentimento che qualunque tentativo di procedura legale in quel labirinto mastodontico non avrebbe prodotto altro che tonnellate di carte, fra polizze, fotocopie e moduli appositi per l'autorizzazione a introdurre cani di colore nero nelle strutture sanitarie locali.

Chiesi al mio vice di togliersi il suo distinto impermeabile. Tirai fuori il cane dal portellone dell'auto e me lo misi sottobraccio. Poi, cercando di non spaventarlo, lo coprii con l'impermeabile in modo che restasse completamente nascosto. Mi lasciò fare, pareva perfino che gli piacesse, perché sentii un'umida carezza sul dorso della mano.

In questa guisa entrammo nell'ospedale. Avrei giurato che Garzón imprecasse sotto voce, ma poteva essere anche il cane che ringhiava. Io mi sentivo tranquilla; in fin dei conti quella era una trasgressione minima alle norme, niente che non potesse essere giustificato come un atto di servizio.

Gli uscieri ci fecero passare senza problemi alla vista dei tesserini. Nessuno ci notò per tutto il tragitto, fino alla camera del nostro uomo. Quando aprii la porta, capii che le mie preghiere, sebbene pronunciate a denti stretti, erano state esaudite. Dentro non c'era nessuno del personale sanitario, e i due vecchi che dividevano la stanza con lui dormivano. Liberai il mio poliziotto dall'involto e lo posai a terra. Era stranito dagli odori dei medicinali che sentiva nell'aria. Annusò da tutte le parti, starnutì, si mosse alla cieca e, all'improvviso, rimase pietrificato da qualcosa che il suo fine olfatto aveva percepito. Impazzito, galvanizzato dalla scoperta, si mise a saltare e a emettere allegri latrati intorno al letto dell'individuo inerte. Finalmente, rizzatosi sulle zampe posteriori, vide quello che era senza dubbio il suo padrone, ed esplose in uggiolii di felicità mentre cercava di leccargli le mani, abbandonate sul lenzuolo.

– Viceispettore Garzón... – declamai in tono teatrale, – ... le presento Ignacio Lucena Pastor.

– Porca vacca! – disse Garzón per tutto commento. In realtà non avrebbe potuto aggiungere molto di più, dal momento che con quel chiasso i due vecchi si erano svegliati. Uno di loro stava guardando il cane come se fosse spuntato fuori dai suoi sogni, e l'altro, resosi chiaramente conto che quella situazione non era normale, si affrettò a suonare il campanello e a chiamare l'infermiera a gran voce. Per un attimo rimasi paralizzata, senza sapere come reagire, e riuscii soltanto a vedere che Garzón prendeva il cane, mi strappava di mano l'impermeabile, glielo avvolgeva intorno e infilava la porta a tutta velocità.

– Andiamocene, ispettore, questo non è posto per noi.

Percorremmo corridoi interminabili a passo leggero, con quel maledetto animale che scalciava ed emetteva acuti guaiti, lottando per liberarsi dall'abbraccio del mio collega. Via via che ci avvicinavamo all'uscita, ci lasciavamo alle spalle una fila di facce sorprese che cercavano di capire da dove venissero quegli ululati. Io cercavo di non cambiare espressione, di agire con naturalezza e di camminare il più velocemente possibile senza mettermi a correre. Quando già si distingueva la porta d'uscita, chiara e salvatrice, uno degli uscieri dovette indovinare che quei lamenti e quelle proteste così strane provenivano da noi.

– Ehi, un momento! – gridò, quando riuscì a richiudere la bocca spalancata dallo stupore.

– Cosa facciamo? – domandò Garzón a voce bassa.

– Andiamo avanti, – risposi.

– Fermatevi! – tornò a gridare l'uomo.

– Petra, per l'amor di Dio! – sussurrò Garzón.

– Vi ho detto di venire qui! – Questa volta la voce del guardiano suonava dietro di noi, molto vicina. E proprio quando mi resi conto che non ci sarebbe stato un altro avvertimento, che ormai stavamo per essere raggiunti, con una reazione viscerale, senza voltarmi indietro né avvertire Garzón, mi lanciai in una corsa pazza. Varcai il portone principale, mi precipitai giù per la scalinata a tutta velocità, e non mi fermai finché non fui arrivata al parcheggio. Solo allora, ansimante, mi guardai indietro. Non c'era nessuno in camice bianco o in uniforme a inseguirmi, solo Garzón che, spompato, congestionato e con notevole mancanza di stile atletico, copriva gli ultimi metri della corsa. Si fermò accanto a me, senza nemmeno la forza per parlare. Diedi uno strattone al suo impermeabile ed emerse fra le pieghe la testa, spettinata e orrenda, del nostro testimone. Se non altro si era zittito, consapevole di aver attraversato momenti drammatici. Mi prese una selvaggia voglia di ridere e mi ci abbandonai senza ritegno. Garzón e il cane mi guardavano stupefatti, con la stessa precisa e identica espressione.

– Si può sapere perché cazzo ha fatto una cosa simile, Petra?

Cercai di ritrovare la serietà.

– Mi scusi, Fermín. Mi spiace, so che avrei dovuto avvisarla.

– Mi domando che cosa racconteremo quando dovremo tornare un'altra volta in questo ospedale.

– Bah, non si preoccupi, nessuno ci riconoscerà!

– Ma i vecchietti della stanza hanno visto il cane!

– Io non me ne preoccuperei troppo. E poi, vice-ispettore, dov'è finito il suo senso dell'avventura?

Mi guardò con la stessa fiducia che gli avrebbe ispirato un pazzo furioso. Aprii la macchina e deposi il cane nel vano posteriore. Riprese a ululare, di nuovo in preda al dolore.

– Si sbrighi, dobbiamo portare questa maledetta bestia al canile.

Garzón, per tutto il tragitto, non fece altro che nascondere rimproveri dietro alle domande.

– Non crede che avremmo potuto trovare un modo un po' meno spettacolare per identificare Lucena?

– Mi dica lei come.

– Non abbiamo nemmeno interrogato personalmente i vicini di casa.

– Lo faremo, ma ora che siamo certi che si tratta di Lucena Pastor ne caveremo fuori molto di più. A proposito, non dimentichi di avvisare il commissario delle attività illegali dell'immobiliare Urbe, spero che finiscano nei casini fino al collo.

– Non si preoccupi. Ma, francamente, non so se con questo sistema del cane...

– Senta, Garzón, non ha mai sentito parlare dell'infallibilità animale? Lo sa che cosa usano alla Depuradora Municipal di Barcellona per vedere se l'acqua è inquinata? Bene, glielo dirò io: pesci! E lo sa che cosa usarono nella metropolitana di Tokyo per rilevare la presenza di gas tossici liberati dai terroristi? Cocorite in gabbia! E ora non mi faccia parlare della lunga storia di collaborazione che c'è sempre stata fra la polizia e i cani: controlli doganali, ricerche di persone scomparse, rinvenimento di stupefacenti...

Sbirciai la sua espressione con la coda dell'occhio: era meditativa ma non del tutto convinta.

– Ma perché se ne è scappata di corsa senza avvertirmi?

– Forse perché sono due anni che mi annoio a morte.

– E allora mi ricordi di regalarle un puzzle! Non so

se potrò sopravvivere a un'altra corsa come quella.

La mia risata fu interrotta da un'insolita visione. Eravamo arrivati a destinazione. Di fronte a noi si levava un edificio enorme, vecchio, malandato. Abbarbicato alle pendici di Collserola, silenzioso, aveva un aspetto veramente sinistro.

– Dove diavolo siamo?

– Al canile municipale, – disse Garzón, procedendo lungo la strada deserta. Via via che ci avvicinavamo, quella lugubre impressione fu rafforzata dai latrati e dagli ululati che giungevano ai nostri orecchi. Era un coro polifonico abbastanza raccapricciante.

Quando ci fermammo accanto alle mura scrostate, i latrati salirono di tono. Presi di nuovo in braccio il nostro sfortunato testimone, che si strinse a me come se presentisse il suo triste destino. Ci ricevette un impiegato giovane e simpatico. Colpito dal fatto che fossimo poliziotti, ci disse che normalmente aveva rapporti solo con la Guardia Urbana. Ci accomodammo mentre compilava una scheda. Il povero cane mi si rannicchiava in grembo cercando protezione. Provai curiosità.

– Tutti i cani vengono adottati da nuovi padroni?

– Purtroppo no, solo quelli che hanno una certa somiglianza con qualche razza.

– Crede che questo somigli a qualche razza?

Il ragazzo sorrise: – Forse a qualche razza esotica.

Nemmeno a lui era sfuggita la bruttezza dell'animale.

– E cosa succede se nessuno li adotta?

– Tutti mi fanno la stessa domanda. Cosa pensa che possa succedere?

– Li sopprimete.

– Dopo un po' di tempo sì. Non possiamo fare altrimenti.

– Camera a gas? – domandò Garzón, forse lasciandosi trasportare da una certa mitologia olocaustica.

– Iniezione letale, – sentenziò l'impiegato. – È un sistema completamente indolore, non se ne rendono nemmeno conto. Si addormentano e non si svegliano più.

Gli ululati, mitigati dalle pareti dell'ufficio, sottolinearono le sue parole.

– Vuole che le mostri le gabbie?

Non so perché accettai quella proposta, ma lo feci. Il ragazzo ci condusse lungo un corridoio illuminato da una fila di lampadine nude. Ciascuna delle ampie gabbie allineate era condivisa da tre o quattro cani. Il baccano che si levava al nostro passaggio era notevole. Gli animali reagivano in modi diversi. Alcuni premevano contro la rete per sporgere il muso e leccarci. Altri abbaiavano e giravano su se stessi in una spirale di follia. Ma tutte quelle strategie sembravano perseguire un fine comune: richiamare la nostra attenzione. Era evidente che conoscevano la crudeltà di quel gioco: il visitatore arrivava, camminava su e giù per il corridoio e poi uno di loro, soltanto uno, veniva liberato dalla sua prigione. Rabbrividii. La nostra guida continuava a dare spiegazioni che io non riuscivo a seguire, una grande angoscia si era impadronita del mio stomaco. Mi fermai, guardai a terra e vidi che, appiccicato ai miei piedi, l'orrendo cagnetto si era come rattrappito e, in silenzio, mi seguiva.

– Senta, Garzón! – chiamai.

Ma il mio collega stava chiacchierando con il tipo del canile, in tutto quel baccano.

– Scusate! – fui sul punto di gridare. – Basta così. Ho cambiato idea. Credo che il cane lo terrò io.

– Come? – inquisì il viceispettore.

– Sì, solo finché il padrone non sarà dimesso. Sa, credo che potrà servirci ancora per le indagini. Tanto vale che lo sistemi nel giardinetto di casa mia.

L'impiegato del canile mi guardava, sorridendo comprensivo. Non fece alcun commento. Gliene fui grata, ci mancava solo questo per farmi fare la figura della patetica davanti a Garzón.

Nel viaggio di ritorno rimanemmo zitti a lungo. Alla fine, Garzón aprì il fuoco.

– Con tutto il rispetto, ispettore, e sia chiaro che non voglio immischiarmi, ma mi permetta di dirle che lasciarsi commuovere per la minima cosa non è l'ideale per un poliziotto.

– Lo so.

– Ho visto molte cose a questo mondo, se lo può immaginare. Ho visto scene che mi hanno dato il voltastomaco: bambini abbandonati, suicidi appesi a una trave, giovani prostitute ammazzate di botte... be', ho sempre cercato di non lasciarmi commuovere troppo. È l'unico modo per non finire in manicomio.

– Lo sguardo di quei cani mi ha impressionata.

– Non sono altro che cani.

– Sì, ma noi siamo persone.

– Va bene, ispettore, non mi rivolti la frittata, sa benissimo che cosa voglio dire.

– Certo che lo so, Garzón, e le sono grata delle sue intenzioni, ma si tratta soltanto di tenere il cane finché il padrone non si sarà ripreso. E poi, quel che ho detto sulla possibilità di usarlo ancora nelle indagini è assolutamente vero, lo useremo di nuovo.

– Che Dio ci scampi e liberi.

– Perché protesta sempre per tutto? Le faccio una proposta: se mi porta fino a casa le offro un whisky.

Il cane non parve troppo contrariato nel vedere la sua nuova sistemazione: forse si rendeva conto di essere scampato a qualcosa di peggio. Ispezionò le stanze, uscì in giardino, e quando gli offrii acqua e biscotti non si tirò indietro. Garzón ed io sorseggiammo lentamente il nostro whisky, attenti alle evoluzioni dell'animale.

–Dovrò cercargli un nome, – dissi.

– Lo chiami Spavento... – osservò il viceispettore, – brutto com'è...

– Non male come idea.

L'interessato si sdraiò ai miei piedi, sospirò. Anche Garzón sospirò, si accese una sigaretta, guardò placidamente il soffitto. Formavamo un tranquillo quadretto dopo le molteplici vicissitudini di quella giornata. Mi domandai se davvero quei suoi occhi di poliziotto avessero visto tante atrocità. Probabilmente, sì.

Perquisimmo a fondo l'appartamento che Ignacio Lucena Pastor occupava nel centro storico, un piccolo antro abbastanza miserabile che lui non si era preoccupato di rendere minimamente più decente. Un tavolo e quattro sedie, un televisore e un divano sul punto di squarciarsi erano gli unici arredi del soggiorno. La camera da letto non appariva molto più accogliente; vi erano un comò, uno scaffale pieno di riviste e una specie di scrittoio, nei cui cassetti trovammo solamente carta da lettere e un paio di libri contabili che Garzón raccolse come indizi. Tutto il resto non destava grande interesse, gli oggetti personali erano troppo scarsi per offrire indicazioni sulle sue abitudini o preferenze. Le riviste invece davano una vaga idea dei gusti del personaggio: settimanali di auto e motociclette, qualche giornaletto con ragazze nude, e fascicoli sciolti di tre enciclopedie: una sulla Seconda Guerra Mondiale, un'altra sui cani di razza e una terza di fotografia. L'unico ornamento che ingentiliva il luogo era una coppia di colombe di terracotta, molto rozze, che Lucena aveva disposto sul comodino.

– Se quello che pensa lei è vero e trafficava in droga, non pensa che dovrebbe passarsela un po' meglio, Garzón?

– Bah, questi piccoli spacciatori...!

– Ma la violenza con cui l'hanno pestato, non le sembra un po' sproporzionata per un tipo che si occupava di cose senza importanza? La cosa non mi quadra.

– Perché? Lei misura le sue forze quando schiaccia una zanzara?

Quel che diceva Garzón aveva senso, ma i fatti, anche quelli criminosi, tendono alla coerenza, e c'era qualcosa in quella supposizione che sfuggiva a un'ipotesi ben strutturata. Una vendetta così feroce richiedeva un motivo potente.

I cassetti dello scrittoio erano vuoti. Non conservava mai niente quell'uomo? Perché diavolo aveva in casa uno scrittoio, allora? Niente, nemmeno una ricevuta del gas? Qualcuno poteva aver messo sottosopra l'appartamento dopo il pestaggio, ma se lo aveva fatto, poi si era preoccupato di rimettere tutto in ordine.

Facemmo un giro per interrogare i vicini. Non ci ricevettero con applausi. Era la terza volta che rispondevano alle stesse domande: Conosceva Lucena? L'aveva mai visto? Entrava e usciva con frequenza? Le risposte si riassumevano in un «no» categorico. La fotografia che mostravamo, in cui il soggetto compariva nel suo letto d'ospedale, non solo era inutile per rinfrescare i ricordi, ma risultava sufficientemente intimidatoria per far chiudere a quattro mandate i battenti della memoria. Per tutta quella gente Lucena non era mai esistito. Avevano paura, non di qualcosa di tangibile e concreto, esterno e reale, ma di un tutto fluttuante ed etereo, della vita in sé. Vivevano la paura come una sostanza inglobante e assoluta, totale. Questa era forse l'unica certezza che avevano avuto sempre: la paura. Donnette abbandonate, giovani tossici, neri immigrati illegalmente, miserrime famiglie arabe, alcolizzati senza lavoro e vecchi con diecimila pesetas di pensione. Non conoscevano nessuno e nessuno li conosceva. Non parlavano né sorridevano, prossimi all'animalità a forza di vedersi privati di tutto ciò che è umano. Quanto di più lontano poteva esserci dalle allegre massaie che avevamo interrogato giorni prima al Carmelo. Donne felici che parlavano a ruota libera, lustravano le loro case con prodotti odorosi di pino, portavano grembiuli dai colori vivaci e tenevano sul televisore una foto dei figli sotto le armi. Era la distanza sostanziale che separa il proletariato dall'emarginazione.

Uscimmo da quell'immobile scalcinato senza alcun risultato. Ignacio Lucena Pastor non era niente di più di un fantasma che aveva abitato in quella casa, approfittando della sua invisibilità per muoversi fra i viventi. Proprio quando stavamo per attraversare la strada, qualcuno ci chiamò sottovoce dal portone. Era una delle inquiline che avevamo appena interrogato. Me la ricordavo perfettamente, una donna molto giovane, certamente marocchina, che era venuta ad aprirci la porta circondata da un nugolo di bambini. Ci fece cenno di avvicinarci, non voleva uscire allo scoperto. Parlava uno spagnolo rudimentale, dolce e roco come un sospiro.

– Ho visto due volte quell'uomo nel bar. Io fuori, lui dentro.

– In quale bar?

– Due vie di là, a destra, bar Las Fuentes. Ci sono uomini che bevono, tanti.

– Era solo?

– Non so. Io andavo a fare la spesa.

Sorrideva, malgrado la paura. Aveva occhi profondi e neri, molto belli.

– Perché non l'ha detto alla Guardia Urbana? – domandò Garzón.

– Mio marito apre la porta, non io.

– E suo marito non vuole complicazioni, vero?

– Mio marito dice che non è problema nostro. Lui muratore, lavora tanto, ma non vuole problemi dei spagnoli.

– Lei non pensa la stessa cosa? – dissi gentilmente.

– I miei figli sono nati in questo paese, vanno a scuola in questo paese. È importante non fare male, non dire bugie.

– La capisco molto bene.

– Non dire che ho parlato con lei.

– Le assicuro che nessuno lo saprà.

Sorrise. Doveva avere appena venticinque anni. Sparì nella penombra della scala.

– Accidenti… – esclamò Garzón, soddisfatto, – una buona cittadina!

– Sì, e di sicuro questo grande paese aprirà le braccia ai suoi figli, li accoglierà con affetto e li aiuterà a crescere sani e forti. Infatti ha già cominciato a dar loro il benvenuto: ha visto in che condizioni vivono?

– Tutto prima o poi si aggiusta, Petra.

– Non lo giuri su una Bibbia.

Garzón annuì da uomo ragionevole, paziente ed equanime qual era. Spesso le mie opinioni gli apparivano troppo inclini all'estremismo.

Ma certo, eccolo lì il bar Las Fuentes. A quel punto della mia vita avrei già dovuto capire che la biografia di ogni spagnolo gravita intorno a un bar, proprio come al centro di quella degli svedesi si cela una casa con parquet. Non importano la classe sociale né le convinzioni, alla fine, nel profondo, si estende quel terreno neutrale e comunitario, senza colpa, dove ciascuno dà libero sfogo ai lati più autentici del suo io. Proprio come immaginavo, il bar Las Fuentes occupava il livello più basso nella piramide sociale dei bar ispanici. Esuberante come una chiesa barocca, con il suo altare a guisa di bancone e le sue vetrate istoriate di cozze e paelle gialle, era uno degli antri più luridi in cui avessi mai messo piede. Vari fedeli parlavano a gran voce davanti alle bottiglie di birra, mentre il sommo sacerdote lavava bicchieri con strepito.

Mostrammo il tesserino al padrone, tirammo fuori la foto di Lucena e per tutta ricompensa ricevemmo, tinta di malavoglia, la risposta di rigore: non lo conosceva, non l'aveva mai visto. E così pure un terzetto di clienti che giocava a carte a un lercio tavolino.

– Ma ci è stato riferito che di solito viene qui.

– Be', vi hanno riferito male. Uno dei soliti non è, perché me ne ricorderei. Ora, se è venuto una o due volte… di qui passa tanta gente.

Non riuscimmo a cavargli fuori altro. E poi era possibile che stesse dicendo la verità; il fatto che la signora marocchina avesse visto Lucena un paio di volte in quel bar non garantiva che fosse un cliente assiduo.

– Ci ha mai fatto caso, Petra? Nei film polizieschi i poliziotti capiscono sempre chi sta mentendo e chi no. Come faranno?

– L'unica cosa che mi sembra chiara, ormai, è che questo caso è uno schifo, Garzón, e che il minimo passo avanti ci farà sputare sangue.

– Sono tutti così.

– È un tale squallore! Uno che quasi lo ammazzano di botte in un vicolo, case fatiscenti, immigrati clandestini, bar pestilenti... Che perla della criminologia ci ha passato il commissario!

– Avrebbe preferito qualcos'altro? – mi prese in giro Garzón. – Che so? Una marchesa strangolata nella sua villa con una calza di seta? Uno sceicco arabo sequestrato?

– Vada al diavolo!

Sentii che se la rideva sanamente di me, e aveva ragione. Nella vita non ci sono casi facili, né virtù assolute, né mali che non abbiano un rimedio; di modo che non ci restava altro da fare che tener duro. Mi voltai:

– Metta un agente in quel bar. Che ci passi ventiquattr'ore su ventiquattro. In borghese, e con le orecchie bene aperte. Per lo meno una settimana. E la pianti di prendere per il culo i suoi superiori!

– Che umore tremendo! Non è tutto così negativo. Oggi abbiamo conosciuto una persona molto per bene, la ragazza marocchina.

– Non me la ricordi, mi fa pena pensare alla vita che fa.

– Ci risiamo coi sentimentalismi?

Lo osservai, era felice, contento come se fossimo due bambini in ricreazione o due impiegati nella pausa caffè. Decisi di rimandargli la palla.

– Sa perché mi succede questo, Fermín? Perché ultimamente mi capita di scopare pochissimo.

Sviò immediatamente lo sguardo, gli si congelò il sorriso. Obiettivo colpito.

– Cazzo, ispettore!

– Parlo sul serio, è una cosa dimostrata: chi non ha una vita sessuale attiva, comincia a provare pietà per i deboli e i diseredati. Al contrario, quando ti dedichi intensamente al sesso, le disgrazie altrui ti preoccupano molto meno... anzi, non te ne accorgi proprio.

Il viceispettore guardava in tutte le direzioni, cercando di dissimulare il suo imbarazzo. Era pur sempre un timido. Strano, il minimo colpetto alla struttura convenzionale dei ruoli e tutto il castello dell'amicizia fra i sessi crolla come in un terremoto.

– Le ricordo che sono una donna due volte divorziata; voglio dire che ho conosciuto le delizie di un'intimità coniugale diciamo... continuativa. Eppure ora tutto questo mi piomba addosso così all'improvviso...

Era molto più di quanto Garzón potesse tollerare da me, anche tenendo conto di quella che lui chiamava la mia «innata originalità». Si mise l'impermeabile e guardò il cielo grigio con l'interesse di un meteorologo.

– Be', ispettore, lei crede che pioverà? Sarà meglio

che torniamo in commissariato a vedere cosa diavolo sono questi quaderni che abbiamo trovato.

Colpito e affondato.

L'ispettore Patricio Sangüesa, specialista in reati pecuniari, diede un'occhiata ai quaderni di conti di Lucena. Tanto per cominciare, non gli ci volle molto per accorgersi che erano numerati: 1 e 2. Poi si immerse in quelle pagine coperte di rozza scrittura. Le guardava e le riguardava, le voltava avanti e indietro, si massaggiava il mento come un filosofo socratico. Garzón ed io consumavamo sigarette in religioso silenzio, sempre più convinti che il disorientamento del nostro collega fosse dovuto a un serio presentimento. Finalmente aprì bocca:

– È molto strano. Come potete immaginare, questa non è una contabilità ufficiale o a uso commerciale. Non vi è menzione di IVA né di qualcosa che faccia pensare all'attività di un negozio o di un laboratorio. Si tratta probabilmente di conti di uso privato. A questo punto, quel che mi domando è, di quale merce ci si occupa? Le voci sono strane, le cifre anche, e sono indicati periodi di tempo che non hanno alcun senso.

– Potrebbe farci un esempio?

– Ogni pagina è un esempio! Guardate: «Rolly: cinque mesi. Da 5.000 a 10.000. Sux: quattro anni. 7.000. Jar: un anno. 6.000 meno le spese».

– Potrebbero essere puttane – disse Garzón.

– Lei contratterebbe una puttana per quattro anni? Non ha senso. E poi questi nomi!

– Magari sono soprannomi.

45

– Non lo so. Affiderò i quaderni agli uomini della mia squadra, li analizzeranno riga per riga e vi dirò che cosa ne viene fuori. Per il momento non scartate nessuna ipotesi.

Presi un taxi e me ne andai a casa, era ora di occuparsi del cane. Non appena aprii la porta udii un abbaiare acuto che mi fece presagire il peggio; forse ero arrivata troppo tardi e i miei mobili erano già tutti distrutti. Nel vedermi, Spavento si esibì in salti da derviscio sufi in piena estasi. Mi amava. Era mai possibile? Mi riconosceva come sua salvatrice e benefattrice, mi rendeva sincero tributo di eterna fedeltà. Se avessi saputo che con un cane era così facile, mi sarei risparmiata un paio di matrimoni. Andai a vedere quali guai avesse combinato durante la mia assenza. Mi tranquillizzai: il nuovo inquilino aveva defecato in un angolo del giardino, tappeti e mobili erano intatti. – Molto bene, – gli dissi, supponendo che così si dovesse fare, e lo accarezzai sulla testolina deforme. Si contrasse dal piacere, diventando forse ancora più brutto.

I biscotti che gli avevo lasciato come unico nutrimento erano spariti. Mi domandai se fossero l'alimento adatto per un cane. Senza dubbio no. Cercai sulle pagine gialle qualche centro che si occupasse di animali domestici nelle vicinanze. Presto ne trovai uno che sembrava perfetto: La casa del cane. Il nome non era molto originale, ma il riquadro pubblicitario sembrava riassumere tutti i requisiti: dall'ambulatorio veterinario fino all'alimentazione e agli accessori per l'igiene.

– Bene, Spavento… – gli dissi, – credo sia giunto il

momento di fare la nostra prima passeggiata fuori servizio.

Non possedendo un guinzaglio, dovetti prenderlo di nuovo in braccio.

Il negozio era grande e ben organizzato. Un uomo all'incirca della mia età, atletico e sorridente, mi accolse domandandomi in cosa potesse essermi utile. Nella mia mente si fece il vuoto, non avevo la minima idea di cosa mi occorresse.

– Vede… – dissi, – per circostanze che non mette conto spiegare, ho ereditato questo cane –. Gli mostrai Spavento nella certezza che avrebbe avuto pietà di me. – Quindi ho bisogno di tutto, tutto quel che può servire per un cane, a cominciare da un veterinario che lo visiti.

– Capisco, – disse con una voce modulata su toni gravi. – Il veterinario sono io. Ho l'ambulatorio di sopra, ma visto che la persona che mi aiuta è uscita, se vuole posso dargli un'occhiatina qui.

Acconsentii. Si chinò accanto a Spavento.

– Come si chiama? – mi domandò di sotto in su.

Esitai un istante, poi confessai:

– Spavento.

Alzò lo sguardo, mi guardò con occhi che scoprii di un verde intenso, sorrise mettendo in evidenza una dentatura perfetta.

– Sa che età ha?

Dissi di no. Lui aprì la bocca di Spavento. La osservò.

– Avrà su per giù cinque anni. Sa chi è stato il suo padrone finora?

– Sì, un amico.

– Glielo domando perché spesso dobbiamo tenere in considerazione le abitudini già acquisite, nel caso di un cane che abbia avuto un precedente padrone.

– Già, – dissi, un po'allarmata.

– Non sembra avere alcun problema di salute. Il suo amico le ha detto se è vaccinato?

– No, non mi ha detto niente, e ormai non posso più chiederglielo... non è raggiungibile.

– Va bene, faremo il richiamo dei vaccini annuali per sicurezza –. All'improvviso scoprì qualcosa che lo colpì. Mi mostrò l'orecchio di Spavento. – Ehi, guardi, ha una cicatrice! Sembra un morso, senza dubbio il morso di un cane di grossa taglia molto aggressivo, la cicatrice è profonda.

– È recente?

– No, per niente, sembra abbastanza vecchia. Qui il pelo non gli ricrescerà più, anche se non si nota, non lo imbruttisce affatto.

Mi sfuggì una stupida risata in falsetto.

– Crede che potrebbe essere ancora più brutto di com'è?

Lui si rialzò. Era alto e aveva le spalle larghe, i capelli biondo cenere tagliati molto corti. Mi guardò con biasimo.

– Nessun cane è brutto, nessuno. Ciascuno ha una sua bellezza. Bisogna solo scoprirla.

– E dove la scopro nel mio? – domandai molto seria.

Si chinò appoggiando le mani sulle ginocchia e considerò le attrattive di Spavento.

– Ha uno sguardo molto nobile, e ciglia lunghe e incurvate all'insù.

Mi chinai anch'io.

– È vero, non me ne ero accorta.

Entrambi ci rendemmo conto nello stesso istante di quanto fosse ridicola quella situazione e ci tirammo su, più circospetti di quanto non fosse necessario. Poi le cose andarono molto più in fretta, il veterinario fece il suo dovere e vaccinò la bestia. Quindi passò al ruolo di negoziante e si accinse a vendermi tutto ciò di cui il mio nuovo compagno poteva aver bisogno. Subito compresi che Machado, il poeta amante del «bagaglio leggero», non si sarebbe mai concesso di tenere un cane. Acquistai un collare e un guinzaglio, uno shampoo antiparassitario, una spazzola di metallo, un abbeveratoio automatico, una ciotola, un sacco di cibo liofilizzato, una cuccia, delle salviettine per pulire le orecchie e altre per gli occhi. Insomma, un corredo che avrebbe fatto felice la figlia di un magnate. Naturalmente non ce la facevo a trasportare tutta quella roba, di modo che il veterinario si prese i miei dati e promise che mi avrebbe fatto mandare tutto a casa quel pomeriggio stesso. Dovetti compilare una scheda cliente. Non avendo nessuna voglia di essere sottoposta a sguardi curiosi né di dover dare spiegazioni, nello spazio riservato alla professione scrissi «bibliotecaria».

Una volta a casa mi versai due dita di whisky e mi sedetti a leggere il giornale. Spavento approvò le mie abitudini al punto da accucciarsi e dormire. Forse era vero, forse le sue ciglia erano straordinariamente incurvate all'insù. Strano tipo, quel veterinario, un uomo sensibile. Proprio niente male, anzi bello, sarebbe stato meglio dire, bello e basta, molto bello. Di sicuro con moglie e cinque figli, o magari omosessuale, oppure con un'assistente di vent'anni che ci stava; una circostanza qualunque che rendesse impossibile quello che, me ne accorgevo in quel momento, stavo desiderando pazzamente: andare a letto con lui. A Garzón non avevo detto che la verità, le mie storie degli ultimi due anni si erano chiuse con un saldo mediocre, poco soddisfacente. Credo che nell'insieme si sarebbero potute classificare come troppo standardizzate. Sospirai.

Doveva essere passata un'ora quando suonò il campanello. Corsi alla porta, con Spavento fra i piedi, e quando la aprii non ebbi il minimo dubbio che fosse stato il Signore stesso a mettere sulla mia strada quel cagnetto rognoso. Era il veterinario in persona, con uno scatolone molto voluminoso fra le braccia.

– La persona che mi aiuta aveva fretta di scappare, così sono venuto io appena ho chiuso l'ambulatorio. È troppo tardi?

Passai mentalmente in rassegna la mise che avevo adottato per stare in casa. Poteva andare.

– Tardi? Ci mancherebbe! – dissi ridendo. E me ne rimasi lì piantata come una cretina.

– Posso lasciarlo da qualche parte? – domandò.

– Ah, mi scusi! Venga pure dentro.

Se continuavo a fare l'idiota, quella bellezza se ne sarebbe scappata da dove era venuta. Dovevo agire con decisione e rapidità.

– Può lasciarlo lì, se crede.

Spavento gli saltellava intorno, annusandolo.

– Bene, vedo che mi riconosce! Fra l'altro, mi sono dimenticato di dirle che nell'abbeveratoio deve esserci sempre dell'acqua. Questi mangimi sono alimenti essiccati e richiedono un'abbondante ingestione di liquidi. Bere è indispensabile.

Sorrisi.

– A proposito di bere, le andrebbe di prendere qualcosa?

Ci rimase secco. Probabilmente pensava che solo le quarantenni sferrino attacchi così diretti. Sì, forse avevo un po' esagerato nella libera associazione di idee. Cercai di rimediare.

– Be', l'ho visto così carico... A meno che qualcuno non la stia aspettando.

– No, no, – balbettò. Poi si riprese e rispose con disinvoltura: – Accetto volentieri.

Non ricordavo di aver mai giocato così duro, ma cosa può fare un cacciatore se la sua preda se ne sta ferma sotto tiro?

– In realtà si tratta di un invito interessato, penso di farle un mucchio di domande sui cani, – dissi dalla cucina.

– Ma prego! – rispose, offrendomi l'appiglio per continuare.

Misi del ghiaccio nei bicchieri e gli offrii il suo, con un gesto di civetteria che non ricordavo nemmeno più di possedere.

– Mi dica tutto quello che devo sapere per essere la padrona di un cane.

Si mise a ridere in un delizioso arpeggio mozartiano.

– Bene, deve sapere che un cane l'amerà sempre, qualunque cosa accada. Non le rinfaccerà mai niente, non criticherà mai la sua condotta, né giudicherà i suoi atti. Sarà assolutamente felice ogni volta che la vedrà, non avrà giorni buoni o cattivi. Non la tradirà mai, né cercherà un altro padrone. Eppure non ci sono solo lati positivi: a fronte di tutte queste meraviglie c'è l'inconveniente che dipenderà sempre da lei, non si renderà mai autonomo come fa un figlio; ed è probabile che sarà lei stessa a dover determinare il momento della sua morte, se i mali della vecchiaia dovessero diventare eccessivi.

Rimasi incantata ad ascoltarlo. Quel discorso era, di gran lunga, il più poetico che avessi sentito negli ultimi anni.

– E io che cosa devo dargli, in cambio?

– Poco, in fin dei conti: nutrirlo, curarlo un minimo e, se davvero vuole divertirsi con lui, osservarlo. Faccia caso allo stato d'animo che traspare dalle sue espressioni, alla malinconia dei suoi sospiri, all'allegria della sua coda, alla purezza del suo sguardo...

– All'innocenza, – completai, sull'orlo dell'infarto.

– All'innocenza, – confermò lui guardandomi diritto negli occhi.

Dio, non poteva essere vero! Era tenero, intelligente, virile, simpatico. Sarei stata capace di adottare un *boa constrictor* se lui me ne avesse decantato le virtù!

Se non riuscivo a portarmi a letto quel tipo non avrei mai più potuto darmi il rimmel davanti allo specchio senza provare disprezzo per me stessa. Guardai Spavento, improvvisamente elevato alla dignità di favoloso animale mitologico.

– Sei sposato? – domandai.

– Divorziato, – rispose senza esitazioni.

L'eco di quella magica parola si dondolò un istante nell'aria, ma lì si vide trafitta dall'odioso trillo del telefono. Spavento si mise in guardia. Risposi di pessimo umore.

– Ispettore Delicado?

Cosa poteva volere Garzón a quell'ora? Forse aveva preso troppo sul serio il dovere del poliziotto?

– Devo informarla di qualcosa di grave.

Nemmeno così riuscì a catturare la mia attenzione.

– Che cosa succede, Garzón?

– Credo che la faccenda che ci riguarda sia diventata un caso di omicidio.

Mi riscossi dagli effluvi erotici.

– Che cosa vuol dire?

– Hanno telefonato dall'ospedale. Ignacio Lucena Pastor è morto.

– Morto in che modo?

– In nessun modo particolare. Sono scesi all'improvviso i parametri vitali e, ancora prima di arrivare in chirurgia, aveva già subito un arresto cardiaco irreversibile. Sarebbe il caso che venisse anche lei. La aspetto nell'atrio del Valle Hebrón.

– Vengo subito.

– Ispettore...

– Dica.

– Possibilmente stavolta non porti il cane.

Misi giù con rabbia, non ero in vena di scherzi. Mi voltai verso il mio ospite, che si era già alzato in piedi.

– Mi dispiace ma devo andare, un problema urgente sul lavoro.

– In biblioteca? – domandò con incredula ironia.

– Sì, – risposi senza ulteriori spiegazioni. – Ma tu rimani, se vuoi, e finisci pure il tuo whisky.

Fece segno di no con la testa. Ci dirigemmo entrambi verso la porta. Aveva parcheggiato davanti casa, un furgone nuovo fiammante che portava impressa sulle fiancate la sagoma di un cane. Gli strinsi la mano e raggiunsi la mia macchina. Di colpo mi voltai:

– Ehi, non so neanche come ti chiami!

– Juan.

«Come il Battista», pensai piena di disappunto. Era assai probabile che l'incanto si fosse rotto definitivamente. Forse la prossima volta che l'avessi visto non l'avrei neppure trovato attraente. Ignacio Lucena Pastor! Sfortunato e importuno come certi insetti che vengono a morire proprio nel tuo bicchiere di whisky.

Infatti eccolo lì, Lucena, stecchito. Garzón ed io lo guardavamo con una certa curiosità nel suo sarcofago frigorifero. Almeno la morte avrebbe potuto essere benevola con lui, e dare al suo cadavere la dignità che gli era mancata in vita. Ma non era stato così. Lucena aveva l'aspetto di un pupazzo ammaccato e rotto, patetico. I suoi capelli tinti mostravano ora la consistenza della stoppa.

– Non l'ha cercato ancora nessuno?

– Nessuno, – rispose il medico.

– Che cosa si fa in questi casi?

– Terremo la salma per tre giorni. Poi, se voi non disporrete altrimenti, un funzionario accompagnerà il feretro al cimitero, dove verrà sepolto nella fossa comune.

– Ci avverta del funerale, faremo pubblicare due righe sul giornale per vedere se alla fine qualcuno si presenta alla cerimonia.

La faccenda era complicata, aveva preso una brutta piega e non lasciava presagire niente di buono. Peldicarota non avrebbe più cantato, si portava i suoi segreti nella tomba e noi ci ritrovavamo con un omicidio da sbrogliare. E senza una sola pista. Prima di orientarci su una qualunque strategia andammo a sentire l'ispettore Sangüesa. Non aveva grandi novità. Non era stato trovato un solo nome intelligibile né un numero di telefono né un indirizzo in nessuno dei due quaderni.

– Niente, ragazzi, solo questi ridicoli nomi messi in colonna, queste strane indicazioni di tempo, così variabili, e cifre senza nessuna logica o cadenza aritmetica.

– Che tipo di cifre?

– Be', nel primo quaderno gli importi sono molto piccoli: cinquemila, tremila, settemila, dodicimila al massimo. Nel secondo salgono notevolmente: da ventimila a sessantamila. Questo mi fa pensare che possa trattarsi di due contabilità distinte, ma non sono in grado di dirlo con sicurezza. Semplicemente nel secondo potrebbero essere stati registrati degli importi globali, e non le singole voci, pur trattandosi della stessa merce.

– E il totale?

– Non si riesce a calcolare nemmeno questo, perché i periodi di tempo segnati davanti a ogni cifra introducono una variabile enorme. Che cosa significa «quattro anni, cinquemila»? Che per quattro anni sono state percepite o pagate cinquemila pesetas? E come? Tutti i giorni o soltanto una volta, oppure cinquemila all'anno? Non saprei, è un vero rebus, e di quelli spinosi.

– Non si preoccupi, ispettore, – disse Garzón, – in questo caso tutto si sta rivelando molto strano.

– Raccontatemi un po' di cosa si tratta, sono curioso.

– Te lo racconteremo un'altra volta. Adesso andiamo da quelli della stampa. Li saluto da parte tua?

– Dagli il bacio della morte.

Ci toccò quasi implorare perché un'agenzia di stampa accettasse la notizia della morte di Lucena. Naturalmente quell'omicidio non era fra i più interessanti dal punto di vista giornalistico. Non c'era niente di sessuale, nessuna implicazione politica o razziale... niente di vendibile. In fin dei conti, a chi poteva interessare che un poveraccio sconosciuto fosse stato ammazzato di botte? Anche se, a ben pensarci, quel disinteresse a noi tornava comodo: tanto i giornalisti quanto i superiori ci avrebbero lasciati in pace.

Malgrado le difficoltà iniziali, il trafiletto comparve nelle pagine di cronaca nera di vari giornali. Inutilmente, per quanto ci riguardava, giacché arrivato il momento al cimitero di Collserola c'eravamo solo noi, un prete, un becchino, l'impiegato della Seguridad Social che aveva provveduto alla consegna della salma, e Spavento. Il viceispettore mi criticò apertamente per aver portato anche il cane. Io, per scusarmi, sostenni che era necessario. Gli dissi che pensavo di liberarlo durante la cerimonia, e così, se ci fosse stato qualche amico del morto a gironzolare lì intorno, Spavento ce lo avrebbe indicato. Era una scusa che sembrava ridicola perfino a me, ma non potevo confessare al mio vice di averlo portato perché sentivo che la vita glielo doveva, al povero Lucena Pastor. Volevo che quel morto solitario avesse almeno un amico a dirgli addio.

La cerimonia, se così la si poteva chiamare, fu celebrata in un pomeriggio freddo e nuvoloso. Tutti sembravano maledire la loro sorte ogni volta che una raffica di vento gelido investiva il nostro sparuto gruppetto. Non rimaneva molto spazio per il misticismo. Il becchino si strofinava le mani ficcate in grossi guanti da lavoro, l'impiegato si soffiava il naso con lo sguardo perso da tutt'altra parte, e il prete mormorava: «Signore, accogli Ignacio nel tuo seno...». Garzón starnutì. L'unico che non sembrava protestare fra sé era Spavento. Appiccicato alle mie gambe, appariva tranquillo, vagamente curioso.

Le preghiere di rito si conclusero con una celerità che mi sorprese. Allora fu avvicinato il feretro che era rimasto da un lato. Mi accorsi che Spavento era nervoso. All'improvviso, si fece avanti e, guardando quella semplice cassa di pino in cui era chiuso il suo padrone, lanciò un ululato straziante, prolungato, acuto. Vi fu un moto di sorpresa fra i presenti. Il prete mi guardò con severità. Presi in braccio il cane, ma questo non lo consolò, riprese a ululare, questa volta senza posa.

– Certo che le bestie sono migliori di noi! – filosofò il becchino.

Ma il prete non era in vena di riflessioni mistiche e, persa ogni compostezza, si voltò verso di me e, quasi collerico, ordinò:

– Porti via immediatamente questo cane da qui!

Gli ubbidii in tutta fretta.

Una volta in macchina, Spavento si tranquillizzò un po', e io cercai di distrarlo dalla sua angoscia dandogli una caramella per fumatori di quelle che Garzón teneva nel cruscotto. La succhiò con circospezione e, alla fine, parve accettarla. Come fosse riuscito a sentire l'odore di Lucena attraverso una bara assolutamente sigillata, come lo sono tutte, resterà sempre un mistero per me.

Poco dopo comparve il viceispettore stringendosi nel suo impermeabile. Era di pessimo umore.

– Cazzo, Petra, doveva vedere come se l'è presa quel prete! Ho dovuto sorbirmi una predica che non finiva più sulla sacralità dei cimiteri, sulla mancanza di rispetto...

– Be', per lo meno qualcuno ha pianto al funerale di quel povero diavolo.

– Povero diavolo? Se non sappiamo nemmeno le porcherie che combinava!

– Tutti hanno diritto a un minuto di pietà. Noi l'abbiamo regalato a Ignacio Lucena Pastor.

– Sì, sì, tutto questo è molto bello, però chi ha dovuto sciropparsi la predica sono stato io… Ma cosa c'è qui? Sento odore di eucalipto.

– È Spavento, le sta facendo fuori le caramelle.

– Ci mancava anche questa! Vuole che le dica una cosa, ispettore? Quando avevo nove anni sono stato morso da un cane, e da allora, li odio!

Mi misi a ridere.

– Tutti in questo paese sono stati morsi da un cane quando erano bambini; sarà l'inconscio collettivo, che ci fa pagare le nostre colpe.

– Non me ne frega niente!

– Senta, Garzón, sa cosa posso fare per risarcirla? La invito a cena a casa mia.

Se prima faceva finta di essere arrabbiato, ora faceva finta di essere imbarazzato.

– Non so, ispettore, non vorrei darle del lavoro. Magari non ha nessuna voglia di mettersi a cucinare proprio adesso.

– Possiamo sempre mangiare le scatolette di Spavento… – dissi, – così si rifà delle caramelle che le ha rubato.

Dopo gli spinaci alla panna e le costolette ai ferri, ci sedemmo nel soggiorno ad assaporare un brandy. Era prematuro scoraggiarsi, ma ormai avevamo la certezza che quello era un caso complicato e che sarebbe andato per le lunghe. All'inizio non riuscivamo nemmeno a identificare la vittima, e adesso non avevamo la minima idea di quale fosse il movente del crimine. Non sapevamo che cosa stessimo cercando.

– Ho come il presentimento che fosse un magnaccia, – disse Garzón.

– No, partiamo dalla realtà. Non abbiamo impronte né testimoni, solo i due quaderni con quei nomi ridicoli e due punti di riferimento: il bar dove è stato visto, su cui c'è ancora qualche speranza, e la via dove l'hanno trovato.

– È una via come un'altra. Forse l'hanno aggredito da qualche altra parte e l'hanno abbandonato lì per puro caso.

Sorbii profondamente il mio brandy.

– E poi abbiamo Spavento.

– Senta, ispettore, lei non pensa di stare sopravvalutando un po' troppo le facoltà del suo segugio? Non è mica Rintintin. E poi, ogni volta che entra in scena, finiamo nei casini.

– Sto parlando assolutamente sul serio, Fermín. Questo cane senza dubbio seguiva Lucena in tutti i posti dove andava, vedeva le persone che lui incontrava. Se stessimo parlando di un essere umano diremmo che «sa», e probabilmente sa molto. Bisogna portarlo in quei posti, in tutti e due.

– Anche al bar?

– Anche. Lui non può raccontarci niente, ma possiamo fidarci del suo olfatto, della sua capacità di riconoscere luoghi e persone. Ha visto come ha saputo riconoscere il suo padrone anche dentro una bara sigillata?

– A pensarci bene è una cosa che fa gelare il sangue, non le pare?

– Sì.

Entrambi restammo zitti a guardare il cane.

– A proposito, cosa pensa di farsene adesso?

– Non lo so, per il momento ha un compito da svolgere, un compito importante.

Gli diedi qualche pacca sulla testa e lui, come se avesse capito, alzò il suo orecchio malconcio e mi guardò pieno di gratitudine per il ruolo di primo piano che gli offrivo.

3

Non erano nemmeno le nove del mattino quando infilammo in salita la ripida calle Llobregós fino al punto esatto in cui era stato trovato Lucena. Spavento era felice della passeggiata, agitava la coda e annusava. Garzón, invece, se avesse avuto una coda, l'avrebbe tenuta fra le gambe. L'idea di impiegare il cane nelle indagini continuava a sembrargli una fesseria, aveva ancor meno fiducia nell'infallibilità animale che in quella del Papa, ma si adeguava, tanto non poteva fare altrimenti.

Spavento non sentì niente di speciale nel punto in cui era stato trovato il suo padrone. Si mosse in tondo, levò il naso e annusò l'aria. Solo allora, senza troppo slancio, scelse una direzione e si mise in marcia. Io lo tenevo al guinzaglio, senza tirare né correggere la rotta. Il cane proseguì diritto su per la salita, fermandosi di tanto in tanto per avvicinare il naso ai muri delle case. A un certo momento, attraversò la strada e prese per un vicolo più stretto. Si fermò vicino a un albero, alzò una zampa e si mise a far pipì. Quella pausa fisiologica irritò Garzón, che si contenne a stento.

Arrivato alla fine del vicolo, Spavento parve interessato da qualcosa e affrettò il passo. Guardai il mio vice con intensità speranzosa. Allora il cane si mise a correre. Lo seguii freneticamente, sicura che avessimo trovato qualcosa. Gli ultimi due isolati lasciavano allo scoperto un enorme spiazzo sterrato, una parte del quale era delimitata da una rete metallica. Dentro vi erano diverse persone accompagnate da cani.

– Che cavolo è? – sentii chiedere a Garzón fra un respiro e l'altro.

– Non ne ho la minima idea. Andiamo a vedere, ma non tiri fuori il tesserino finché non ne sappiamo qualcosa di più.

Via via che ci avvicinavamo al recinto cominciai a farmi un'idea della situazione. Una donna bionda e robusta, di una cinquantina d'anni, affrontava un cane dall'aspetto feroce, con il braccio sinistro protetto da un bracciale, mentre impugnava una frusta con la mano destra. Il cane attaccava mordendo la stoffa imbottita e ringhiava, la donna lanciava potenti grida di comando. Diversi uomini, ciascuno con un cane al fianco, assistevano alla scena. Ci avvicinammo ad altri curiosi, che guardavano con la faccia appiccicata alla rete. Spavento era terrorizzato, e si nascondeva fra le mie gambe nel tentativo di proteggersi dalle grida e dagli schiocchi della frusta nell'aria.

Quando la donna ritenne conclusa la manovra d'attacco, chiamò un altro proprietario di cane, fra quelli che, a quanto pareva, erano rimasti in attesa. Il rituale della lotta si ripeté. La donna dava ordini al cane in tedesco, e a volte si girava verso il padrone per gridargli delle spiegazioni in spagnolo. Il chiasso era considerevole e lo spettacolo era, nell'insieme, vivace e piuttosto violento.

– Crede che questo abbia qualcosa a che fare con quel che stiamo cercando? – domandò Garzón sotto voce.

– Non ne ho idea. Faccia finta di niente e osservi.

Di fianco a noi, un ragazzo in tuta da ginnastica aveva posato a terra la bicicletta per guardare più comodamente.

– Li stanno domando? – gli domandai in tono indifferente.

– È un centro di addestramento.

– Di addestramento per cosa? – dissi senza mostrare troppo interesse. Mi guardò come se fossi idiota.

– Sono cani da difesa personale, e quella è l'addestratrice.

– Ah! – esclamai.

– È un'addestratrice professionista, – specificò.

– La conosci? – domandai, arrischiandomi a destare qualche sospetto.

– Ogni tanto vengo a vedere, sono sempre qui –. Guardò Spavento e disse con aria da presa per il culo: – Vorrà mica far addestrare il suo?

– Chi lo sa! Forse sì, è molto coraggioso quando vuole, – risposi seccata.

Il ragazzo si girò dall'altra parte, si infilò due piccoli auricolari negli orecchi, prese la bicicletta e si allontanò senza salutare.

Noi restammo lì, in silenzio, finché la lezione finì. Ormai eravamo gli ultimi curiosi. I cani e i loro padroni cominciarono a lasciare il recinto. L'addestratrice li congedava al cancello, chiacchierando con loro. Non potevamo rimanere lì a guardare senza attirare l'attenzione, non ci restava altro da fare che avvicinarla o andarcene. Non ne sapevamo abbastanza per disdegnare qualche informazione in più.

– Lasci fare a me, – sussurrai a Garzón.

Ci avvicinammo e, quando fummo a pochi passi dal cancello, Spavento si mise a ululare come un ossesso, a tirare il guinzaglio cercando di scappare. Lei ci vide, guardò il cane e sorrise. Salutò gli altri e venne direttamente verso di noi. Il cane diventò ancora più isterico, e si mise a girarmi fra le gambe. Malgrado le piccole dimensioni aveva messo su una grande forza.

– Fermo, sta' fermo! – gridai.

L'addestratrice fece dei gesti tranquillizzanti nell'aria.

– Lo prenda in braccio! – mi ordinò. Obbedii come potevo. – Adesso, gli copra gli occhi con il palmo della mano! Ecco, così!

Spavento rimase immobile. Allora lei gli mise una mano sulla testa, lo accarezzò e si lasciò annusare. Il cane allentò la tensione, si tranquillizzò.

– Ecco, adesso può metterlo giù.

– Non capisco come mai...

– Non si preoccupi, succede sempre. I cani che mi vedono lavorare hanno una gran paura di me. È per via delle grida e della frusta.

– Non mi stupisce che abbiano paura... – s'intro-

65

mise Garzón, – lei mette davvero soggezione.

La donna scoppiò in una sonora risata.

– È tutto teatro, mi creda! Ma i cani non distinguono fra apparenza e realtà, sono troppo nobili per farlo. Abitate da queste parti?

– No, – risposi. – Passavamo di qui per motivi di lavoro e siamo stati attirati dallo spettacolo.

– C'è molta gente che si ferma a guardarci. I nostri più fedeli spettatori sono i pensionati, e i bambini quand'è vacanza!

– Insegna ai cani ad attaccare? – domandò Garzón.

– Insegno loro a difendere il padrone, ma anche a obbedire a qualunque ordine e a seguire una pista. È il mio lavoro.

– Può impararle qualunque cane queste cose? Anche lui? – indicai Spavento.

– In teoria sì. Però io lavoro solo con razze specificamente da difesa.

– Immagino che, con i tempi che corrono, non le mancheranno i clienti.

– Non mi posso lamentare. Ci sono molti appassionati, e poi persone che si rivolgono a me per necessità: commercianti che vogliono addestrare il cane perché faccia la guardia al negozio, guardie giurate...

– Ha l'aria di essere appassionante, – disse il vice-ispettore.

– Lo pensa davvero?

– Naturalmente! Dev'essere un lavoro pieno di emozioni.

Non solo Garzón si era messo a tenere banco contravvenendo ai miei ordini, ma ci stava mettendo un mucchio d'immaginazione. Il suo stile cordiale diede buoni frutti.

– Sentite, io per oggi ho finito. Perché non prendiamo una birra in quel bar?

– Ottima idea! – disse Garzón.

Io replicai:

– Per me si è fatto un po' tardi, devo tornare in ufficio. Ci vediamo lì fra un paio d'ore, Fermín.

Li lasciai avvolti in una nube di esclamazioni e felici coincidenze, diretti verso il bar. Garzón era stato bravissimo: se ci fosse stato qualcosa da scoprire lui l'avrebbe di certo scoperto. La sua nuova amica sembrava avere la lingua sciolta.

Portai Spavento a casa e lo lasciai lì, a riposarsi da tutte quelle emozioni. Io mi diressi verso il negozio del veterinario. Mi servì il suo famoso aiutante, che non era una bella ragazza, ma un ragazzo dalla faccia insignificante e dall'aria annoiata. Dovetti aspettare che Juan Monturiol finisse le visite. Passai il tempo sfogliando riviste, tutte di cani. Era incredibile; mi resi conto che intorno al cane girava un mondo di cui non avevo mai sospettato l'esistenza: veterinari, produttori di cibo per cani, toelettatori, addestratori... Certo, ovviamente la gente fa un sacco di cose nel tempo libero, oltre a leggere il giornale e a passeggiare: sotto la scorza uniformante della città ci sono un mucchio di appassionati di cose strane: enologi, adoratori del sole, specialisti in funghi e amanti dei cani.

Juan finalmente comparve, in camice bianco. Salutò

cortesemente una signora che si trascinava dietro un barboncino. Mi guardò e, forse solo nella mia immaginazione, gli occhi gli si allargarono un poco.

– Qualche problema? – domandò, e mi accorsi che, chissà poi per quale motivo, aveva un tono ironico.

– È questione di un momento –. Mi vedevo costretta a scusarmi.

Mi fece entrare e accomodare sulla sedia destinata agli accompagnatori dei cani. C'era odore di disinfettante. Un gruppo di angelici cuccioli mi guardava da un manifesto appeso al muro.

– Sono qui per farti una domanda tecnica, una curiosità. Voglio sapere questo: se un cane sta seguendo una pista e ti porta dove ci sono altri cani... – Era difficile dare un tono casuale a una domanda così precisa, ma non ci fu bisogno di dissimulare. Mi interruppe subito.

– Sei un poliziotto, vero?

– Posso domandarti come l'hai saputo?

– Se a qualcuno parlano di un morto per telefono e deve uscire precipitosamente di casa, le possibilità sono due: o è un medico o è un poliziotto. Se fossi stata un medico, dato il parallelismo delle nostre professioni, me lo avresti fatto capire mentre visitavo il cane.

– Con simili doti deduttive dovresti lavorare anche tu in polizia.

– Se mi fai una buona offerta... Qual è il tuo grado?

– Sono ispettore.

Fece un fischio. Stava riproducendo punto per punto una delle reazioni tipo di chi scopre che sei un poliziotto.

– In cosa posso aiutare la legge?

Mi armai di pazienza.

– Questa mattina abbiamo portato il cane sul luogo dove era stato commesso il delitto, con la speranza che riconoscesse qualche indizio. E... infatti, ha cominciato a tirare. Gli siamo andati dietro e lui... be', è da questo punto in poi che non sono più sicura: ci ha portati in uno spiazzo dove si trova un centro di addestramento con un mucchio di cani. Dimmi, ti sembra significativo che ci abbia condotti fin lì? Ossia, aveva familiarità con quel percorso, o si è limitato a sentire da lontano l'odore degli altri cani e a cercare di raggiungerli?

Si passò una mano sui capelli biondo cenere, lucidi. Era serio e pensoso. Aprì la bocca per esprimere un dubbio iniziale. Non era esattamente un bel tipo, non era piacente e nemmeno carino; era bello, bello e basta, bello fino al midollo.

– A che distanza eravate dal centro di addestramento?

– Oh, be', non so. Un paio di isolati, uno dei quali a gomito.

– Vedi, è abbastanza difficile stabilirlo, ciascuna delle due possibilità è plausibile; di fatto, è molto probabile che l'odore degli altri cani fosse predominante ma... ma non mi azzarderei a dire niente di definitivo, non sono un esperto di cani.

69

– Però sei un veterinario!

– Sì, conosco l'anatomia dell'animale, le sue abitudini, i meccanismi riproduttivi e tutto ciò che riguarda le sue patologie. Ma i cani sono molto di più di questo. Lo sapevi che negli Stati Uniti ci sono perfino degli psichiatri per cani? Si tratta di un animale complesso, non a caso lungo tutta la storia è stato il compagno dell'uomo: gli abbiamo contagiato le nostre nevrosi e le nostre manie.

Quando sorrideva, lo spettacolo delle sue labbra carnose e dei suoi denti bianchi era quasi insopportabile.

– Allora sarà meglio che mi rivolga alla squadra cinofila che abbiamo in reparto.

Tornò a passarsi una mano fra i capelli, questa volta portandomi quasi al delirio.

– Non so se sia la cosa più indicata. Certamente ne sapranno molto sull'addestramento, ma non sul comportamento. Il loro è un campo troppo ristretto. E poi, di solito, lavorano con una sola razza: il pastore tedesco.

Si alzò e raggiunse uno schedario. Cercò qualcosa. Aveva un occipite degno della più classica statua greca.

– Quello che posso fare è darti l'indirizzo del maggiore esperto in cani di tutta la città. Ha una libreria dedicata esclusivamente ai libri sugli animali e sa assolutamente tutto sui cani, tutto.

Tirò fuori una scheda azzurra e ne copiò i dati su un foglio del ricettario.

– Il nome del negozio è Bestiarium e lei si chiama Ángela Chamorro.

– Una donna? – domandai.

– Ti sorprende? – tornò al tono ironico.

– Per niente.

Per niente! Che razza di risposta era? Non potevo trovare qualcosa di più furbo da dire, qualcosa che somigliasse a una battuta di spirito, a una capriola verbale? Dov'era andata a finire la mia vena mordace nei confronti dell'altro sesso? Sempre la stessa storia: quando si trattava di fare la Diana Cacciatrice, ossia proprio quando avrei avuto più bisogno delle mie frecce acuminate, mi ritrovavo con la faretra vuota.

Lo ringraziai e feci per salutarlo. Poteva anche darsi che la sua esperta fosse provvidenziale per l'indagine, ma di sicuro per me era uno scoglio. Ora non avrei più potuto avvicinarmi a quel bocconcino con la scusa delle domande tecniche. Per fortuna potevo contare su Spavento; avrei dovuto inventarmi qualche malattia benigna ma insidiosa per il mio cane, magari una piccola fobia psicologica copiata dai quattrozampe americani.

All'improvviso udii la sua voce dietro di me.

– Petra, che te ne pare se finiamo quel whisky che abbiamo lasciato a metà?

– Non ti è passata la voglia di bere con me, ora che sai che sono della polizia?

– Preferisco sapere con chi sto bevendo, e adesso lo so. Chiudo il negozio alle otto.

– Passerò a prenderti.

Anche lui giocava duro. Eccome! Non era certo una coincidenza che si fosse presentato l'altro giorno a casa mia con quello scatolone. Quel tipo era tremendo, mi aveva quasi fatto credere di essere una cacciatrice invincibile, quando in realtà non ero altro che una cerbiatta spaventata. E non c'è niente che mi infastidisca di più nella vita che vedermi nel ruolo della preda. Ma la partita di caccia era appena cominciata, quindi bisognava ancora vedere chi sarebbe stato il primo a colpire nel segno.

Due ore esatte dopo aver lasciato Garzón alla mercé di quella domatrice di belve, tornai in commissariato e mi misi ad aspettarlo. Arrivò con più di mezz'ora di ritardo, cosa insolita per lui. Era tutto allegro e pimpante, e aveva addosso un odore di birra da minatore gallese.

– Non sa quanto sia affascinante il mondo dei cani, Petra, – mi disse giulivo. – E non immaginerebbe mai fino a che punto Valentina è capace di dominare quelle bestie.

– Valentina?

– Sì, l'addestratrice. Si chiama Valentina Cortés.

– Certo avete simpatizzato in fretta!

– Be', lei è una donna molto aperta e cordiale. Naturalmente l'ho sondata a fondo. In sostanza non mi sembra che ci sia niente di sospetto. Credo che Spavento ci abbia portati lì per puro caso.

– È ancora da verificare se questa sia l'unica possibilità.

– Come vuole, ma non credo che quella donna abbia niente a che vedere col caso.

– Caspita, Garzón! Si direbbe che quella Valentina non solo addomestichi i cani, ma anche i poliziotti.

Saltò su come ai tempi in cui mi divertivo a stuzzicarlo:

– Ispettore... non so che cosa risponderle senza mancarle di riguardo.

– Non se la prenda, mio caro! – gli dissi, dandogli un paio di sonore pacche sulle spalle. – Se vuole un buon motivo per essere di cattivo umore, glielo do subito io.

– Cosa intende dire?

– Che non abbiamo il tempo di andare a pranzo.

– Perché?

– Ho parlato col nostro uomo del bar Las Fuentes. Dopo una settimana di appostamenti, è giunto alla conclusione che i clienti abituali vengono solo all'ora del caffè. Tutto il resto è gente di passaggio. Se qualcuno conosceva Lucena, si troverà lì dopo pranzo, i clienti di quel genere sono di quelli che non mancano mai. Quindi dobbiamo andare a prendere Spavento a casa mia e arrivare al bar non più tardi delle tre e un quarto.

– Sempre convinta di far fare il detective a quel maledetto cane?

– «Maledetto cane»? Non diceva che i cani erano affascinanti?

Mi accompagnò controvoglia. Se c'era una cosa che era sacra per Fermín Garzón, a parte il compimento del dovere, era la necessità di mangiare. Lo convinsi dicendogli che avrebbe potuto prendere un panino al bar Las Fuentes, e in macchina lo distrassi facendogli delle domande sull'addestratrice.

– Come le dicevo, il centro è di sua proprietà. I suoi erano contadini e vivevano in campagna. A lei piace molto la campagna, e mi ha detto che quando andrà in pensione si comprerà con i suoi risparmi un piccolo podere. È il sogno della sua vita. Non si è mai sposata. Vive da sola in una casa con giardino, a Horta.

Evidentemente l'interrogatorio si era concentrato sulla vita privata. O almeno questo era l'argomento che l'interrogata aveva preferito trattare. Comunque, anche volendo, Garzón non avrebbe potuto farle domande più precise senza destare in lei qualche sospetto.

Prelevammo Spavento che, già investito di una certa aria da cane poliziotto, non pareva ricordare gli incidenti di quella mattina. Arrivammo all'untuoso bar Las Fuentes proprio quando gli effluvi di olio fritto cominciavano a mescolarsi con quelli del caffè. Il nostro uomo era al banco, ci lanciò uno sguardo di connivenza. Provai pietà per lui. Una settimana in un simile antro doveva essere stata qualcosa di terribile.

Il padrone guardò storto Spavento, ma visto che sicuramente si ricordava di noi, non ebbe il coraggio di mandarci via. Ci sedemmo a un tavolino e ordinammo due caffè, Garzón un panino con frittata. A un tavolo vicino era in corso una partita a domino. Gli avventori che entravano arrivavano alla spicciolata, alcuni si salutavano, altri no. Spavento non dava segno di riconoscerli. Io non toglievo gli occhi di dosso al padrone, non volevo perdermi il minimo ammicco o cenno di avvertimento che potesse fare. Lui era tranquillo, non badava a noi. Immusonito e metodico, serviva caffè e bicchierini di un brandy che mandava un odore di acquaragia. Garzón reclamò inutilmente la sua frittata: la cuoca se n'era già andata. Una catastrofe. Passò una mezz'ora che mi parve eterna. Il viceispettore faceva ballare una gamba come se seguisse il ritmo di un'indiavolata orchestra di dixieland. Spavento, invece, dormicchiava tranquillo sdraiato su quel pavimento coperto di cicche, gusci di gambero e tovaglioli di carta. Gli accarezzai la testa per vedere se si svegliava. Mi leccò la mano, tenero. Fu allora che rizzò le orecchie e, guardando verso la porta, si mise in piedi. Agitava la coda e tirava il guinzaglio lottando per andarsene. Lo sciolsi. L'uomo che era appena entrato era già al bancone. Spavento corse verso di lui, lanciando dei gridolini, e appoggiò le zampe anteriori su una delle sue gambe. Quel tipo lo salutò, sorrise e si rivolse al padrone del bar.

– Ehi, cosa ci fa lui qui? – domandò del tutto ingenuamente. Appena ebbe parlato capì che qualcosa non andava e si guardò intorno, inquieto. Garzón gli era già accanto.

– Polizia, – disse. – Conosce questo cane?

– No, no. Non so di chi sia.

– Sarà meglio che per adesso non dica niente e venga con noi in commissariato.

Non ricordo quali proteste inarticolate cercò di

balbettare, ma il viceispettore gli ordinò di star zitto con voce bassa e perentoria. Arrivati al commissariato, lasciammo Spavento in macchina. Gli agenti condussero l'uomo in un ufficio. Garzón ed io ci consultammo prima di interrogarlo.

– Se è minimamente furbo, qualunque cosa sappia non dirà niente. Dubito che la testimonianza di un cane abbia valore legale.

– Lo farà spogliare nudo come l'indiziato di quell'altro caso? – mi domandò.

– Non se ne parla neanche!

– Perché?

– Perché è brutto come il diavolo.

Era orribile quanto Lucena, con un aspetto canagliesco, brufoloso, povero, corrotto, rovinato, schiacciato, sconfitto. E la prova decisiva della sua totale emarginazione era data dal fatto che, con un aspetto simile, avesse ancora delle pretese di eleganza. Portava pantaloni di velluto rosso a coste e, a chiudere il collo della camicia fiorata, un laccio di cuoio fermato da una specie di medaglione metallico, stile Buffalo Bill col vestito della domenica. Disse di chiamarsi Salvador Vega, e cominciò col negare di conoscere Ignacio Lucena Pastor. Era un debole, ed era spaventato. Garzón se ne rese subito conto e decise di intimidirlo con il suo stile più brutale.

– Che mestiere fai?

– Artigiano.

– Artigiano di cosa?

– Faccio colombe e uccellini di gesso. Certi li coloro e li vendo ai banchi di ricordini, altri li lascio così e me li comprano i negozi di bricolage.

– Cazzo! – disse Garzón. – L'avrebbe mai detto lei, ispettore, che qualcuno potesse guadagnarsi da vivere dipingendo uccelli?

Il tipo si agitò.

– Glielo giuro su Dio che è quello il mio mestiere! Se volete vi porto a casa mia e vi faccio vedere il laboratorio con gli stampi di plastica e le colombe. Mi guadagno la vita così. I soldi non mi mancano, pago l'affitto, le bollette, ho anche un furgone per consegnare la merce! Venite a vedere se non mi credete.

Garzón gli si avvicinò con violenza, lo prese per il colletto e lo tirò verso di sé finché i loro nasi quasi non si toccarono.

– Sentimi bene, figlio di puttana, io non credo a un fico secco di niente se continui a negare di conoscere Lucena. Abbiamo dei testimoni che dicono il contrario!

– Non è vero!

– Non è vero? Mettiti bene in testa una cosa: mi sei capitato fra i piedi e d'ora in poi per te le cose si mettono male, molto male. Me ne occuperò io personalmente. Hai capito?

Intervenni:

– Senti, io ci credo alla storia delle colombe. E sai perché? Perché a casa di Lucena ne ho viste due, e scommetto che sono esattamente uguali a quelle che fai tu.

77

Rimase zitto per un momento.

– C'è molta gente che compra le mie colombe.

Garzón perse le staffe. Si gettò su di lui e lo scosse prendendolo per un braccio. L'uomo era terrorizzato. Mi guardò, implorante:

– Gli dica di lasciarmi stare! È pazzo!

– Il mio collega non è pazzo ma perde facilmente la pazienza. Io ne ho un po' più di lui, ma di questo passo la perderò anch'io. C'è di mezzo un morto, non abbiamo voglia di scherzare.

Si immobilizzò, gli occhi fuori dalle orbite, la bocca aperta.

– Morto? Non lo sapevo mica che era morto. Al bar mi hanno detto che era all'ospedale, che la polizia stava cercando qualcuno, forse quelli che l'avevano pestato, ma io non sapevo che era morto.

– Allora, lo conoscevi? – domandai.

Lasciò cadere la testa sul petto, abbassò la voce.

– Sì.

Garzón si lanciò su di lui, lo sollevò dalla sedia prendendolo per la camicia, lo sbatacchiò:

– Maledetto stronzo, adesso viene fuori che lo conoscevi! Sei un verme, anzi peggio di un verme, sei solo merda! E non sapevi che era morto? Speri forse che ti crediamo, adesso, figlio di puttana? Sei stato tu ad ammazzarlo! Se non mi dici immediatamente tutto quello che sai ti spacco la faccia, ti rovino!

Io ero impressionata dall'aggressività di Garzón. Senza dubbio quell'uomo lo mandava in bestia. Gli

78

misi una mano sulla spalla per riportarlo alla normalità. Non era proprio il caso che venisse alle mani
con l'indiziato.

– Eravate amici? – domandai.

– No, amici no, qualche volta ci vedevamo, prendevamo una birra insieme. Mi era simpatico.

– In che guai si era ficcato Lucena?

– Non lo so, le assicuro che non lo so. So che abitava da solo, con quel cane schifoso, ma se si era
messo in qualche brutta storia le giuro che non me
l'ha mai detto. Parlavamo di calcio.

Garzón mollò un pugno sul tavolo, l'uomo si piegò
come se il successivo dovesse finirgli in faccia.

– Di calcio, eh? Gran figlio di puttana!

Anche a me veniva voglia di aggredirlo. Mormorai:

– Calma, viceispettore, calma.

Salvador Vega mi guardò, morto di paura.

– Gli dica di non farmi male! – implorò.

– Nessuno ti farà male, ma devi dirci la verità,
rispondere a quel che ti chiediamo senza nascondere
niente. Di cosa viveva Ignacio Lucena?

Si allentò la cravatta alla Buffalo Bill, si slacciò il
primo bottone della camicia.

– Trafficava con i cani, – disse.

Garzón non gli diede il tempo di continuare, urlò:

– Cani? Cosa credi, che siamo due imbecilli? Che
diavolo di storia è questa?

– Ti sto dicendo la verità, questa è l'unica cosa
che so! Procurava cani alla gente.

Feci un gesto al mio collega per placarlo, prima

che gli si gettasse di nuovo addosso.

– Vuoi dire che li vendeva?

– Sì, credo di sì.

– E dove li prendeva?

– Non me l'ha mai detto, davvero, era un tipo che se ne stava sulle sue, anche quando aveva buttato giù qualche bicchiere di troppo se ne stava sulle sue. So solo che mi diceva: «Questa settimana ho un paio di cani da consegnare», mi diceva questo e basta.

– Credi che fossero rubati?

– Sì, l'ho sempre pensato, ma non mi sarebbe mai venuto in mente di chiederglielo, era uno che gli affari suoi non li diceva.

Rimasi un momento in silenzio, Garzón stava ancora riprendendo fiato dopo i suoi attacchi di ferocia.

– Gli hai mai sentito dire a chi consegnasse questi cani?

Abbassò lo sguardo. Adottai un tono di voce comprensivo per dirgli:

– Pensaci bene, c'è di mezzo un omicidio. Se dici la verità e davvero bevevi solo un bicchiere con lui di tanto in tanto, devi assolutamente dirci tutto quello che sai. Se ti tieni qualcosa per te, poi come niente ti si può ritorcere contro.

Assentì con cenni brevi e ragionevoli della testa.

– Una volta mi ha detto che portava i cani al Clínico per un suo amico professore.

– Alla facoltà di medicina?

– Sì.

– Per la vivisezione?

– Non lo so.

– E questo è tutto quello che sai?

– Lo giuro su Dio! A me era sempre sembrato strano che si occupasse di cani, qualche volta gli ho chiesto qualcosa, ma lui non diceva mai niente di quel che faceva, niente.

Garzón intervenne di nuovo:

– Lo credo che ti sembrasse strano, questa storia dei cani è una cosa completamente assurda! Che razza di mestiere!

Per la prima volta quell'omino intimorito rispose con orgoglio, in tono di sfida.

– Ciascuno si guadagna da vivere come può, non vedo cosa ci sia di strano, io faccio colombe, lui vendeva cani, in questa vita non tutti possiamo essere notai.

Curioso che il mito professionale di quel poveraccio fossero i notai. Avrebbero potuto esserlo i banchieri, gli industriali, e invece no, i notai.

– Hai qualche idea su chi abbia potuto ucciderlo?

– Le assicuro di no.

– Va bene, – sussurrai.

Lo mandammo a casa accompagnato da un paio di agenti perché facessero un sopralluogo. Lui stesso disse che non c'era nessun bisogno di un mandato giudiziario, ci teneva a dimostrare la sua innocenza. Garzón sembrava un attore shakespeariano dopo una rappresentazione dell'*Otello*, esausto e su di giri. La fame cieca accumulata l'aveva aiutato a essere temibile.

– Lei ci crede a questa faccenda dei cani? – domandò.

– Non posso far altro che crederci. Faccia verificare i precedenti di quel tipo. Gli metta un agente alle calcagna per almeno una settimana. E che l'altro rimanga per un'altra settimana al bar Las Fuentes a sorvegliare i contatti e le telefonate del padrone. Domani ci vada lei personalmente e veda se conferma la storia del nostro amico sulle chiacchierate di calcio con Lucena. Se si ostina a non collaborare, gli dica che sappiamo benissimo che conosceva Lucena e che ce l'ha tenuto nascosto, che come niente può ritrovarsi implicato nel caso.

– Sì, ispettore. Immagino che ormai sia un po' tardi per andare alla facoltà di medicina.

– Ci andremo domani.

– Allora per oggi abbiamo finito.

– No, dobbiamo ancora andare in un posto.

– Mi scusi, ispettore, ma sono le sette e io, sinceramente, è da stamattina a colazione che non mangio, e...

– Mi spiace, Fermín, non tocca di certo a me spiegarle quali sono gli incerti del mestiere... ancora questo giro e poi la lascio libero.

Prima di salire in macchina andò al bar e si comprò un sacchetto di patatine fritte. Spavento ci aspettava senza dar segni d'impazienza, ma quando avvistò le patatine del viceispettore divenne frenetico.

Ci muovevamo nel traffico denso della città fra i guaiti del cane e il crocchiare delle patatine in bocca al viceispettore. Avevo i nervi tesi come bolle di sapone. Alla fine, scoppiai:

– Oh, insomma, Fermín, gli dia una patatina a 'sto benedetto cane, prima che mi faccia diventare pazza!

Il viceispettore, come un bambino egoista e capriccioso, sporse un'unica patatina abbastanza piccola verso il sedile di dietro. Ricordo di aver pensato che mai, in tutta la mia vita, mi era toccato di essere testimone di una scena più demenziale.

Per fortuna, il solo fatto di entrare da Bestiarium ebbe un effetto calmante su di me. Era una libreria ordinata, accogliente, moquettata sui toni pallidi del beige, dove una lieve musica jazz ammorbidiva l'ambiente. Ángela Chamorro ci ricevette con un sorriso. Sfiorava la cinquantina, aveva dei begli occhi color nocciola ed era vestita con lo stesso gusto discreto e tranquillizzante che aveva usato per arredare il suo negozio. Portava i capelli venati di grigio raccolti in un pesante chignon sulla nuca. Quando le dissi che era stato Juan Monturiol a mandarci da lei, si profuse in commenti elogiativi su di lui, e quando aggiunsi che eravamo poliziotti rimase affascinata. Guardò l'orologio:

– Sono quasi le otto, se volete attendere qualche minuto chiudo il negozio, così potremo parlare con più calma; a quest'ora ormai non viene più nessuno.

Ci fece passare in un piccolo retrobottega pieno di scatoloni di libri. Su un tavolino rotondo riposava un servizio da tè, e sul pavimento dormicchiava, filosofico, un enorme cane peloso. Feci una faccia sorpresa nel vederlo.

– Non spaventatevi, vi prego, questa è Nelly, la mia cagnona, un bell'esemplare di mastino dei Pirenei, completamente inoffensiva. Accomodatevi –. Accarezzò il dorso dell'animale con infinita delicatezza. Questi sospirò. – Dite pure, anche se non vi assicuro di poter rispondere alle domande che desiderate farmi.

– Juan dice che lei è la più grande esperta di cani in tutta la Spagna.

Sorrise, arrossendo leggermente.

– Spero che non gli abbiate creduto.

Aveva classe, e in più era intelligente e rapida; capì subito tutte le implicazioni della storia di Spavento al Carmelo. Ci pensò su un momento dopo aver ascoltato con attenzione, poi domandò:

– Il cane si mostrava interessato mentre lei lo conduceva?

– Interessato?

– Teneva il naso a terra, senza distrarsi per annusare altre cose, senza fermarsi?

– Temo di no, annusava un po' tutto, specialmente all'inizio, poi cominciò a concentrarsi di più.

– A che distanza vi trovavate da quel centro di addestramento quando cominciò a concentrarsi?

– Saranno stati, più o meno, quattrocento o cinquecento metri.

– C'era qualche femmina in calore fra gli animali che si trovavano lì?

– Non lo so, è probabile. Possiamo informarci, se necessario.

– Vedete, se il cane si fosse lasciato guidare dalla

memoria, significa che quel luogo, per qualche motivo, gli piaceva. Forse il suo padrone lo portava a passeggio da quelle parti, forse lì gli avevano dato qualcosa di buono da mangiare. Non vi avrebbe mai condotti in un posto dove avesse avuto un'esperienza negativa, anche solo per una volta. Se invece avesse seguito una pista ben precisa, si sarebbe dovuto trattare di qualcosa di molto attraente, una femmina in calore, per esempio. Cinquecento metri sono una distanza considerevole, quasi la distanza massima che può essere coperta dall'olfatto di un cane. E poi bisogna tener conto delle condizioni atmosferiche, che sono una variabile determinante. C'era vento quel giorno?

Garzón ed io ci guardammo, colti sul fatto nella nostra ignoranza.

– Lei se ne ricorda, viceispettore?

– No, non ne ho la minima idea.

– Be', non è poi così grave. Diciamo che, di per se stessa, la presenza di un gruppo di cani non costituisce motivo sufficiente per attrarre l'attenzione olfattiva. Ma potevano entrare in gioco, come le ho detto, una femmina in calore, o forse il cibo usato dagli addestratori come ricompensa per i cani che eseguono bene gli esercizi.

– L'addestratrice si chiama Valentina Cortés.

– Ha fama di essere molto brava.

– La conosce?

– Personalmente no, ma nel mondo del cane tutti alla fine sappiamo qualcosa gli uni degli altri.

– In definitiva, non è significativo che Spavento ci abbia portati lì. Magari non c'era mai stato prima.

– Si informi sulla questione della cagna in calore, è un dato importante.

Garzón tirò fuori un taccuino e prese nota.

– C'è un'altra domanda che voglio farle, Ángela, e a quanto vedo, lei è la persona indicata per rispondere a qualunque domanda riguardante i cani.

– Oh, non dica questo! – Era lusingatissima dalle mie parole.

– Si tratta dei cani che vengono impiegati alla facoltà di medicina. Per che cosa li usano e da dove li prendono?

– Be', ritengo che li usino per la sperimentazione. La razza ideale per la sperimentazione medica è il beagle, un simpatico cane inglese di taglia media il cui impiego originario è la caccia. Il beagle caccia fagiani, lepri... ma gli hanno perfino insegnato a prendere pesci! Poi furono scoperte le analogie di alcuni suoi tessuti organici con quelli umani, e si cominciò ad usarlo in tutte le facoltà di medicina del mondo. In genere hanno i loro propri allevamenti.

– Non capita mai che si riforniscano in modo illegale, ricorrendo a cani rubati, per esempio?

– Lei vuol dire, la solita storia del piccolo criminale che vende cani, o cadaveri, all'università. Direi che sono cose d'altri tempi, anche se, chi può saperlo? Un altro conto sono i laboratori privati, le aziende cosmetiche, in effetti lì non c'è molta trasparenza. Sapete bene che esiste un forte pregiudizio socia-

86

le contro la vivisezione. Il risultato è che nessuno riesce a saperne niente, né quali cani vengano usati, né da dove provengano e cosa ne facciano. Nessuna azienda vuole correre il rischio di una cattiva pubblicità. Neanche le società protettrici degli animali riescono a metterci il naso.

Il suo limpido sguardo si perse nell'aria.

– Credete che quel che vi ho detto possa esservi utile per le vostre indagini?

Era felice di collaborare.

– Ma certo che è utile!

– Anche se devo precisare che, trattandosi di cani, non c'è niente di sicuro, niente di definitivo. I cani non sono macchine, sono esseri viventi, hanno reazioni imprevedibili, sentimenti, una propria personalità e perfino... ecco, sono convinta che abbiano perfino un'anima.

Ci guardò, tutta infiammata dal misticismo di quelle sue parole.

– Senta... – Garzón aprì la bocca per la prima volta in tutta la conversazione. Lei lo ascoltò, cortese.

– Mi dica.

– Mi scusi, ma mi domando se potrei mangiare uno di quei biscottini –. Indicò il piatto semivuoto posato accanto alla tazza da tè.

Lei ne fu disorientata, poi scoppiò a ridere allegra:

– Ma certo, mi scusi lei! Vi preparo subito un tè, non so come non mi sia venuto in mente.

Garzón si profuse in spiegazioni tardive:

– Il fatto è che non ho mangiato in tutto il giorno

87

per ragioni di servizio e comincio a sentire una certa debolezza...

Lei espresse tutta la sua comprensione mentre ci preparava il tè in un cucinino attiguo:

– Immagino che andare in giro tutto il giorno per indagini sia molto stancante, e pericoloso anche!

Guardai Garzón e gli feci un cenno di rimprovero, come a un bambino impertinente. Lui si strinse nelle spalle, civettuolo. Il cane peloso ci guardava.

Uscimmo dalla libreria alle dieci passate. Avevamo mangiato i biscotti e bevuto il tè; ora sapevamo che Ángela era vedova di un veterinario, che il suo negozio funzionava a meraviglia e che adorava i cani. A questo proposito, rotto il ghiaccio e ritrovato il buon umore dopo lo spuntino, Garzón si mise a raccontarle le curiose usanze, al suo lontano paese nella regione di Salamanca, dei pastori transumanti con i loro cani. Lei lo ascoltava incantata, come se quei cani della steppa fossero il più interessante argomento di conversazione che le fosse mai stato proposto.

Arrivai a casa sfinita, confusa. Spavento corse verso la sua ciotola e si mise a mangiare come un ossesso. Decisamente, quel cane era l'alter ego di Garzón. Buttai il soprabito sul sofà e premetti il tasto della segreteria telefonica:

«Petra, sono Juan Monturiol. Sono rimasto ad aspettare che passassi, ma sono già le otto e mezzo. Me ne vado a casa. Immagino che quando si prende un appuntamento con un poliziotto, queste cose pos-

sano succedere. Spero che tu, almeno, abbia cattura-
to un serial killer da film americano».

– Cazzo! – dissi sottovoce, e poi aumentai progressivamente l'intensità dell'imprecazione fino all'urlo. Me
ne ero completamente scordata. Fino a che punto di
idiozia poteva portarmi questo lavoro? A cosa stavo
giocando, a fare la detective da romanzo giallo? Che
fretta avevo di scoprire l'assassino? Non sarebbe stato
di certo meno assassino per un'ora di libertà in più o in
meno. Mi ero persa un sorriso affascinante, due spalle
da scaricatore di porto, un autentico culo greco! E il
peggio era che Juan Monturiol avrebbe interpretato il
mio bidone come una lezione, una questione di principio su «chi prende l'iniziativa». Proprio quello che non
doveva pensare, primo perché era vero che il mio cervello avrebbe potuto partorire certe cose, e secondo
perché questo avrebbe complicato inutilmente la relazione e avrebbe solo ritardato il momento di portarme-
lo a letto. Mi prese un ciclopico malumore.

Spavento aveva finito di mangiare e mi si avvicinò
agitando la coda.

– Via di qui, cane rognoso! – sbottai con un gesto
di rifiuto. Rimase a guardarmi senza capire, gli oc-
chietti neri fissi su di me. – Va bene, vieni qui, – gli
dissi poi, impietosita dal suo smarrimento. Mi sedetti
e lui mi si sistemò in grembo, orgoglioso e felice. Credo che fui io ad addormentarmi per prima.

4

Don Arturo Castillo, docente di farmacologia dell'Università di Barcellona, lo trovammo mentre prendeva un caffè corretto alla mensa della facoltà. Portava il camice bianco, grossi occhiali di tartaruga e varie biro affioranti dal taschino. Stava ridendo beatamente con uno dei suoi collaboratori quando lo interpellammo. Reagì come se avesse passato tutta la vita a ricevere poliziotti e a invitarli a colazione. Perché fu questo che fece: offrirci un caffè e raccontarci che in quel bar confluivano studenti, pazienti del Clínico e docenti di tutti i rami della scienza medica. Era un individuo estroverso e cordiale che probabilmente interrompeva la solitudine delle sue ricerche scendendo a fare due chiacchiere in quel rumoroso stanzone. Gli chiedemmo di portarci in un luogo più discreto e lui ci fece accomodare nel suo ufficio. Non mostrava alcuna curiosità di sapere che cosa volessimo da lui. Quando andai al sodo, chiedendogli se conosceva Ignacio Lucena Pastor, non diede segno di sapere qualcosa.

– Sarà mica uno studente? Qualche studente ha commesso un delitto? Non un omicidio, spero, anche se, a pensarci bene, ognuno dei miei allievi potrebbe essere un criminale.

Si lasciò sfuggire una risata divertita. Gli mostrammo la fotografia di Lucena.

– Si tratta di quest'uomo. A quanto ne sappiamo, la riforniva di cani per i suoi esperimenti, professor Castillo.

– Ma questo è Pincho! Volete dire Pincho? Certo che lo conosco! Non ho mai saputo il suo vero nome. È da tanto che non lo vediamo più. È un piccoletto, con un'aria un po' stramba, di poche parole. Perché è in questo letto d'ospedale?

– Non è più in un letto d'ospedale, adesso. È morto. È stato assassinato. L'hanno ammazzato di botte qualche giorno fa.

Si fece serio.

– Pincho? Dio santo, chi l'avrebbe mai detto?

– Qualcuno ci ha riferito che diceva in giro di essere suo amico.

Era impressionato, confuso.

– Be', amico... Ogni volta che mi portava un cane facevamo due chiacchiere, prendevamo una birra al bar. Sì, posso immaginare che si sentisse orgoglioso di essere in contatto con me, tutto lasciava intendere che fosse un uomo di estrazione molto umile.

– I cani erano per la sperimentazione?

– In realtà la facoltà dispone di un proprio allevamento. Ma, saltuariamente, capitava che comprassimo uno di quei cani per le esercitazioni degli studenti. Ormai non lo facciamo più, ma ai tempi di Pincho succedeva ancora spesso.

– Gli domandò mai dove prendesse quei cani?

– Sinceramente no.

– Potevano essere rubati?

– Per carità! Erano meticci, senza alcun valore commerciale. Ce ne sono centinaia al canile municipale. Se smettemmo di utilizzarli fu proprio per le cattive condizioni in cui arrivavano, molti erano malati, avevano parassiti, e di nessuno di loro si poteva stabilire con certezza l'età. Tutto questo rendeva gli esperimenti assai poco attendibili.

– Allora perché non vi rifornivate al canile?

– Pagare i vaccini e le pratiche legali era molto più caro. E poi, Pincho ce li consegnava a domicilio, era una comodità. Quel povero diavolo aveva bisogno di soldi, e dato che ci serviva da tanto tempo... Poi smise di venire, senza alcuna spiegazione.

– Professor Castillo, crede di poter ricordare i nomi di qualcuno dei cani che comprò per la facoltà? Potrebbero essere segnati da qualche parte?

– Se avessero un nome, io certo non andavo a chiederlo. Fare ricerca sui cani non è piacevole, sapete? Venite, voglio mostrarvi una cosa.

Ci portò in una grande sala attigua, il laboratorio. Alcune persone in camice bianco si muovevano fra banconi, apparecchiature mediche e materiale chimico. Il professor Castillo si fermò davanti a una barella. Lì, abbandonato e incosciente, giaceva un cane di taglia media dal pelo chiaro con macchie dorate. Aveva la trachea aperta e dall'incisione sanguinolenta partiva un grosso tubo che terminava in una specie di

cardiografo. Faceva rumore nel respirare. I cavi collegati al corpo disegnavano un grafico su una striscia di
carta millimetrata. Era uno spettacolo abbastanza
sconvolgente.

– Vi rendete conto adesso del perché non è piacevole? Dopo l'esperimento rimangono gravemente
compromessi. Gli pratichiamo un'iniezione letale.
Almeno non soffrono. Ma ci vuole coraggio per
vederli da vivi. Cercano di giocare con te, ti leccano
le mani... Quando entrano qui dentro rimangono
silenziosi, passivi, non fanno niente per fuggire o salvarsi. Se li guardi negli occhi capisci che sanno di
dover morire.

– Ma è terribile! – esclamai, impressionata.

– Così si fa la scienza! Per questo non voglio sapere niente dei cani finché non sono sistemati sul tavolo operatorio e anestetizzati, tanto meno i loro nomi.
È Martín, l'addetto al canile, a occuparsi di loro, a
dar loro da mangiare, e i miei assistenti li preparano
per la sperimentazione. È uno dei miei pochi privile-
gi di capo!

– Potremmo parlare con Martín?

– È una buona idea, forse saprà qualcosa di più su
Pincho. Era lui a trattare, a pagarlo e a ricevere i
cani.

– C'è un altro favore che potrebbe farci, professor
Castillo. Potrebbe verificare se qualcuna di queste
cifre corrisponde ai pagamenti effettuati a... Pincho
dal suo dipartimento?

– Vediamo subito. Venite con me.

Tornammo nel suo ufficio. Ci mostrò un computer, con aria soddisfatta.

– Guardate qua! L'ultimo ritrovato dell'informatica. Ho dovuto lottare con tutta l'amministrazione universitaria perché mi approvassero il finanziamento. È perfetto, come un servitore tuttofare. Immagazzina dati scientifici così come i conti del supermercato. E guardate che definizione!

Si chinò sulla tastiera e scrisse: «Viva la Pepa!». Garzón ed io ci guardammo di sottecchi con una certa sorpresa incredula. Un'infermiera che frugava fra le cartelle di uno schedario colse il nostro sguardo e sorrise. Il viceispettore tirò fuori dalla valigetta il quaderno numero due di Lucena e lo mostrò a Castillo.

– Non ci sono date? – domandò lui.

– No.

Gettò uno sguardo alle cifre, lesse a voce alta:

– Cinquantamila, quarantamila... – cominciò a scuotere la testa, – no, no, santo Dio, neanche per idea. Non abbiamo mai dato tanti soldi a Pincho per quei cani.

– Va bene, proviamo con queste altre cifre.

Gli porse il quaderno numero uno.

– Diecimila, ottomilacinquecento..., sì, questo è già più verosimile.

Batté qualche tasto al computer, cercò, e non tardò a trovare quel che volevamo. In effetti tutte le cifre collimavano. E lì c'erano anche le date. L'ultima transazione risaliva a due anni prima. Pregammo il professore di farci una copia di quella lista. Mi accorsi però che mancava ogni riferimento alle strane indicazioni di tempo che figuravano nella contabilità del morto.

– Senta, professore, le viene in mente a cosa possono riferirsi queste annotazioni: sei mesi, due anni...?

– Queste...? – domandò distrattamente. – Sì, certo, è l'età approssimativa del cane.

Garzón si diede una sonora manata sulla fronte.

– L'età del cane! Ma certo!

– Solo l'età approssimativa. Vi ho già detto che è opportuno conoscerla per valutare le variabili dell'esperimento. In questi casi non era esatta, anche se devo dire che Pincho aveva molto occhio. Senza dubbio di cani se ne intendeva. Poveraccio, che brutta fine!

Uscì con passo semiatletico in cerca dell'uomo che si occupava dei cani. Allora l'infermiera si avvicinò e ci guardò ammiccando.

– Il professor Castillo è un'autorità internazionale nella sperimentazione farmacologica, un luminare riconosciuto che partecipa a congressi in tutto il mondo. Lo saprete anche voi che gli uomini di scienza sono quasi tutti un po' eccentrici, no?

Assentimmo imbarazzati. Dopo questo discorsetto l'infermiera scomparve. Garzón era troppo eccitato per darle peso.

– Si rende conto, ispettore? Questi maledetti quaderni non sono più un mistero! Questi nomi ridicoli sono nomi di cani, le indicazioni di tempo sono le età, e le cifre sono le somme pagate.

– Soltanto uno ci fa capire qualcosa, l'altro continua a essere un mistero. Aspetti a cantare vittoria.

Entrò un uomo di una certa età con una tuta blu. Appariva insicuro. Anche lui riconobbe Lucena come Pincho, e disse di non avergli mai domandato dove prendesse i cani. Era così paralizzato che Garzón si sentì in dovere di tranquillizzarlo.

– Vede, questo non è altro che un interrogatorio normale come in qualunque indagine. Non la stiamo accusando di niente.

– È che il professor Castillo mi ha appena detto che hanno ammazzato Pincho, e io anche se non lo conoscevo per niente... non so, morto in quella maniera... E guardi che io ne vedo morire di cani! Ma una persona fa sempre più effetto, capisce?

– Credo di sì, – dissi.

– Quel Pincho non doveva essere un tipo troppo per bene. Qualche volta gliel'avevo detto al professore, ma lui che è un vero e proprio santo, buono com'è con tutti, non voleva tirargli via quelle quattro pesetas che guadagnava.

– Perché pensa che non fosse per bene?

– Non so, dalla faccia. E poi, io sono sempre stato sicuro che ci fosse sotto qualche pastetta con la Guardia Urbana o con quelli del canile. Come faceva se no a trovare tutti quei cani? Mica li raccattava per la strada. Ci fu un periodo in cui avevamo un mucchio di allievi e c'era un gran bisogno di cani. Be', sette gliene chiedevi e sette te ne portava! Mi dica lei, con tanta facilità... se uno non finisce per pensar male.

– Si metteva in contatto con lei per telefono?

– No, veniva sempre lui, e dato che non c'era mai grande urgenza...

– Quando l'ha visto per l'ultima volta?

– Oh, è da tanto che non viene più! Delle volte se ne parlava: «Quello là o ha vinto la lotteria oppure è morto».

– Non avete mai pensato che avesse trovato un lavoro?

– Un lavoro? Guardi, io non ne so niente, sono molto ignorante, ma quando uno è un lavativo, lo vedo, e non mi sbaglio mai. Creda pure, Pincho non era tipo da lavorare.

L'occhio clinico di quel brav'uomo ci aveva indicato una via. Se Lucena riusciva sempre a procurarsi tutti i cani che gli chiedevano, era ovvio che aveva un sistema per ottenerli. La deduzione dell'uomo filava: doveva conoscere qualcuno, un impiegato corrotto, nella Guardia Urbana o al canile municipale. Non ci restava altro da fare che trovarlo.

Garzón attribuiva maggiore importanza alla pista dei libri contabili, che in effetti dava da pensare. Il contenuto di uno di essi era stato completamente chiarito e inoltre ci aiutava a collocare i fatti cronologicamente. L'ultima vendita alla facoltà risaliva a due anni prima. Era evidente, quindi, che da due anni Lucena non si era più accontentato delle diecimila pesetas per ogni cane che gli dava il dipartimento. Ma la sua attività non si era fermata lì: avevamo il quaderno numero due, che dimostrava il procedere dei suoi traffici. Qui le cifre subivano un aumento così notevole che diventava difficile formulare delle ipotesi. Come diceva Garzón, senza dubbio gli oggetti delle transazioni erano sempre cani: i nomi si somigliavano, si somigliavano le età segnate accanto a ciascuno di essi... l'unica cosa che cambiava era l'ammontare delle somme.

– Forse lo pagavano di più per fare la stessa cosa da qualche altra parte.

– Procurare cani per la sperimentazione?

– Esatto. Dov'è che si fa ricerca oltre che all'università?

– Nell'industria farmaceutica, come ci ha detto Ángela Chamorro.

– E l'industria pagherebbe così tanto per dei cani randagi?

– Non conosciamo le quotazioni della carne canina al mercato nero.

Guardai il viceispettore con una certa disperazione.

– È tutto così macabro, e allo stesso tempo così grottesco! Si rende conto che siamo finiti dentro una storia assurda?

– Così assurda che uno ci ha lasciato le penne.

– Uno di cui non conosciamo nemmeno la vera identità.

– Gliel'ho già detto una volta, ispettore. Nessuno sa chi fosse Shakespeare veramente, ma le sue opere qualcuno le ha scritte. Bene, può darsi che noi non sappiamo chi fosse Lucena Pastor, ma di certo trafficava in cani.

– In cani, sembra incredibile!

Garzón guardò l'ora all'improvviso.

98

– Io vado, Petra, ho un appuntamento per pranzo.

– Di lavoro?

– No, privato. Ci vediamo in commissariato.

– Appena arriva, si metta subito in contatto con il sergente Pinilla. Gli dica di indagare alla Guardia Urbana e al canile municipale. È necessario verificare chi forniva i cani a Lucena.

– Se quel qualcuno esiste.

Lo guardai, preoccupata. Ripetei gravemente:

– Se esiste.

Pensare che ti stai muovendo in una direzione completamente sbagliata è la cosa peggiore che ti possa capitare. Ti fa sentire stupido, come un bambino che, giocando a nascondino, cerca da una parte mentre i suoi compagni se la ridono dalla parte opposta. Per di più, quel maledetto caso non risvegliava in me nessun genere di passione, era completamente privo di risvolti emozionali. La vittima, insignificante, non metteva in moto dentro di me sentimenti di vendetta come le ragazze violentate del mio caso precedente. Di fatto, nemmeno per un attimo avevamo supposto che Lucena fosse innocente. Fin dal principio ci eravamo convinti che, in qualche modo, lui se la fosse cercata. Una cosa terribile, a pensarci bene, perché l'unico elemento da cui eravamo partiti per giungere a questa conclusione era in realtà il suo aspetto, o meglio, il modo in cui si presentava. Gli avremmo attribuito la stessa colpevolezza se avesse avuto l'aria impeccabile di un direttore di banca? Ma Lucena era come uno dei cani di cui faceva commercio: senza razza, senza bellezza, con un nome diverso per ogni padrone, senza nessuno che li reclamasse quando morivano. Con l'unica differenza che i cani ispirano pietà perché sono innocenti.

E allora? Dovevo deprimermi per il mio atteggiamento nei confronti di quel disgraziato? Era giusto che mi colpevolizzassi perché non provavo il veemente desiderio di far luce sulla sua uccisione? Gli avevo già reso omaggio portandogli il cane al cimitero, il che era più di quanto qualunque persona ragionevole avrebbe approvato. Al diavolo Lucena! Avremmo fatto il possibile per catturare il suo assassino, lo stretto necessario che ci dettavano le leggi del dovere.

Visto che non avevo fame, decisi di riempire la pausa di mezzogiorno con una passeggiata in compagnia di Spavento. Subito i nostri passi si incamminarono verso il negozio-ambulatorio di Juan Monturiol. Cominciavo anch'io a seguire percorsi fissi come gli animali, oppure, sempre come loro, mi lasciavo trascinare dall'istinto? Passeggiammo in tondo intorno al negozio; in fin dei conti per Spavento era lo stesso. Finalmente, alle due meno cinque il commesso uscì, e alle due in punto comparve anche Monturiol. Andai verso di lui. Portava un giubbotto stile commando che gli donava. Alzò le mani nel vedermi.

– È tutto in regola, ispettore, non sono colpevole!

– Sono io a sentirmi colpevole. Volevo scusarmi per l'altro giorno.

– Non è la prima volta che mi tirano un bidone. Eri sulle tracce di un assassino?

– Ti sembrerà assurdo, però è così.

– Mi sconvolge che tu sia un poliziotto, non volevo prenderti in giro.

Lo invitai a mangiare a casa mia, ma lui si sottrasse abilmente proponendo il ristorante all'angolo. Contrattaccai ricordandogli che avevamo con noi Spavento, ma lui mi assicurò che spesso vi era andato col cane. Saremmo andati avanti a lungo con quel gioco? Forse avrei dovuto dargli la possibilità di proporre casa sua, ma era stata mia l'idea di venire fin lì.

– Perché non lo porti con te il cane?

– È stato investito da una macchina un anno fa. Non ho più voluto comprarne uno, sto troppo male quando muoiono.

– Hai paura di soffrire?

– Mi stanca soffrire.

– Sì, capisco quel che vuoi dire. Immagino che la cosa più stancante sia investire delle emozioni su qualcosa che poi sparisce.

– Stai parlando di cani?

Attendevo una risposta da quei suoi occhiacci verdi pieni di ironia.

– Di cani e di amori.

Sostenni il suo sguardo. Di colpo lo distolse con aria sufficiente.

– Temo di essere un esperto in queste cose. Ho divorziato due volte.

– E io temo che tu non sia l'unico. Anch'io ho divorziato due volte.

Ci mettemmo a ridere sommessamente. Bene, figliolo, finalmente eravamo giunti a un punto d'equilibrio. Una parità guadagnata a forza di divorzi e di stanchezza. Era chiaro che nessuno dei due cercava inutili complicazioni sentimentali. Un buon passo avanti nelle nostre tacite trattative, o almeno così lo interpretai. Probabilmente non mi sbagliai di molto perché uscendo dal ristorante mi chiese di vedermi.

– Ceniamo insieme una di queste sere?
– Ceniamo.
– Ti chiamo.

Bisognava solo avere pazienza. A quanto pare Monturiol rifiutava le cose affrettate, non credeva nel sesso a prima vista. Voleva godersi la soddisfazione tutta maschile di fare il primo passo? D'accordo, la cosa migliore era non impuntarsi su questioni di principio e dargliela vinta. Ero sul punto di essere sedotta. E comunque, il caso dei cani mi assorbiva così poco che una relazione non sarebbe stata d'ostacolo alla mia vita professionale.

Garzón comparve in commissariato alle cinque passate, molto più tardi del solito. Era stato a pranzo con Valentina Cortés. Che lo confessasse senz'alcun imbarazzo si doveva forse a quel che aggiunse dopo: «per ragioni strettamente lavorative». Questo non coincideva con il suo annuncio di un appuntamento privato, ma decisi di non fare domande. L'importante era che l'addestratrice avesse confermato l'ipotesi di Ángela Chamorro. Il giorno della nostra visita al centro di addestramento c'era in effetti una femmina in calore: Morgana, il cane della stessa Valentina Cortés. Garzón ne era soddisfatto: questo semplificava di molto l'indagine, ci eravamo risparmiati la fatica di interrogare tutti i clienti che quel giorno avevano preso parte alla lezione di difesa.

– Valentina non si è stupita della sua domanda?

– No, gliel'ho fatta con intelligenza. Ad ogni modo, ora che abbiamo la conferma che quel posto non ha niente a che vedere col caso, immagino che potrò dirle di essere un poliziotto.

– Perché? Forse non la rivedrà mai più.

– Ma forse sì.

Immerse il naso in uno schedario e cominciò a voltare carte. Aveva rimorchiato, aveva rimorchiato dunque il mio illustre collega Garzón? E perché no? In fondo era ora, dopo tanti anni di vedovanza. Valentina Cortés era bene in carne, appariscente ed energica, giusto il tipo di donna che poteva piacere al viceispettore. Gli auguravo che il caso gli lasciasse tempo libero a sufficienza per scalare quell'esplosiva montagna bionda, giacché non poteva certo continuare a vederla in orario di servizio. Gli indizi ci portavano lontano dal centro di addestramento. La memoria di Spavento non aveva funzionato. Il poveretto era stato vittima di un'attrazione passionale, del tutto comprensibile, date le circostanze.

Non ci rimaneva altro da fare che proseguire lungo il cammino deduttivo: la ricerca farmaceutica. Per ottenere i dati preliminari sulle aziende private dovemmo ricorrere all'Ordine dei Medici. Fummo fortunati: solo sei aziende avevano laboratori di ricerca a Barcellona. Le altre, o erano grandi multinazionali che in Spagna lavoravano unicamente su licenza, o erano così piccole da non potersi permettere il lusso di un laboratorio proprio. Mezza dozzina sembrava un numero ragionevole, affrontabile senza necessità di aiuti esterni.

Ma non appena ci mettemmo al lavoro cominciammo a renderci conto che l'industria farmaceutica è qualcosa di molto serio. Nessun laboratorio ci lasciò mettere piede nella sua sede senza un mandato giudiziario. Mezza dozzina di mandati giudiziari, all'unico scopo di dare un'occhiata in giro, ci parvero decisamente troppi, e così tornammo dal professor Castillo perché ci aiutasse a fare una cernita.

Il professore era felice di rivederci. Si fregava le mani, era evidente che lo divertiva un sacco giocare al detective. Osservò la lista delle aziende che gli passammo. Sorrise maliziosamente.

– Ricordate quel proverbio che dice: «scherza coi fanti ma lascia stare i santi»? Bene, siete incappati in una delle lobby più potenti del paese. Vi metteranno i bastoni fra le ruote più che potranno. Non illudetevi di poter passeggiare a vostro piacimento per il loro sancta sanctorum.

– Nessun poliziotto farebbe mai spionaggio industriale.

– Fa lo stesso, non vogliono che nessuno vada a ficcare il naso negli affari loro.

Prese una biro.

– Vediamo... sì, credo di poter depennare qualche nome. Per esempio, queste due si sono fuse, verificate solo la prima...

Tamburellò sulla scrivania mentre Garzón ed io lo guardavamo come idioti.

– E anche questa potete cancellarla. Nei loro laboratori trovereste solo gatti.

– Sta scherzando, professore? – domandai con molta prudenza.

Fece una risatina da scienziato pazzo.

– Nemmeno un po'. Per ogni organo c'è l'animale adatto. Il maiale ha un cuore simile a quello umano, il cane va bene per lo stomaco... e il complesso sistema nervoso del gatto può essere per molti versi paragonato al nostro. Ebbene, in questo laboratorio si fabbricano solo sostanze psicotrope, quindi dubito che usino altro che gatti.

Garzón fischiò.

– Allora dobbiamo ritenerci fortunati, sarebbe stato molto peggio andare a caccia di maiali.

Castillo se la rideva.

– Però avrebbero lasciato più piste olfattive.

Adesso ridevano tutti e due. Mi parve opportuno interromperli prima che degenerassero.

– A lei sembra che dirigere l'indagine verso l'industria farmaceutica non abbia senso, vero?

– Non so cosa dirle, ispettore. Mi riesce difficile immaginare che organizzazioni simili, con tutte le risorse economiche di cui dispongono, possano aver avuto a che fare con Pincho. Ma è una possibilità da non trascurare. Allevare cani è lungo, e molto costoso. Forse di tanto in tanto hanno bisogno di un fornitore esterno, se possiamo chiamarlo così.

Annuimmo entrambi con rassegnazione.

– Scarterebbe qualche altra azienda, professor Castillo?

– Sì, scartate anche questa. Commissionano la ricerca all'università. Significa che a volte lavoriamo per loro. È una collaborazione da cui il dipartimento ricava buoni dividendi.

Bene, questo fu tutto, e non era poco. Sei meno tre fa tre, una riduzione considerevole. Tre mandati ci avrebbero consentito l'accesso ai laboratori. Una volta lì avremmo dovuto ispezionare le gabbie, fotocopiare la contabilità sul movimento dei cani e metterla a confronto con il numero di esperimenti condotti.

– Non le sembra terribile che il cuore di un maiale somigli a quello di un uomo? – domandò Garzón appena entrato in macchina. Io non ero dell'umore giusto per filosofare.

– Che cosa le ha detto il sergente Pinilla?

– Noi che ci crediamo così nobili...

– Si può sapere che cos'ha detto Pinilla?

– Ah, sì! Mi ha detto che indagherà molto a fondo, però è andato su tutte le furie.

– Perché?

– Perché, e ci metterebbe la mano sul fuoco, nella Guardia Urbana non c'è nessuno che si farebbe corrompere.

– Caspita, andiamo bene con il corporativismo!

– Il cuore, capisce? Che è come una specie di anima... di sicuro abbiamo il cervello spiccicato a quello di una scimmia.

Compresi che Garzón era caduto in uno dei suoi tipici abissi riflessivi e lo lasciai in pace.

Una volta a casa, fui accolta dall'affetto di Spavento e dalla benedizione di un whisky liscio. Non mi sarebbe sembrato giusto chiedere di più. Se non altro, seguendo quella pista, ci allontanavamo dallo squallore degli appartamenti affittati in nero agli immigrati. Salivamo i gradini della scala sociale fino all'onnipotente industria farmaceutica. Ma non erano troppi tutti in una volta? Come aveva fatto Lucena ad arrampicarcisi? Qualcosa continuava a non quadrare. Ad ogni modo, era confortante lasciarsi finalmente alle spalle i cani universitari. E quei laboratori privati, ci avrebbero creato tutte le difficoltà preannunciate da Castillo? Magari ci saremmo sentiti come in un film di spionaggio, impegnati in una lotta senza quartiere contro potenti organizzazioni finanziarie e le loro oscure manovre. Spavento, dal tappeto, mi stava guardando. Mi concentrai sulla bruttezza del suo muso, sul morso che sfigurava il suo orecchio. No, probabilmente avrei fatto meglio a tornare agli elementi base della storia: un ladro di cani randagi assassinato a suon di botte, questa era la verità. Nessuna multinazionale, nessun grosso traffico di soldi.

Chiamai il viceispettore alla pensione perché non ci eravamo dati un appuntamento preciso per il giorno seguente. La padrona mi informò che era uscito a cena. Evidentemente il disappunto per il cuore di maiale non gli aveva impedito di procedere nelle sue avances amorose.

L'edilizia e l'industria farmaceutica devono essere due dei settori imprenditoriali con il maggior volume d'affari in Spagna. Almeno, così pensai quando arrivammo al primo laboratorio. Asepsi e prosperità erano due concetti che si coniugavano perfettamente in quella cornice.

Un giovane medico, con un impeccabile taglio di capelli a rasoio e occhiali dalla montatura dorata, ci accompagnò a vedere tutte le installazioni. Era teso, ma quando seppe che indagavamo su un omicidio, si tranquillizzò. Un omicidio è sempre qualcosa di molto lontano dalla mentalità della gente, appartiene al mondo della finzione. Non fece nessuna domanda, si limitò a mostrarci tutto quello che volevamo vedere come se si trattasse di una visita scolastica o di un giro turistico.

Gli chiedemmo di portarci al canile e lui lo fece senza battere ciglio. Era una sala molto ampia che dava su una terrazza. Almeno dieci cani condividevano quello spazio, pulito e ben sistemato. Si vedeva che erano sani e ben nutriti, che la loro vita scorreva placidamente. Inconsapevoli del loro crudele destino, apparivano allegri e tranquilli. Erano tutti della stessa razza.

– Li tenete tutti qui i cani che usate?

Per la prima volta vidi della curiosità negli occhi del nostro anfitrione. Ci aveva mostrato vasti reparti di chimica, catene di produzione meccanizzata, uffici di elaborazione dati, complessi controlli di qualità, e l'unica cosa su cui facevamo delle domande erano i cani.

– Che cosa intende dire?

Ci provai di nuovo:

– Non usate altri tipi di cani..., forse... meno selezionati, per esperimenti di second'ordine?

Adesso sì che non ci capiva niente. Sorrise con divertita fascinazione. Mi sentivo sempre più ridicola.

– Di second'ordine?

– Volevo dire che magari impiegate una gran quantità di cani, tanto che ricorrere sempre all'allevamento interno può essere complicato, troppo costoso.

– Oh, no! Non sempre sono in corso ricerche che richiedano cani. E poi, se all'improvviso avessimo bisogno di un esemplare di una determinata età o con determinate caratteristiche, ci rivolgeremmo a un allevamento commerciale.

– Ma negli allevamenti si possono comprare solo cuccioli.

– Talvolta vi si trovano anche esemplari adulti. E comunque le assicuro che stiamo parlando di un caso del tutto ipotetico. Da quando io lavoro qui non si è mai verificato.

– E non usate mai cani randagi per gli esperimenti? – sparò Garzón senza tanti preamboli.

Se quel tipo aveva incassato la domanda sugli «esperimenti di second'ordine» con una certa compostezza, non poté fare lo stesso con i «cani randagi» di Garzón. Se ne uscì in una risata energica, secca, esplosiva.

– Davvero le pare che possano entrare dei cani randagi qui dentro? – disse, ricomponendosi.

Tagliai corto:

– Abbiamo bisogno di fotocopie di tutta la contabilità riguardante il canile e una lista con il numero di cani soppressi negli ultimi due anni.

Visto che ormai si era rassegnato a non capirci niente, fece un cortese cenno di assenso.

– Accomodatevi, prego. Torno subito.

Ci lasciò in una saletta arredata sui toni del beige.

– Che testa di cazzo! – esclamai non appena fu scomparso. – Ma l'ha sentito, Garzón? Cani randagi qui dentro? Mancava solo che dicesse: «gli unici siete voi».

– Andiamo, ispettore. Questo posto è lontano mille miglia dall'ambiente di Ignacio Lucena Pastor.

– Perfino gli alberi più alti hanno bisogno del letame!

– Perché è così aggressiva?

– E lei, perché è così serafico? Che cosa le succede tutto a un tratto, la vita le sorride?

Il tipo impeccabile tornò con un plico di fotocopie e ce le porse.

– Violereste il segreto professionale se mi diceste com'è accaduto questo omicidio su cui state indagando?

Sentii che era giunto il momento di una piccola vendetta.

– È una faccenda di cani randagi, non credo che le interessi.

Non so se quel presuntuoso si accorse della mia intempestiva rivendicazione sociale, ma almeno uscii di lì con la sensazione di aver fatto qualcosa per l'uguaglianza canina. Garzón non si spiegava la mia reazione, e mi sarei giocata qualunque cosa che ai suoi occhi non si era trattato d'altro che di puro isterismo premestruale. Eppure il problema non era affatto incidentale: ero convinta che stessimo correndo dietro a una lepre fasulla, mentre quella vera se la spassava da un'altra parte.

Il giorno successivo, una visita simile alla precedente contribuì a consolidare il mio pessimo umore. Fummo ricevuti, guidati e illuminati sulle attività di un secondo laboratorio assolutamente immacolato. Niente faceva pensare ad azioni delittuose, né a cani sottratti dal canile municipale. Anche lì avevano i loro animali, tutti di razza e con pedigree, tutti vaccinati, tutti felici, puliti e disinfestati fino alla loro immolazione sugli altari della scienza.

Come se ciò non bastasse, l'immagine irreprensibile di entrambe le aziende si vide confermata dalla perizia condotta sui libri contabili dall'ispettore Sangüesa. I dati combaciavano tutti e la soppressione dei cani era correttamente registrata. Niente in vista a babordo, niente a tribordo, un mare in calma piatta si estendeva tutt'intorno a noi. Mi domandai se valesse la pena di ispezionare il terzo laboratorio, o se non fosse più pratico piantarla lì con quel ballo in tondo che non ci portava da nessuna parte. Ma Garzón insisteva che la mia ipotesi iniziale aveva un senso, e che valeva la pena di verificarla fino in fondo. Tuttavia, niente cambiò in quella terza incursione farmaceutica. Ci eravamo sbagliati, questa era la verità.

Mi sentivo di un umore tale che avrei potuto mordere qualcuno. Ma qualunque aggressione sarebbe stata inutile; il fine settimana era alle porte e non potevamo far altro che fermarci.

Mentre passavano quei due giorni, decisi di rilassarmi. Mi ero lasciata montare dentro la tensione del tutto inutilmente. Presi Spavento, gli misi il guinzaglio e passeggiai finché le mie gambe non ce la fecero più. Mi ritrovai seduta su una panchina del parco della Ciudadela con i piedi formicolanti dalla stanchezza.

Ero sorpresa dal gran numero di padroni di cani che approfittava delle ore di sole. Giovani in tuta che facevano trottare i loro husky. Famiglie con bambini che portavano al guinzaglio bobtail batuffolosi... Ma soprattutto vecchietti, vecchietti umili con piccoli bastardini, brutti come Spavento, donne anziane che passeggiavano al passo lento dei loro cani meticci. Due di loro si fermarono a parlare vicino a me, sentii che una diceva: «...a me non importa niente che lasci i peli sul sofà, ma mia figlia vuole cacciarlo via di casa, regalarlo a qualcuno. E dimmi cosa faccio io senza il mio Boby». Che cosa triste, a ogni cane senza razza sembrava corrispondere un padrone diseredato.

Mi alzai, vagai per il parco. All'improvviso notai un assembramento di persone in lontananza. Mi avvicinai a curiosare. Molta gente formava un cerchio intorno a un recinto di transenne metalliche. Fra gli alberi si stendeva uno striscione: XV DIMOSTRAZIONE DI CANI DA DIFESA. A SOSTEGNO DELLE CASE PER L'IN-

FANZIA. Era impossibile trovare un posto libero per vedere. Mi allontanai un poco. Nei dintorni si vedevano cani che senza dubbio avevano partecipato allo spettacolo e ora riposavano accanto ai loro padroni. All'improvviso Spavento si innervosì e cominciò a tirare il guinzaglio come un matto. Motivo della sua inquietudine sembrava essere un enorme rottweiler. Si trattava di un esemplare impressionante, robusto, taurino, con la testa compatta e rotonda come una mazza. Si era accorto di Spavento e gli stava ringhiando contro in tono collerico. Ebbi paura, levai gli occhi verso la persona che lo teneva fermo e, apriti Cielo, prodigi dell'impossibile! L'uomo con il feroce cagnaccio al guinzaglio altri non era che Garzón. Garzón? Era davvero Garzón? E cosa ci faceva lì con quel bestione?

– Viceispettore!

Divenne rosso come un pomodoro, con l'espressione di chi vorrebbe che la terra gli si aprisse sotto i piedi.

– Buongiorno, Petra, come sta?

– Come, «come sta»? Che cosa ci fa lei qui con quella bestia?

Guardò il cane come se gli fosse appena spuntato dalla mano destra.

– Questa bestia? Ah, sì, è Morgana, il cane di Valentina Cortés! Gliela sto guardando un attimo mentre lei è alla dimostrazione. Fa parte della giuria.

Rimanemmo l'uno di fronte all'altra senza che ci venisse in mente nient'altro da dire. I cani presero la parola. Morgana emise un latrato minaccioso e Spavento lanciò un guaito di terrore e venne a nascondersi fra le mie gambe. Tirava come non mai, impazzito. Il rottweiler si sentì ancora più provocato e abbaiò di nuovo.

– Be', Fermín, come vede la situazione non è delle più tranquille. Bisogna che me ne vada.

– Peccato, mi sarebbe piaciuto che salutasse Valentina. Senta, stasera andiamo a cena in un ristorante messicano, perché non viene anche lei?

– Non so se…

– Forza. Si butti. La chiamo questo pomeriggio per metterci d'accordo.

Ormai il cane di Valentina Cortés si era alzato sulle zampe posteriori e abbaiava in modo terrificante. Una voce grave, profonda, usciva dalle sue fauci calde e umide. Spavento diede uno strattone che non riuscii a compensare e mi scappò di mano a tutta velocità. Mentre gli correvo dietro mi voltai e gridai a Garzón:

– Va bene, mi chiami verso le cinque!

Non riuscii ad acchiapparlo finché non fummo così lontani che del rottweiler non gli arrivava nemmeno l'odore. Cercai di calmarlo, il suo cuore batteva forte quasi quanto il mio. Lo capivo fin troppo bene: se non fosse stato lui a prendere l'iniziativa, forse sarei fuggita io stessa dinanzi alle minacce di quel terribile animale.

Prima delle cinque chiamai Juan Monturiol. Pensai che potesse fargli piacere conoscere il mio compagno di lavoro e un'intrepida domatrice di leoni; forse, in presenza di altre persone, la sua sindrome di «uomo caduto fra le grinfie della pantera» si sarebbe dileguata e saremmo riusciti a mettere insieme le condizioni sufficienti per un po' di banalissimo sesso. Immaginai che avrebbe trovato una scusa, e invece accettò. E così in quel gelido sabato sera ci ritrovammo tutti a Los Cuates, un allegro ristorante messicano del quartiere di Gracia.

Posso dire senza tema di sbagliarmi che il nostro era uno dei gruppi più mal assortiti che popolassero la notte cittadina. Valentina Cortés si presentò con la sua criniera di un biondo giallissimo cotonata e feroce. Portava un paio di pantaloni neri e un pullover nero scollato a punta a scoprire l'inizio del suo generoso davanzale. Un giubbotto di cuoio completava la sua immagine di intraprendente donna matura. Capii che a Garzón potesse piacere, era una cinquantenne veramente sexy. Lui, da parte sua, si era messo uno di quei vestiti gessati stile «Chicago anni trenta» che gli conoscevo così bene. Accuratamente imbrillantinato e con i baffi in perfetto ordine, si vedeva benissimo che era vestito per sedurre. Come me del resto, che ero ricorsa a un rosso dirompente con l'intenzione di fare colpo su Juan Monturiol. Anche se in realtà il colpo lo ricevetti io, perché quando Monturiol si presentò con un semplicissimo dolcevita color avorio, mi parve più bello che mai.

Dopo le presentazioni, curiosammo nel menu e domandammo al cameriere le consuete spiegazioni sul grado di piccantezza dei vari piatti. Valentina mostrò subito propensione per i più arrabbiati, e mi accorsi che Garzón era compiaciuto della sua audacia.

– Mi piacciono le emozioni forti! – dichiarò lei, lanciando lampi con i suoi occhi chiari.

– Non mi stupisce, – replicai, – dopo aver conosciuto il tuo cane.

– Morgana? È uno degli animali più nobili che tu possa incontrare!

– L'hai addestrata tu stessa?

– Sì, con l'aiuto dei miei figuranti. È veloce come un fulmine, e non mollerebbe la presa nemmeno con un cinghiale infuriato.

Intervenne Juan, che sembrava interessato all'argomento.

– Mi sono sempre domandato se gli addestratori di cani da difesa siano sicuri di quel che fanno. Un cane addestrato per attaccare può essere causa di terribili incidenti, può mordere qualcuno fino ad ammazzarlo.

Valentina fece un gesto negativo nell'aria con un pezzetto di carne piccante appena intinto in una salsa ancora più piccante.

– No, non è così terribile, teniamo tutto sotto controllo, quella di cui parli è un'eventualità molto remota. In realtà, la difesa personale al giorno d'oggi è diventata una specie di sport.

– Il tuo cane sarebbe capace di ammazzare qualcuno? – domandò Garzón ammirato e infantile.

Valentina si riempì il piatto di fagioli, socchiuse gli occhi e rispose da vera dura:

– Puoi scommetterci, e probabilmente con un solo morso. Ma Morgana, come tutti i cani che addestriamo, agisce solo dietro ordine del padrone. Se non glielo dico io, lei poverina non se la prende con nessuno.

– E se qualcuno cercasse di aggredirti?

– Ah, amico! In questo caso ti assicuro che l'attaccante si ritroverebbe conciato come un angelo.

– Come un angelo? – ci sorprendemmo tutti.

– Voglio dire senza sesso, perché Morgana punterebbe dritto alle palle.

Scoppiammo in risate che attrassero molti sguardi su di noi. Incredibile questa Valentina, un vero ciclone: si sentiva a suo agio nel mondo come se l'avesse inventato lei stessa. Mandava giù salse infuocate senza battere ciglio, rideva, faceva gesti, lanciava sonore imprecazioni e il suo repertorio di aneddoti canini non aveva limiti. Juan sembrava incantato dalle sue chiacchiere e Garzón levitava più di un santone indù.

– Qual è la razza più facile da addestrare?

– Senza dubbio il pastore tedesco. È un cane che va bene per tutto, intelligente e docile.

– Però tu hai scelto un rottweiler.

– L'ho fatto per la forza del loro morso. Pensate, un pastore tedesco ha una presa di circa novanta chili. Niente male, vero? Vi assicuro che faccio fatica a reggere le sue scosse al braccio senza cadere a terra. Bene, il rottweiler arriva fino a centocinquanta chili.

Juan esclamò:

– Non puoi contrastare un simile attacco.

– No, infatti non posso. Il cane mi trascina dove vuole lui. Eppure, poiché i suoi movimenti sono nobili e diretti, il pericolo reale è minimo.

– Una belva capace di affrontare un toro!

– Sì, ne sarebbe capace.

– Non c'è nessun cane che ti abbia dato dei problemi?

Valentina chiamò il cameriere, ordinò un'altra birra messicana e divenne seria. Fece una pausa misteriosa.

– C'è una sola razza che mi rifiuto di addestrare... – e inghiottì una buona porzione di guacamole, – il pit bull terrier.

– Ho un paio di clienti che mi portano dei pit bull in ambulatorio. Per fargli il vaccino annuale devo mettergli una museruola. Sono temibili!

– Temibili. Non pesano più di venticinque chili. Ma la forza che hanno nei denti?... fino a duecentocinquanta chili in certi casi.

– Porca miseria! – esclamò Garzón.

– Ricordo perfettamente quel che successe quando me ne portarono uno perché lo addestrassi. Mentre parlavo col padrone lui se ne stava tranquillo, silenzioso. Mi infilai la pettorina imbottita, il manicotto, e cominciai a mettere alla prova il suo istinto di difesa con i consueti movimenti di eccitazione. Il cane, trattenuto dal padrone come sempre si fa nelle prime lezioni, se ne stava davanti a me, immobile, senza ringhiare, senza abbaiare, e mi guardava dritto negli occhi. Pensai: «Valentina, fa' attenzione perché questo

118

cane è un vero figlio di puttana». E infatti, di colpo me lo vedo che dà uno strappo, con la bava alla bocca, sfugge al padrone e, invece di mordere il manicotto che gli porgevo, mi si lancia direttamente al petto. Mi scansai, ma sono convinta che se fosse riuscito a farmi cadere, mi avrebbe attaccata alla gola.

Il suo racconto ci aveva fatto venire la pelle d'oca.

– Non è proprio quello il cane che può arrivare a rivoltarsi contro il suo stesso padrone? – domandò Juan.

– Suppongo che tu ti riferisca allo Staffordshire bull-terrier, una razza americana della quale il pit bull è appunto una varietà. Quello è senza dubbio il cane più feroce che esista.

– Qual è la sua capacità di presa? – si informò Garzón, ormai perfettamente familiarizzato con la terminologia.

– Trecento chili.

– Non voglio nemmeno pensarci! – disse il vice-ispettore.

– Meglio per te. Si tratta di un animale veramente sanguinario, capace di recidere la giugulare a chiunque. E ti assicuro che se lo vedessi ti sembrerebbe impossibile. Non va oltre i quaranta centimetri al garrese e pesa sui diciassette chili, ma è una macchina per uccidere. Solo a quei figli di puttana degli americani poteva venire in mente di selezionare una razza simile.

– A cosa serve?

– Solo come cane da difesa, anche se, come potete bene immaginare, va tenuto sotto controllo.

Rimanemmo in silenzio. All'improvviso mi resi conto che Garzón non aveva nemmeno toccato le sue enchiladas.

– Complimenti, Valentina, – dissi, – sei riuscita a trovare un argomento così interessante da vincere l'appetito di Fermín. È la prima volta che lo vedo così preso.

Garzón mi guardò maliziosamente. Lei scoppiò in una franca e allegra risata. Rispose:

– Fermín ed io andiamo d'accordissimo. Io gli parlo di cani, e lui della polizia. Tutti i mestieri hanno qualcosa che vale la pena di essere raccontato, o no?

Garzón insisté per pagare la cena. Era euforico e lo si poteva capire. Da quanto tempo non usciva con amici portando con sé la sua donna?

– Andiamo a prendere qualcosa da qualche parte, – propose Juan Monturiol.

– A me piacerebbe andare a ballare, – confessò Valentina.

– Allora andiamo allo Shutton.

Lo Shutton era un lussuoso locale dove gli amanti del ballo avevano l'occasione di esibirsi in sambe, rock e alcuni pezzi di hot jazz eseguiti da una buona orchestra dal vivo. In effetti, Valentina aveva davvero voglia di ballare. Non appena i nostri cocktail furono serviti, trascinò Garzón sulla pista. Mi accorsi che non conoscevo ancora tutte le sfaccettature del mio vice, molteplici come quelle di un diamante. E bisognava dire che ballava davvero bene, alla Fred Astaire. Si muoveva con grazia, con stile, attento al ritmo, insieme dominatore e deferente nei confronti della sua dama. La palla compatta del suo corpo si era trasformata in un lieve palloncino. Era uno spettacolo vederlo insieme a Valentina, entrambi disinibiti e contenti di sé, padroni assoluti del loro divertimento.

– Sono pieni di vita, vero? – disse Juan.

– Mi piacerebbe saper ballare come loro.

– Potremmo provarci, almeno.

Scelse allo scopo una sciropposa musica melodica. Mi prese fra le braccia e cominciammo a muoverci molto lentamente. Mi accorsi che mi stringeva un po' di più nei momenti particolarmente romantici del motivo. Avvicinava la sua faccia alla mia, la sfiorava con delicatezza. Un vero amante del classico, ero sistemata! Seduzione tradizionale: musica insinuante, penombra, cocktail con fettina di limone... Probabilmente uscendo di lì mi avrebbe proposto di salire a bere qualcosa da lui, e poi, facendo l'amore, mi avrebbe sussurrato all'orecchio «ti amo» benché non ci conoscessimo per niente. No, non se ne parlava neanche, non faceva per me! Perché avrei dovuto sopportarlo?

Non mi sbagliai di una virgola. All'uscita, quando salutammo Valentina e Garzón, Juan Monturiol scelse un'intonazione avvolgente per suggerire:

– Prendiamo qualcosa su da me?

– No, Juan, come mi dispiace! Mi è venuto un mal di testa tremendo. L'unica cosa che vorrei prendere è una bella aspirina prima di mettermi a letto. Se ti va ti chiamo un giorno di questi.

Non se lo aspettava. Incassò il colpo dissimulando il disappunto, ma riuscii a captare l'incazzatura dalla leggera tensione alle mandibole.

Al diavolo, io non ne potevo più dei vecchi teatrini! Troppi anni sulle spalle, troppi divorzi, troppo di tutto per concludere la serata dicendo: «Tesoro, è stato meraviglioso». Ora basta, anche se il cavaliere era un autentico bocconcino. O migliorava il suo stile o lasciava che fossi io a imporre il mio.

Ma chi trasse maggior beneficio dalla prematura interruzione della serata fu Spavento. Era contentissimo di vedermi. Uscimmo a fare una lunga passeggiata alle due del mattino, le strade gelate erano completamente deserte e tirava un vento del diavolo. Non so quali conseguenze positive avrebbe tratto il cane da quell'insolito giro notturno, ma in me il freddo e il movimento stemperarono ogni desiderio carnale.

5

Il lunedì successivo il mio umore non era migliorato. Avevo ancora quell'ineffabile e appiccicosa sensazione di aver perso tempo. Non eravamo giunti a capo di nulla visitando quei laboratori. La loro contabilità era perfetta, era tutto in ordine, tutto quadrava. Nemmeno un indizio avrebbe permesso di sospettare che avessero mai avuto a che fare con dei cani randagi. Cani randagi! C'era da morir dal ridere al solo pensarci, quei colossi finanziari, asettici ed efficienti, alle prese con un pelagatti come Lucena! O sarebbe stato meglio dire pelacani? Bisognava proprio essere dei gran coglioni per seguire un'ipotesi simile.

Presi i quaderni contabili di Lucena Pastor. Aprii il secondo, lo sfogliai: Lily: 40.000, Bonny: 60.000... Chi aveva pagato a Lucena somme come quelle? Chi era disposto a comprare dei cani randagi a quel prezzo, e per cosa? Quei nomi corrispondevano a dei cani, come nel primo quaderno, o forse non più? Ormai non ero più sicura di niente. Non ci eravamo mossi nella direzione giusta, da qualche parte doveva esserci un errore che ci aveva messi fuori strada. Dove? Colta da un impeto abbastanza puerile scagliai il quaderno contro il muro. Il viceispettore si innervosì.

– Ma cosa fa, Petra? Così distrugge le prove.

– Lo sa quanti omicidi rimangono irrisolti in Spagna?

– No.

– Una marea, mi creda, una marea! E quasi tutti sono di gente come Lucena, emarginati, prostitute, barboni, gente senza un nome, senza una famiglia, senza amici.

– E allora?

– E allora mi manda in bestia! Mi manda in bestia che siano sempre questi poveracci a sparire senza che nessuno faccia giustizia. L'ho pensato ogni volta che mi capitavano sotto gli occhi quei dati quando lavoravo al servizio documentazione, e adesso che potrei fare qualcosa...

– E adesso cosa?

– Cazzo, Garzón, mi sembra idiota! Me lo sento, il nostro andrà a finire nelle statistiche dei casi irrisolti.

– Non credo.

– Non crede? Sarà per i magnifici progressi che stiamo facendo!

Il viceispettore mi guardò con una certa tenerezza. Raccolse il quaderno da terra. Sorrise.

– Si calmi, Petra, lo risolveremo, vedrà che lo risolveremo. Abbia pazienza, neanche Zamora fu fatta in un'ora, né Alicante in un istante...

Aprì il quaderno e vi dedicò tutta la sua attenzione. Io mi misi a ridere.

– Mi spiace, Fermín, mi scusi. È stata un'uscita abbastanza ridicola.

Fece un cenno con la mano come cancellando qualcosa nell'aria, senza staccare gli occhi dalla pagina. Poi cominciò a parlare molto lentamente.

– Io dico che... dico che se sommiamo tutti gli importi scritti qui, e cioè... una quarantina di pagine, per una media di due voci di trenta, cinquanta o sessantamila pesetas per pagina..., in tutto verrebbe a fare qualcosa come... tre milioni di pesetas.

– Che cosa vuol dire?

– Voglio dire che, supponendo che la contabilità corrisponda a un anno, Lucena doveva avere un bel po' di soldi da parte.

– Sì, li aveva, se si ricorda portava una catena d'oro di un certo valore.

– Bene, d'accordo, supponiamo che la catena gli fosse costata trecento o quattrocentomila pesetas. È una cosa che si può verificare. Si è tolto uno sfizio; ma, a parte questo, faceva una vita schifosa. Abitava in un buco miserabile, frequentava postacci come il bar Las Fuentes. Non sembra che fosse tossicomane, e allora, dove sono finiti tutti questi soldi? La contabilità prova che era un tipo metodico, non li avrà messi via da qualche parte? Non c'erano indizi di furto in casa sua.

– Si riferisce a un conto bancario?

– Andiamo, ispettore, non la riconosco più! Un tizio che non ha un solo documento, che non firma un contratto d'affitto, che si fa chiamare con un soprannome... se lo immagina aprire un libretto di risparmio? No, quel che voglio dire è che deve averli nascosti da qualche parte.

Una nube si dissipò nel mio cervello.

– In un posto sicuro, – dissi.

– In un posto sicuro, – ripeté lui.

– Viceispettore, cercare tracce è un lavoro troppo complicato, credo che dovremmo fare un sopralluogo più approfondito. Lei saprà come si organizzano queste cose, chieda una squadra che possa fare un buon lavoro e la mandi a casa di Lucena.

A Garzón luccicavano gli occhi.

– Agli ordini, capo.

– Ha avuto un'idea brillante, Fermín. Se teneva il denaro nascosto da qualche parte, è possibile che insieme troviamo anche altre cose, carte, fatture... Indizi, caro mio, indizi! Sì, ha avuto proprio un'idea geniale.

– Non si faccia troppe illusioni, Petra, magari scopriamo che quell'idiota si è mangiato tutto in puttane.

– Reggerò anche a questo.

– E cosa facciamo con i laboratori?

– Per il momento, se li dimentichi.

Uscendo dal commissariato trovammo una sorpresa: proprio in quell'istante Ángela Chamorro stava chiedendo del viceispettore all'uomo in portineria. Venne verso di noi e ci parlò con la sua inconfondibile amabilità. Si interessò della mia salute e, con mio enorme stupore, domandò a Garzón come avesse smaltito la sbronza.

– Credo che ci abbia fatto male il bicchiere che abbiamo bevuto dopo cena, – disse molto convinta.

Garzón annuiva senza sapere che pesci pigliare. Era

molto più di quanto avrei potuto immaginare. Quel dongiovanni camuffato, quel Barbablù panzone usciva con Ángela e con Valentina nello stesso tempo. Lo guardai con insistenza e lui mise su una faccia da bambino dell'asilo.

– Passavo di qui e mi sono ricordata che domani è il mio compleanno. No, non fatemi gli auguri, è così terribile che non voglio nemmeno pensarci! Potrò rassegnarmi a essere più vecchia solo quando sarò in buona compagnia. Vi andrebbe di venire a cena da me? Così mi aiuterete a ingoiare il rospo.

Accettammo fra risate e frasi affettuose.

– Rimane sottinteso che, se lo desidera, può venire con qualcuno, Petra.

– Sì, può darsi che porti un amico.

Potevo almeno provarci, anche se era molto probabile che Monturiol mi avrebbe mandata all'inferno dopo quella doccia fredda. Magari, se glielo avessi proposto con una musica romantica di sottofondo... La libraia ci salutò allegramente. Mi voltai verso Garzón.

– Che coincidenza che Ángela sia passata di qui, vero Fermín? E dire che io non credo nelle coincidenze.

– Perché diffidare del caso? A volte le cose succedono così, quando meno te lo aspetti.

– Come per esempio un colpo di fulmine, o mi sbaglio, Garzón?

Fece finta di non sentire.

– O due colpi di fulmine!

Sembrava ancora più sordo.

La squadra che ci mandarono per il sopralluogo mi parve un po' deludente. Un ragazzo con una valigetta e un altro a mani vuote. Mi ero fatta un'altra idea, forse qualcosa di più tecnologico. Tuttavia non feci commenti né dimostrai la mia delusione. Il vice-ispettore era eccitato, convinto che avremmo finalmente trovato un filone d'oro. Entrò nell'antro di Lucena con l'entusiasmo di Carter nella tomba di Tutankhamon. Tutto era tale e quale a come l'avevamo lasciato l'ultima volta, ma ancora più polveroso.

Il perito aprì la sua valigetta e tirò fuori vari martelletti di materiali diversi: plastica, legno, metallo... Si tolse la giacca, scelse uno dei martelletti e cominciò a colpire il pavimento centimetro per centimetro. Garzón lo seguiva trepidante, standogli appiccicato come un passeggero della metropolitana nell'ora di punta. Dopo un po' il ragazzo, mostrando una certa impazienza, gli disse: – Guardi che può andare per le lunghe –. Il mio vice si allontanò, piuttosto mogio, e venne a sedersi accanto a me sul sofà sfondato. Ci mettemmo a sfogliare le vecchie riviste di Lucena. L'altro poliziotto guardava tranquillamente dalla finestra, abituato ad aspettare. Alla fine si sedette su una sedia e si addormentò.

Passarono molte ore, con grande lentezza. Osservando le evoluzioni dello specialista, capii che cercava delle cavità usando martelletti diversi a seconda del materiale colpito: muri, pavimenti, piastrelle e perfino stipiti delle porte.

Garzón, un po' annoiato dopo l'esaltazione iniziale, attaccò a parlare:

– Pensa di comprare qualcosa per il compleanno di Ángela?

– Ho ordinato un mazzo di rose bianche.

Lui rimase in silenzio, preoccupato.

– È una buona soluzione. Io non so proprio che cosa regalarle, glielo giuro.

– Le porti una scatola di cioccolatini.

– Troppo impersonale.

– Un libro di poesie.

– Troppo misero.

Riflettei un momento.

– Le compri un bel cane di peluche.

– Insomma, Petra! Sto parlando sul serio.

– Anch'io parlo sul serio. È un pensiero grazioso.

– Non so... forse... ma mi pare un regalo un po' modesto per chi è stato così gentile da invitarti a casa sua. Le assicuro che sono stufo di non avere una casa mia in cui riunire i miei amici. Mi sono praticamente deciso a seguire il suo consiglio, lascerò la pensione e prenderò un appartamento in affitto.

Mi alzai in piedi, spalancai gli occhi più che potei.

– Seguire il mio consiglio? Che faccia tosta! Sono due anni che glielo sto ripetendo e solo adesso le viene in mente di seguire il mio consiglio. Confessi le sue autentiche ragioni Fermín, abbia il coraggio, la verità è che le è venuta voglia di avere una casa perché si è innamorato.

Il viceispettore, allarmato, guardò l'agente per assicurarsi che non stesse ascoltando. Poi cercò di dissimulare un sorriso soddisfatto che affiorava sulle sue labbra e, arrossendo come un collegiale, dichiarò a voce bassa:

– Sì, è vero, mi sono innamorato. Il problema è che non so ancora di quale delle due.

– Due?

– Mi ha capito perfettamente, si tratta di Ángela Chamorro e di Valentina Cortés. Sono uscito con loro quasi tutti i giorni nelle ultime settimane.

– Ma è terribile, Garzón. E in così poco tempo!

– Non so cosa ci veda di così terribile.

L'agente si svegliò, e ci informò che sarebbe sceso al bar dell'angolo. Rimanemmo in silenzio finché non fu scomparso.

– È terribile. La gente di solito non si innamora di due persone alla volta.

– A me sembra la cosa più bella che mi sia mai capitata. Senta, intanto mi sono innamorato, poi vedremo di chi. Le assicuro che essere innamorati è una cosa stupenda, un'esperienza che merita.

– Sì, questo lo so anch'io.

– Mi sveglio nel cuore della notte e penso: «Non vorrei morire adesso perché domani le vedrò di nuovo». Conto i minuti fino all'ora degli appuntamenti, mi distraggo per qualunque cosa... Le giuro che mangio perfino di meno!

– Questo sì che è un sintomo grave.

– Lo so che le sembro ridicolo, Petra, e lo sembro perché lo sono. Cosa si innamora a fare un poliziotto vedovo, vecchio e brutto come me? Ma le assicuro che mai, in tutta la mia vita, mi era successa una cosa simile. Quando mi sposai con la mia defunta moglie lo feci perché dopo un mucchio di anni di fidanzamento non potevo più tirarmi indietro. Non ci furono mai corteggiamenti né parole di passione... insomma, non vorrei dire fesserie. Sa cosa penso, Petra? Che se sento quello che sento è perché, anche se le è difficile crederlo, io a quelle due donne piaccio davvero. Piaccio a tutte e due!

Guardai commossa i suoi occhi di merluzzo troppo bollito.

– Caro Fermín, e perché non dovrebbe piacere? Lei è un uomo attraente, buono, divertente, onesto. Potrebbe mettersi con Miss Universo se se lo proponesse, e forse perfino senza proporselo. Un giretto davanti alla prescelta con uno dei suoi eleganti completi, una lisciatina al baffo...

Rideva come un bambino, libero da ogni affanno quotidiano, felice di quella brezza nuova che soffiava sul suo volto indurito.

– Ah, non dica altro, ispettore! Se lei finalmente si decidesse, le assicuro che sarebbe sempre la prima nel mio...

La voce del perito ci riportò di colpo a una realtà della quale ci eravamo dimenticati.

– Venite, per favore, credo di aver trovato qualcosa!

Era inginocchiato per terra in cucina. Aveva spostato il frigorifero incrostato di sudiciume e batteva con attenzione sulle piastrelle del pavimento.

– Sentite? Qui suona vuoto. Potrebbe essere un nascondiglio interessante. Ma dov'è finito Eugenio? – domandò.

– Eugenio?

– Il collega.

– È andato un attimo al bar, – disse Garzón.

– Al bar? Ma sarà la quinta volta! Sempre la stessa storia! Quando ho bisogno di lui è sempre da qualche parte a scolarsi una birra.

Il viceispettore corse a cercarlo. Io, nel frattempo, rimasi a osservare con enorme curiosità mentre l'esperto estraeva un pennarello spesso dalla sua valigetta. Delimitò un paio di piastrelle e si mise a martellare. Infilò un cacciavite in una delle giunture e questa cedette. Rimase allo scoperto un piccolo buco di circa dieci centimetri di diametro. In quel momento arrivò Garzón con l'agente. Rimasero a guardare il buco senza fare domande. Il perito prese un lungo cavo metallico, ve lo infilò e lo fece scendere.

– Sì... – disse, – credo che abbiamo trovato, qui dentro c'è qualcosa. Prego, ispettore, il resto è lavoro suo.

Mi infilai il sottile guanto di lattice che mi veniva porto. Misi la mano nel buco. Nel farlo provai una sensazione fobica.

Immaginai serpenti attorcigliati, la faccia di un decapitato. Quel che toccai, però, era inequivocabilmente nylon. Il fruscio che giunse alle nostre orecchie pareva esattamente quello di un sacchetto di plastica. Afferrai l'involto che giaceva nell'oscurità e lo tirai fuori. Si trattava di un sacco della spazzatura. Lo aprii. Era pieno di soldi, un bel mucchio di biglietti da cinquemila pesetas. Fui circondata dalle esclamazioni del piccolo gruppo. Ripetei la stessa manovra per cinque volte, e vennero fuori altrettanti sacchetti dall'identico contenuto. Verificai che non contenessero altro. Non c'era niente. Né fatture, né annotazioni, né quaderni. Nient'altro che soldi.

– Caspita! Si direbbe che siate sulla buona strada, – disse l'esperto facendo un fischio.

– Non creda, – risposi. – Questo non fa che complicarci le cose.

Dopo qualche ora l'ispettore Sangüesa ci diede ragguagli sul ritrovamento. Otto milioni di pesetas, tutti in biglietti usati di diverso taglio. Denaro in corso legale, senza indizi di falsificazione, senza contrassegni, senza alcuna particolarità. Di quegli otto milioni di pesetas si poteva dire unicamente che erano otto milioni di pesetas e basta, otto misteriosi milioni.

– Questi Lucena non se li è guadagnati andando a caccia di cani randagi, – disse Garzón.

– Può scommetterci.

– Magari abbiamo trovato il movente dell'omicidio.

– Non ci conti troppo. Se l'obiettivo erano i soldi, avremmo trovato la casa rivoltata come un calzino. I mobili rovesciati, i muri sfondati a colpi di piccone.

– Vuol dire che l'assassino di Lucena non sapeva niente di quel denaro?

– Anche se l'avesse saputo, anche se fosse stato uno dei suoi complici, il motivo non erano i soldi.

– Porca miseria, ispettore, mi sta confondendo!

Accesi una sigaretta e ci mancò poco che non me la fumassi intera con un solo tiro.

– Lei ha avuto l'idea che ci fosse del denaro nascosto e ha visto giusto. Ma, stando al quaderno numero due, il massimo che potevamo trovare erano tre milioni. Da dove esce il resto dei soldi? O Lucena li ha fatti fuori a qualcuno, e per questo è stato ucciso, oppure la contabilità che abbiamo è incompleta, mancano delle cifre che sono state fatte sparire per qualche ragione.

– E perché, se aveva tanti soldi da parte, non li spendeva per vivere un po' meglio? – domandò Garzón.

– Va' a sapere! Magari era un tipo prudente che non voleva destare sospetti, o uno di quei miserabili che vengono trovati morti in una baracca con un patrimonio nascosto nel materasso.

– Che schifoso imbroglio!

– Non avrebbe potuto definire meglio la situazione.

– E adesso?

– E adesso andiamo avanti con i cani.

– Bene, anche se forse dovremmo darci all'ippica, magari avremmo più fortuna, – disse Garzón, e fece una risata sciocca che era il compendio del suo smarrimento.

Alla fine il viceispettore seguì il mio suggerimento e portò in regalo a Ángela Chamorro un cagnolino di peluche. Completò di sua iniziativa l'omaggio mettendo attorno al collo del pupazzo una catenina d'oro con un ciondolo a forma di cuore. Mi mostrò con emozione il segreto nascosto. Il piccolo cuore si apriva a metà

134

e all'interno poteva vedersi, perfettamente incornicia-
ta, una minuscola foto del viceispettore. Rimasi anni-
chilita, ma riuscii a trovare la presenza di spirito sufficiente per dirgli che era molto carino.

Juan Monturiol, che aveva accettato di venire alla
cena con chissà quali intenzioni, si presentò a sua
volta con due superbe bottiglie di champagne francese. Questi omaggi, uniti alle mie rose, fecero sì che
la festeggiata ci ricevesse con ogni genere di gorgheg-
gi di ringraziamento e di felicità. Inaugurò il cammeo mettendoselo al collo, infilò una rosa nella scollatura della sua camicetta di seta e brindò con una
coppa di Möet & Chandon.

Ángela abitava nel quartiere di Las Corts, in un bellissimo attico su due piani pieno di glamour da lei reso sapientemente caldo e ospitale. Le pareti del soggiorno erano ricoperte di libri e in sottofondo suonava un brano di Mozart. L'accogliente quadretto era
completato da una tavola squisitamente apparecchiata
che attendeva in un angolo i commensali. Nelly, il cane, ci diede il suo benvenuto con movenze lente e filosofiche. Poi andò ad accucciarsi vicino alla sua padrona. Il suo curatissimo pelo beige e bianco si accordava con la discreta mise di Ángela. Il luogo comune
secondo cui cani e padroni si somigliano mi parve ancora una volta confermato.

Dato che da un po' di tempo la proprietaria della libreria e il veterinario non si vedevano, avevano molte cose di cui parlare. L'argomento era, naturalmente,
canino. Nel corso dell'aperitivo si diffusero sulle mi-

rabili qualità delle razze locali, criticando l'incredibile snobismo che aveva riempito la Spagna di razze nordiche, del tutto inadeguate al nostro clima e alla nostra mentalità. Garzón ed io ascoltavamo con il raccoglimento proprio dei neofiti.

Il primo piatto, una deliziosa crema di porri al tartufo, fu sottolineato da commenti al progetto ufficiale della Protezione Animali per l'inserimento di cani all'interno degli ospedali. La teoria di Ángela era molto interessante. Sosteneva che gatti e cani di piccola taglia rappresentano un ritorno alla sensibilità per malati e anziani che da tempo l'hanno perduta. Toccare il pelo caldo, i musi umidi, sentire il palpito di un cuore, restituisce a esseri umani sofferenti un importante soffio vitale. E poi, badare a un piccolo animale, nutrirlo, ridere dei suoi atteggiamenti buffi e osservarne le reazioni, fa sì che le menti di individui abitualmente chiusi in se stessi si aprano verso l'esterno e cessino di prestare attenzione unicamente alle proprie sofferenze.

Ma i due esperti riservarono le loro più profonde teorie per il piatto principale, una succulenta orata al forno con cipolline e patate a scaglie cui nemmeno un Garzón in preda al mal d'amore poté resistere. Lì, la conversazione giunse a sfiorare una vera e propria mistica canina. Non solo Ángela, ma anche Juan, postulavano che nel cane sia da ravvisare l'alter ego nascosto del padrone. Tutte le virtù cui aspiriamo per natura: bontà, nobiltà, umiltà, sono presenti nel cane; ma, al tempo stesso, nel cane noi proiettiamo gli aspetti più inconfessabili della nostra personalità: crudeltà, accidia, rapacità... Eppure, al di sopra di tutti questi rispecchiamenti, esiste sempre nel cane un elemento estraneo, che non proviene dall'interiorità del suo padrone. Ángela si dimenticava di mangiare mentre diceva queste cose, entrava in un vero e proprio stato di trance.

– È una cosa che possiamo vedergli negli occhi, una calma universale ereditata nei secoli, lontana dalle alterne vicende della storia, che in fin dei conti è fatta di un succedersi di eventi, di memoria cumulativa. È una sorta di accettazione vicina alla comprensione, come un'innocenza primigenia. Oserei dire perfino che quello sguardo è una prova dell'armonia dell'universo, dell'esistenza di Dio.

Garzón, con la forchetta sospesa nell'aria, la guardava muto dall'emozione. Era affascinato dall'intelligenza della sua candidata amorosa. Capii allora che, se anche non avessimo mai preso l'assassino di Lucena Pastor, di certo questo caso sarebbe stato importante nelle nostre vite. Garzón ne sarebbe uscito con una nuova sensibilità, e io sarei riuscita a imparare sui cani molto di più di quanto avrei mai potuto sognare.

– È evidente che per ogni individuo il concetto di «cane» rappresenta valori differenti. Vi ricordate la sera in cui cenammo con Valentina Cortés? Per lei il cane è rischio, vita, avventura, qualcosa di molto fisico.

Potei osservare una lieve alterazione nell'espressione di Ángela. Garzón arrossì e mi lanciò uno sguardo furibondo. A quanto pare, il veterinario aveva messo un piede in fallo. Ma io cosa potevo farci? Potevo mica avvertirlo di non fare il nome di Valentina? Cos'era quella, una telenovela? Maledissi il mio collega, quell'insospettato dongiovanni da due soldi.

Fortunatamente, Ángela era troppo educata per permettere che la cosa gettasse una nube anche lieve sulla conversazione. Monturiol rimase all'oscuro del suo peccato, e non si accorse neppure del fugace raffreddarsi dell'atmosfera. Della tensione fra noi due, invece, sembrava perfettamente consapevole. Le spade erano ancora levate, di modo che quando la cena finì e ci ritrovammo in strada, armato di caustica ironia lui mi domandò:

– Credi che potremmo trovare un luogo neutrale per bere qualcosa?

Il luogo neutrale risultò essere il minuscolo bar Boadas, pieno fino all'inverosimile di nottambuli d'ogni specie. Non mi sembrava il posto ideale per lanciarsi in confidenze o improvvisi chiarimenti; ma Juan doveva essere di opinione diversa, dato che, senza preamboli, mi disse:

– Petra, è chiaro che fra te e me c'è qualcosa che ci impedisce di approfondire una relazione, diciamo così... gradevole. Questo nessuno lo nega, ma ti assicuro che, per quanto ci abbia pensato, non riesco a capire quale sia il problema.

– Credevo che il professionista delle diagnosi fossi tu.

– Ma i miei pazienti non parlano, e visto che ora ho la fortuna di avere accanto qualcuno che può farlo, ti

138

dispiacerebbe aiutarmi a capire qual è la malattia?

Sorrisi:

– Ti ascolto.

– Dimmi quale sarebbe secondo te il tipo di relazione ideale fra un uomo e una donna come te e come me.

– Mi piacerebbe che prima lo dicessi tu.

Si passò la grande mano ossuta fra i capelli. Sospirò.

– È così semplice che mi sembra ridicolo spiegartelo. Si tratta solo di uscire, chiacchierare, raccontare qualcosa di sé se lo si desidera, bere qualcosa, ballare... e, be', vedere cosa ne salta fuori e viverlo.

– Sì, il piano è molto semplice, ma questi incontri possono dar luogo a dubbi, false aspettative, situazioni vissute in modo differente da ciascuno dei due, un mucchio di parole inutili... in conclusione, un nodo di conflitti.

– E quale sarebbe la tua soluzione?

– Qualcosa di altrettanto semplice. Ci si conosce, ci si piace, si parla un po', si fa l'amore e, se le cose vanno bene, ci si può continuare a vedere di tanto in tanto e passare una piacevole serata insieme. Tutto è chiaro fin dall'inizio senza bisogno di sotterfugi né di falsi preamboli.

– Mi ricorda la vendita per corrispondenza. Pratico, economico e, se non si è soddisfatti, si può sempre rimandare l'articolo al mittente.

– Be', tu dicevi di essere stanco dopo due divorzi, annoiato, scottato. Allora dimmi: cosa ti aspetti adesso, di giocare ai fidanzati?

Tirò fuori il portafogli, guardò il conto.

– No, Petra, forse noi due ci aspettiamo la stessa cosa; ossia ben poco, ma si tratta di una questione di forma.

– O di orgoglio.

– Mi spiace che tu la veda così. Comunque, spero che ci rivedremo di tanto in tanto.

– Certo, ti porterò Spavento quando ce ne sarà bisogno.

Uscimmo nella notte delle Ramblas e prendemmo un taxi insieme. Non ci parlammo per tutto il tragitto. Lui canticchiava per allentare la tensione. Scese davanti casa sua e mi diede una forte stretta di mano che avrebbe voluto essere informale e amichevole. Gli feci ciao dal finestrino, sorridendo come una sfinge.

Nell'ingresso di casa, Spavento mi si precipitò addosso riempiendomi le calze di bava. Sul tavolo della cucina la donna di servizio aveva lasciato un biglietto:

Signora Petra, questo cane è talmente brutto che mi vergogno perfino a portarlo fuori. Ma se devo farlo tutte le mattine, per favore, gli compri uno di quei cappottini per cani perché ha tanto freddo. E poi forse sarà più presentabile. Le ho messo un piatto di lenticchie in umido nel microonde.

Tanti saluti

AZUCENA

Cestinai il biglietto nel secchio della spazzatura. Cappottini per cani! Come se non avessi altro a cui pensare. Suonò il telefono. Pensai che Juan Monturiol volesse chiedermi scusa e invitarmi a una bevuta di riconciliazione.

– Ispettore? Parla Garzón.

– Cosa succede?

– Niente, solo che avrebbe potuto avvertire Juan

140

di non parlare di Valentina davanti ad Ángela.

– Non mi era venuto in mente.

– Ángela si è arrabbiata tantissimo. Dovevo rimanere a dormire da lei e invece mi è toccato tornare alla pensione.

– Era compito suo parlarle di Valentina. Ingannare due donne e lasciare che si facciano delle illusioni è immorale.

Udii una risata sarcastica nella cornetta.

– Immorale? Credevo che lei di queste cose se ne fregasse.

Mi infuriai.

– Non mi manchi di rispetto, viceispettore!

– Non le stavo parlando come viceispettore.

– In questo caso non vedo che motivo abbia di chiamarmi alle due di notte, né di prolungare oltre questa conversazione.

– Ha ragione, ispettore Delicado, buonanotte.

– Buonanotte.

Il rumore del ricevitore sbattuto giù mi produsse un'acuta fitta di dolore. Fantastico! Nel giro di un paio d'ore avevo perso un possibile amante e un amico. Rimasi seduta sul divano, senza la minima voglia di muovermi né di pensare. Il cane mi si avvicinò con cautela, come se avvertisse il mio sconforto.

– Vieni qui, Spavento… – gli dissi, – fammi un po' vedere se riesco a trovare nei tuoi occhi l'armonia dell'universo.

Non so come saremmo riusciti a far parlare gli altri se

fra noi non ci rivolgevamo la parola. Garzón sembrava non voler uscire dall'incazzatura, e io ero ben lontana dal tentare ridicole scene di rappacificazione. Le massime più viete stavano per avverarsi: non c'è errore più grave che stabilire relazioni amichevoli con i colleghi di lavoro. Cercai di punzecchiarlo un po'.

– Stiamo proprio facendo passi da gigante...! Dando la caccia all'assassino di Lucena abbiamo smascherato un'agenzia immobiliare che affitta alloggi in nero e un traffico di cani randagi in piena università. Un vero impero della criminalità di infimo ordine!

– Due servizi resi alla società, – disse Garzón serissimo.

– Infatti, ora non ci resta altro da fare che catturare una banda di trafficanti di spugnette, un falsificatore di figurine e una rete internazionale di posteggiatori abusivi.

A Garzón sfuggì una risata da sotto il baffo da tricheco.

– E un traffico di gazzose di contrabbando e una bisca clandestina per il gioco delle biglie, – continuò, divertito.

Cercai di non ridere; era troppo presto per una riconciliazione. Uno dei giovani agenti appena entrati in servizio venne a chiamarmi.

– Ispettore, il sergente Pinilla della Guardia Urbana la aspetta nel suo ufficio. Dice che la sta cercando come un pazzo da stamattina.

Lo guardai fisso negli occhi. Non doveva avere più di ventun anni.

– Mi piace che gli uomini mi cerchino come pazzi, – dissi.

Arrossì. Si allontanò sorridendo, scuotendo timidamente la testa e mormorando: «Cavoli».

Non appena mi vide, Pinilla scattò in piedi e venne verso di me quasi gridando.

– Lo vede, ispettore, lo vede? Gliel'avevo detto che non poteva essere nessuno dei miei uomini!

– Se è venuto a dirmi che non ci sono piste, ha scelto un gran brutto momento, Pinilla.

– No, volevo dirle appunto che ho trovato la talpa. E non era uno dei miei uomini.

– Ha trovato la talpa?

– È l'uomo del canile municipale.

– Quale uomo?

– Quello che si occupa dei cani, li pulisce e gli dà da mangiare.

– Ha detto qualcosa sull'assassinio di Lucena?

– Calma, calma, ispettore! Non corra! Ho soltanto scoperto che era lui a passare i cani a Lucena. Prendeva qualcosa per ogni cane sottratto al canile. Lo ha ammesso chiaramente, ma non so altro.

– Capisco.

– L'impressione che può avermi fatto è un altro conto.

– E che impressione le ha fatto?

– Credo sia un povero diavolo che arrotondava lo stipendio e basta. Non me lo vedo ad ammazzare nessuno, a dir la verità, tanto meno per la miseria che gli dava Lucena.

– È spaventato?

– No, è incavolato.

– Come incavolato?

– Dice che per una cosa così non ha senso chiamare la polizia.

– Non sa della morte di Lucena?

– Giura che non lo sapeva. Lui non lo chiama Lucena, lo chiama Susito, però è la stessa persona perché l'ha riconosciuto nella foto. Ad ogni modo dice che l'ultimo cane gliel'ha dato due anni fa, che da allora non l'ha più visto, e che è scomparso senza avvisare.

– Crede che dica la verità?

– Non lo so, ispettore. Io direi di sì, ma è meglio che giudichiate voi. L'ho portato con me. È nella stanza B del secondo piano con gli agenti di piantone e due uomini miei. Nemmeno El Lute era così sorvegliato!

– Ci ha fatto un lavoro coi fiocchi, Pinilla.

– Lei sa dove trovarmi. Ah, ispettore, ha visto che non era nessuno dei miei uomini?

Proprio come l'onore di un hidalgo dipendeva dall'onestà delle sue figlie, quello di un poliziotto dipende dall'onestà dei suoi subordinati. Non ho mai capito né una cosa né l'altra, ma dovetti dire al sergente qualche parola di rassicurazione perché se ne andasse soddisfatto.

Pinilla aveva ragione in tutto e per tutto: il reo confesso che ci aveva portato aveva, in effetti, l'aria di un poveraccio e sembrava davvero molto incazzato. Applicava a se stesso il detto «rubi una mela e ti mettono in galera», e alla base delle sue proteste vi era il non meno popolare rimprovero: «con tutti i delinquenti che ci sono in giro, voi ve la prendete con la gente onesta».

Ci raccontò che riceveva circa tremila pesetas per ogni cane che dava a Susito e si aggrappava all'idea, logica d'altra parte, che non avrebbe certo ammazzato nessuno per una cifra simile.

– Magari avete avuto da dire, avete litigato per qualcosa. Allora lei ha calcolato male le sue forze e l'ha ammazzato. Forse avevate bevuto tutti e due e avete perso la testa.

– Non è possibile. Io non bevo, non tocco nemmeno un goccio, nemmeno la birra bevo. E poi con Susito non litigavo mai. Come facevamo a litigare se non ci parlavamo nemmeno! Eravamo d'accordo. Io gli davo i cani, lui me li pagava e tanti saluti.

– E da due anni non vi vedete più.

– Sì.

– Non le è mai capitato di incontrarlo, anche senza vendergli niente?

– Non eravamo amici. Non so nemmeno dove abitava. Era un tipo strano.

– E così, un bel giorno, non si fece più vivo.

– No, me lo disse che non sarebbe più venuto, che aveva trovato di meglio da fare per un parrucchiere di San Gervasio.

– Di meglio da fare, cosa vuol dire?

– Non disse altro.

– Non le raccontò niente di questo parrucchiere?

– No, e se mi disse che era a San Gervasio forse era per farmi capire che andava a stare meglio.

– Si trattava di un'occupazione che aveva a che fare con i cani?

– Le ho già detto che non lo so; ma se era una faccenda di cani, può star sicura che non erano del canile.

– Forse cani rubati?

– Può chiedermi cento volte la stessa cosa, ma io non so altro perché lui non mi disse altro.

– Non le propose di entrare nel suo nuovo affare?

Se ne uscì in una risata sarcastica piena di fastidio.

– Ah! E per cosa? C'è da ridere a sentir parlare di un affare! Con le tremila pesetas di merda che mi dava! Me le spendevo tutte al lotto.

– Al lotto?

– Era l'unico modo perché servissero a qualcosa. E guardi un po' lei a cosa mi sono servite, a mettermi in un casino che non finisce più! Ma io dico che non è giusto rovinare un uomo per questa stronzata. Perdere l'impiego per quattro cani rognosi che nessuno vuole più e che finiscono lo stesso ammazzati!

Suppongo che, a modo suo, avesse ragione. I corpi di reato con cui avevamo a che fare erano materiale inutilizzabile, cani randagi... lo stesso Lucena era un rifiuto umano che nessuno si era preso il disturbo di reclamare. Ma la società ha le sue regole, e nessuno può appropriarsi nemmeno dei suoi avanzi. Che bello! pensai con ironia. Se non altro ci si apriva davanti una nuova strada. Erano definitivamente chiuse le false piste sulla ricerca medica. Tutto da scartare, pura perdita di tempo? Forse l'unica cosa positiva era che avevamo completato il ciclo del quaderno contabile numero uno, e ora potevamo addentrarci nel quaderno numero due, dove erano annotate cifre superiori. Forse finalmente saremmo venuti a contatto con la merce che era costata la vita a Lucena Pastor. I nomi ridicoli e la disposizione delle cifre, così come la testimonianza di quell'uomo, indicavano che avremmo sempre avuto a che fare con dei cani. Le somme percepite suggerivano che ora, probabilmente, si trattava di un altro genere di cani: cani di razza rubati. Sarebbe stato più facile seguire la pista. E quel misterioso parrucchiere di San Gervasio? Mi rivolsi a Garzón, che fumava in silenzio.

– Chiami di nuovo il sergente Pinilla. Gli dica che ci serve una statistica di tutte le denunce di furti o smarrimenti di cani avvenuti a Barcellona. Così vediamo quanti ne sono spariti a San Gervasio.

Assentì, serio e professionale. Poi cominciò a divagare.

– Ispettore Delicado, anche se ultimamente sono sorte delle divergenze, ecco, spero di poter dire in ogni caso che... be', insomma, che fra noi esiste un rapporto di amicizia.

– Sì, certo che esiste.

– E in nome di questa amicizia, volevo chiederle scusa, e poi un favore.

– Lasci stare le scuse, e veniamo al favore.

– Devo decidermi fra un paio di appartamenti in affitto. Lei potrebbe accompagnarmi e dare un'occhiata? Si sa che l'opinione di una donna...

– Tanti giri di parole per questo? Certo che posso accompagnarla; ma prima che ci andiamo, si informi su quanti negozi di parrucchiere ci sono a San Gervasio.

– Per uomo o per donna?

– Non lo so. Li prenda in considerazione tutti, poi vedremo.

Quello stesso pomeriggio andammo a scegliere il famoso appartamento di Garzón. Uno era nel quartiere della Sagrada Familia, e un altro in Gracia. Mi piacque di più quest'ultimo. Era un piacevole appartamento d'epoca ristrutturato, dove alcune pareti divisorie erano state eliminate per ottenere spazi più ampi. Aveva un vasto terrazzo dal quale si vedevano i variopinti terrazzi dei palazzi vicini, i colombi e i gabbiani che riposano sui tetti della città. Era arredato in modo eclettico e funzionale, con mobili di legno chiaro e tende a pannelli color crema. Ritenni che il viceispettore sarebbe stato molto felice lì dentro, a ricevere a turni il suo piccolo harem.

– Credo che questo sia perfetto per lei.

– Lo crede davvero?

– Sì che lo credo.

– Sono così agitato!

– Perché? Non la capisco.

– Abitare da solo, mandare avanti una casa... non so se ce la farò.

– Ma certo che ce la farà! Lo vede quel congelatore? Deve soltanto riempirlo di roba da mangiare. Faccia venire qualcuno a fare le pulizie e a stirare una volta la settimana. Se necessario, si compri qualche camicia in più. Come stiamo a finanze?

– Ho un sacco di soldi da parte, dato che non spendevo niente!

– Ora spenderà di più. Avere casa e fidanzata costa, figuriamoci averne due!

– Non mi prenda in giro.

– Accidenti, Fermín, non la facevo così impetuoso negli affari di cuore. Mi sarei stupita meno se mi avesse detto che aveva due amiche e non due fidanzate.

– Sì, lo so, ma cosa posso farci? Io le sento come qualcosa di più che delle amiche.

– Tutte e due?

– Tutte e due! Valentina mi diverte e Ángela mi lusinga, non avevo mai provato queste sensazioni prima d'ora. La mia defunta moglie mi deprimeva più della processione del Giovedì Santo, e c'erano delle volte che mi faceva sentire un verme. E poi non voglio farle soffrire.

– Però mi sembrano abbastanza grandicelle tutte e due. Quella che ne uscirà col cuore spezzato saprà riprendersi.

– Ispettore, vorrei chiederle un altro favore. Mi accompagnerebbe la prima volta che andrò al supermercato? Le assicuro che ci ho già provato da solo. L'altro giorno ci sono andato e avevo la sensazione che tutto quel mucchio di lattine e di scatole colorate mi stesse cadendo addosso. Non sapevo da dove cominciare, non so nemmeno di cosa ho bisogno, né a cosa serva tutta quella roba. Lo so che sto abusando della sua pazienza, ma per ragioni evidenti non posso chiedere una cosa simile a Valentina, o ad Ángela.

– Conti su di me. Sono una specialista in spese rapide e abbondanti.

– La ringrazio con tutto il cuore.

– Lasci perdere, le amiche sono fatte per questo.

Povero Garzón! L'eterno gioco dei ruoli sessuali lo aveva trasformato in un imbranato, in un essere così incapace di organizzare le cose minime della vita che doveva chiedere aiuto perfino per l'essenziale. I tempi d'oro erano stati duri per le donne, ma anche per gli uomini. Ora le cose erano cambiate, e molti si ritrovavano impreparati dinanzi a quel che gli toccava. Uno scherzo pesante, povero Garzón! Anche quei suoi amori così tardivi, così folgoranti e infantili, erano il risultato della sua inadeguatezza. Non gli era mai passato per la mente di separarsi da quella moglie che l'aveva reso così infelice. Certo, ora eccolo lì, divertito e lusingato, ad assaporare come una manna caduta dal cielo quello che avrebbe potuto essere il suo piatto quotidiano. Ad ogni modo, cos'avevo da dire io, che con due divorzi alle spalle non ero divertita né lusingata da nessuno? Era meglio non impicciarsi, non esprimere opinioni, e ancor meno elaborare complesse teorie sentimentali. Per quanto mi riguardava avrei fatto meglio a cercare pane per i miei denti; le mie mandibole cominciavano a perdere l'allenamento.

Dopo aver ricevuto l'incarico da Garzón, il sergente Pinilla volle parlare personalmente con me. Mi guardava con aria di rimprovero, come se si vedesse costretto a insegnarmi il lavoro.

– Ma ispettore, lei dovrebbe saperlo che nella Guardia Urbana non accettiamo denunce di cani smarriti o rubati.

– Va bene, Pinilla, non lo sapevo! E da chi bisogna andare quando sparisce un cane?

– Dalla polizia autonoma.

– Già.

– I Mossos l'aiuteranno. Non è mica una cosa di nostra competenza.

Maledetto Pinilla! Perché i poliziotti, di qualunque corpo siano, sono sempre così puntigliosi? Anche Garzón protestò quando lo mandai a setacciare da solo i parrucchieri di San Gervasio. – Ma sono quasi tutti da donna, – fu la scusa che riuscì a tirar fuori. Non mi commosse, una cosa era che mi impietosissi per la sua condizione di «cinquantenne imbranato» e un'altra che approfittasse della mia benevolenza per ottenere dei favori.

– Sono sicura che la accoglieranno benissimo, vice-ispettore. Ormai ha dimostrato di saperci fare con le signore. Mentre lei indaga io andrò a parlare con i Mossos d'Esquadra.

Che non fossero gli agenti della Guardia Urbana a occuparsi dei cani scomparsi non fu l'ultima sorpresa che mi attendeva. Parlando con Enric Pérez, capo del dipartimento del Medi Ambient, mi trovai investita da una raffica di dati inaspettati.

Per cominciare, il giovane e cortese poliziotto dell'Autonoma mi informò che le denunce riguardanti cani e gatti non erano strettamente di loro competenza. Era un settore che veniva gestito in collaborazione con il cosiddetto Centre de Protecció Animal de la Generalitat. Il problema di fondo era presto detto: rubare cani in Spagna non è reato. Enorme stupore da parte mia. No, non lo è, tali furti vengono considerati come «infrazione amministrativa» e in alcuni casi «infrazione contro la salute pubblica», ma non figurando nel Codice Penale, nessuno può metterti in galera se rubi un cane. Chissà la faccia che avrebbe fatto Ángela Chamorro quando glielo avessi raccontato! Se avesse saputo che i cani cui attribuiva così sottili qualità spirituali erano giuridicamente al di sotto delle cose inanimate! Il poliziotto si rese conto della mia indignazione e si diffuse sull'argomento.

– Ma le dirò di più, è punito invece il furto o il commercio di specie protette, di animali selvatici. Su questo esistono delle leggi, mentre gli animali domestici non godono della stessa considerazione. Alla fine, quando un proprietario di cani viene da noi è perché lo hanno già rispedito indietro da tutte le parti. La Guardia Urbana non vuole saperne niente, e non parliamo della Polizia Nazionale.

– E voi che cosa fate?

– Poco. Prendiamo nota, nel caso saltasse fuori qualcosa, ma non apriamo indagini.

– E la gente cosa ne pensa?

– Vede, se qualche programma di televisione dice che ci occupiamo dei cani scomparsi, il giorno dopo riceviamo centinaia di telefonate di protesta. Com'è possibile che con tutti i reati che si commettono ogni giorno perdiamo tempo in simili fesserie? Ma se lo stesso programma parla dei poveri cani innocenti sottratti ai loro padroni, altre centinaia di cittadini ci chiamano accusandoci di restare con le mani in mano.

– Il cittadino rompe sempre le scatole, insomma.

– Lo sa anche lei com'è fatta l'opinione pubblica.

– Può procurarmi una statistica dei furti?

– Posso darle una stampata del tabulato, ma devo avvertirla che se vuole una statistica completa deve rivolgersi al centro protezione animali della Generalitat.

– Che cosa registrate nel tabulato?

– Il nome del padrone, l'indirizzo e la razza dell'animale. Adesso glielo stampo.

Sparì, lasciandomi molto scoraggiata. Rieccoci allo stesso punto. Un'infinità di passi inutili, come in uno stupido ballo del mattone. Ebbi il fatidico presentimento che non avremmo mai risolto un bel niente in quel maledetto caso. Tornò con vari fogli stampati.

– Ecco qui, cani rubati o smarriti negli ultimi due anni. Ora le appunto l'indirizzo del centro di protezione della Generalitat. Ah! E se vuole una statistica più affidabile, forse le conviene rivolgersi a un'agenzia privata che si occupa del recupero di cani scomparsi.

– Non mi dica che ne esiste una!

– Sul serio. Si chiama Rescat Dog. La gente che se lo può permettere si rivolge a loro.

– Incredibile.

Chinai la testa, rimasi silenziosa e immobile.

– Ispettore, si sente male?

– No, sono solo un po' stanca.

– Se vuole posso portarle un caffè della macchinetta.

– Non si disturbi, è stato solo un momento di debolezza.

Mi alzai. Presi la lista dei cani. Lui mi guardava come se gli facessi compassione.

– È un lavoro stancante a volte, vero?

– È sempre stancante, – risposi. Ci sorridemmo.

Al Centre de Protecció Animal de la Generalitat mi fornirono una lista lunga quasi quanto quella che già avevo. E mancava ancora la famosa agenzia di detective per cani. Da non crederci! Mi tuffai nella dura poltrona del mio ufficio. Alle quattro arrivò Garzón. Aveva appena pranzato, così ci concedemmo un caffè lungo, entrambi oppressi da gravi sintomi di stanchezza esistenziale.

– Ha avuto fortuna con i parrucchieri?

Posò il bicchierino di plastica sul tavolo, si cercò le sigarette in tasca.

– Da quando lavoriamo a questo caso mi sono scordato che cosa sia la fortuna.

Non avevo abbastanza energie per infondergli fiducia. Gli allungai una sigaretta, visto che non riusciva a trovare le sue.

– Parli, Fermín, non sono dell'umore giusto per sentire lamentele.

– Bah, ho ben poco da dire! Ci sono un mucchio di

154

parrucchieri, un mucchio, ispettore. Sembra che tagliarsi i capelli sia la cosa più importante del mondo.

– Quanti ne ha visitati?

– Uff! Parecchi. Uno era gestito da una coppia giovane, un altro da un gay, un altro da due ragazze, un altro...

– Mi risparmi i dettagli. Qualche risultato?

– Niente. Sembrava che parlassi arabo. Quando gli mostravo la foto facevano una faccia...! Non hanno la minima idea di niente, l'unica cosa che sanno dei cani è che abbaiano e hanno la coda. Senta, ho visto una cosa incredibile! Da uno di quei parrucchieri a una ragazza stavano tingendo i capelli di verde, ci crede?

– Oggi posso credere a qualunque cosa.

– Bene, questo è tutto. Domani continuerò, anche se non so cosa dirle, ispettore, per me tutti quei negozi così lustri e leccati hanno ben poco a che vedere con quel pezzente di Lucena. Mi sa che anche qui siamo fuori strada, come con i laboratori.

– Non si sa mai, Garzón, i palazzi dei ricchi e le case dei poveri sono collegati dalle fogne.

Spinse fuori il fumo della sigaretta come una potente pentola a pressione.

– Mah..., chi lo sa! Nel mondo in cui viviamo!

Un mondo curioso, dove il commercio di esseri viventi, perfino il furto, non è reato. Dove la gente si fa tingere i capelli di verde. Dove si pagano somme altissime a un detective privato per recuperare un misero gatto. Dove si può ammazzare di botte un povero diavolo senza lasciare la minima traccia.

6

La nostra statistica dei cani rubati avrebbe potuto dirsi completa soltanto con i dati di Rescat Dog. Quindi il passo successivo era ottenerli. L'insolita agenzia era ubicata in un anonimo appartamento dell'Ensanche, un piano rialzato con pretese di ufficio commerciale. Le pareti erano tappezzate di poster raffiguranti graziosi cuccioli che giocavano pacificamente con gattini batuffolosi traboccanti tenerezza. Lì dentro non sembrava esserci altro personale che la segretaria, una bella ragazza bionda dai capelli lunghi, e il titolare stesso. Per essere sincera dirò che l'insieme non dava un'impressione di grande prosperità. Il titolare, Agustí Puig, era rotondo e con una faccia da rospo. Rideva ogni momento senza alcun motivo, come se lo seguisse ovunque un corteo di buffoni invisibili. – Io ho sempre pagato le tasse! – disse non appena seppe che eravamo poliziotti. Poi si profuse in spiegazioni sull'assoluta legalità dei suoi affari e giurò che non aveva assolutamente niente da nascondere.

Rescat Dog vantava di essere l'unica agenzia del suo genere in tutta Barcellona e forse in tutta la Spagna. Puig era molto soddisfatto dei risultati che pote-

156

va vantare: un sessanta per cento di cani recuperati sul totale dei casi affidatigli. Date le difficoltà del compito, era impensabile, secondo lui, un risultato migliore. Otteneva un simile successo con metodi più o meno scontati: ricerca nel quartiere, affissione di cartelli, contatti di vario genere, domande a possibili testimoni... La somma di tutti questi procedimenti era superiore a qualunque mezzo di cui avrebbe potuto disporre un privato.

– Occupandoci di cani rubati, ci troviamo a volte in una strana situazione: li rintracciamo, ma non possiamo provare che sono rubati, e così restano dove sono. Sapete bene quali sono le lacune della legislazione.

– È una lacuna che in fondo le conviene: se la polizia si facesse carico del problema, lei perderebbe i suoi clienti.

– Della clientela non posso lamentarmi.

– Non attraversa mai momenti di crisi?

Scoppiò a ridere con evidente falsità.

– Tutti sappiamo che le crisi sono come i temporali estivi: vanno e vengono.

– Signor Puig, lei tiene un archivio dei suoi clienti, o mi sbaglio?

– Sì, tengo sempre tutti i dati.

– Ricorda di aver ritrovato il cane a qualcuna di queste persone?

Gli porsi le liste ufficiali dei cani scomparsi, cui gettò uno sguardo svogliato.

– Qui ci sono molti nomi, ispettore, moltissimi.

– Sono dati di tutta Barcellona.

157

– Appunto! Per fare una verifica avrò bisogno di un po' di tempo.

– Dovrebbe prepararci anche una statistica di tutti i casi da lei risolti, o irrisolti.

– Ci vorrà ancora più tempo.

– Non siete informatizzati?

– Inauguriamo il sistema fra una settimana.

– In questo caso, perché non si prende una fotocopia di queste liste e non ci dedica un pomeriggio libero?

– Va bene, credo che in due o tre giorni sarà tutto pronto. Devo pur occuparmi dei miei affari, ispettore, sono un povero lavoratore e ad aiutarmi ho solo la mia segretaria.

Rideva, come se anche la carenza di personale fosse divertente per lui. Con faccia rassegnata tirai fuori dalla borsa la fotografia di Lucena.

– Prima che ce ne andiamo, conosce quest'uomo?

La guardò con distaccata applicazione.

– No, mai visto in vita mia.

Uscimmo dall'ufficio con le liste originali e la foto segnaletica. Avremmo voluto fare la stessa domanda alla segretaria, ma se n'era già andata. Era chiaro che con dipendenti simili difficilmente avrebbe potuto navigare in buone acque.

– Sospetta di lui? – mi domandò Garzón quasi per dovere.

– Be', sì, sospetto di lui, ha un fare troppo franco e ride un po' troppo. E tre giorni per controllare le fotocopie! Sembrava che stesse cercando di guadagnare tempo per qualche motivo. E poi, lei non sospetterebbe di qualcuno che fa un mestiere così ridicolo come il detective per cani?

Mi guardò sorpreso.

– Per me una cosa vale l'altra. Dopo quello che abbiamo visto, se mi dicono che ci sono professori di latino per tartarughe sono disposto a crederci.

Adesso faceva la parte del disincantato, dell'uomo maturo che gioca ad avere più anni di quelli che ha. L'eccentricità del mondo non cambiava di una virgola con la sua santa pazienza e il suo equilibrio. Come se non facesse parte anche lui dell'equipaggio impazzito della sfera terrestre. Come se avere due folli amori alla sua età e nelle sue condizioni fosse un segno di stabilità emozionale.

– Dove va adesso, viceispettore?

– Devo vedere l'ultimo di quei maledetti parrucchieri.

– Questa volta l'accompagno; però mi dica, cos'hanno di tanto spiacevole?

– Troppe donne.

– Credevo che l'abbondanza di donne non costituisse un problema per lei.

– La conosco troppo bene per non sapere dove andrà a parare. Si risparmi pure il resto.

– Ritiro quello che ho detto e ripeto la domanda: perché la mettono tanto a disagio i negozi di parrucchiere?

– Perché, sinceramente, non so cosa diavolo stiamo cercando lì dentro.

Garzón aveva ragione, che cosa cercavamo in posti

come quelli? Lì non c'erano altro che sofisticati parrucchieri e la loro variegata clientela: casalinghe che si facevano massaggiare per ore il cuoio capelluto per rilassarsi, donne manager con il tempo contato che scorrevano documenti mentre aspettavano che la tinta facesse il suo effetto, e qualche timido uomo sperduto nella maggioranza femminile. Che cosa avrebbe potuto fare Lucena, feccia dell'umanità, in quella quiete da terme romane? Bastava vedere le facce dei padroni quando mostravamo loro la foto del poveretto. Era come cercare pesci in una stalla. Stavamo perdendo tempo. Anch'io uscii dall'elegante negozio irritata e con il morale a pezzi.

– Aveva ragione lei, stiamo perdendo tempo inutilmente. E d'accordo che Zamora non fu fatta in un'ora né Alicante in un istante, come dice lei, ma sta di fatto che il tipo che ha ucciso Lucena è ancora fuori, e ormai sarà convinto che nessuno lo beccherà.

– Meglio, così si sentirà più sicuro e comincerà a fare delle cazzate!

– Non importa, per il momento siamo così fuori pista che può permettersi di fare tutto quello che vuole.

– Magari non siamo poi così lontani come crede lei.

Mirai col mozzicone il buco di un tombino, e lo mancai.

– Vedremo. La accompagno da qualche parte?

– Se non la disturba … avrei un appuntamento con Ángela in libreria. Andiamo a cena insieme.

– Le è passata l'arrabbiatura per l'altra sera?

– Non del tutto, mi tiene ancora il muso. Le dà fastidio che Valentina abbia a che fare con questa storia.

– È logico, non le pare?

– Fino a un certo punto. Non siamo più bambini, nemmeno adolescenti, e fra le ragazze e me c'è solo amicizia e entusiasmo reciproco. Io non chiedo niente. Se le cose si facessero più serie, smetterei subito il doppio gioco.

– Carino. E Valentina, non protesta?

– No.

– Sa dell'esistenza di Ángela?

– Sì, sì, lo sa, ma è fatta in un'altra maniera. Lei domanda direttamente quello che vuole sapere sul mio lavoro, sul mio passato. Ángela è più riservata, più discreta. A parte questo, Valentina ha le sue ragioni per non prendersela. Insomma, ognuna delle due ragazze appartiene a un mondo diverso, la vita è fatta così.

Quel farfallone le chiamava «le ragazze», alla Bogart, come se avesse passato ogni giorno della sua vita distribuendo i suoi favori fra una legione di coriste biondo platino. Gli lanciai uno sguardo di rimprovero con la coda dell'occhio. Lui se ne accorse. Bisognava dire che cominciava a capirmi piuttosto bene.

– E a lei, come vanno le cose con Juan Monturiol? – domandò senza un'ombra di innocenza.

– In nessun modo. Non vanno.

– E dei suoi due ex mariti, ci sono notizie?

– Parli chiaro, Garzón. Che cosa sta cercando di insinuare, che anch'io sono una Mata Hari? Io, per lo meno, le mie storie le ho avute sempre in successione, senza disinvolte sovrapposizioni.

Finse una faccia scandalizzata.

– Insinuare? Io? Si sbaglia, ispettore. Dio me ne scampi e liberi! Chi sono io per giudicare? Con tutte le cose che ho visto in vita mia.

– Molto bene, Fermín, ho capito, neanch'io la giudicherò. È questo che vuol dire?

Sorrideva sotto i suoi vecchi baffi ingialliti dalla nicotina e dalla birra.

– Proprio non riesce a rilassarsi, Petra? Non potremmo parlare con serenità, da buoni amici? Voglio invitarla a una festa per vedere se una volta tanto riconosce la mia buona fede.

– Una festa, darà una festa?

– In realtà ne darò due. In una, l'ospite d'onore sarà Ángela, e nell'altra, Valentina. Ma mi piacerebbe che lei e Juan Monturiol veniste a tutte e due: non è che io abbia molti amici.

– Non posso assicurarle che Juan abbia ancora voglia di vedermi, ma glielo dirò.

– E al supermercato, mi accompagnerà al supermercato?

– Cazzo, Garzón, le ho già detto di sì! Cosa crede che sia andare al supermercato? Una spedizione sull'Himalaya con sherpa al seguito?

Arrivammo alla libreria quando Ángela stava per abbassare la saracinesca. Nel vedermi sorrise.

– Che sorpresa, ispettore! Vieni anche tu a cena con noi?

– Mi dispiace, ma non posso proprio.

Nelly agitava amichevolmente la coda accanto a lei.

– Prendiamo un caffè insieme, almeno.

Indicò il bar di fronte.

Tutti i camerieri la conoscevano, e lei si muoveva fra le sedie di plastica come la consorte di un capo di stato. Era incantevole, con il suo sguardo sincero e un elegante vestito malva.

– Come stai, Petra?

– Non posso dire di star bene.

– Sempre quella benedetta indagine?

– Sì, sta cominciando a darmi sui nervi!

– E dire che è stata da un solo parrucchiere, se avesse dovuto farseli tutti come me...! – intervenne Garzón fra il garrulo e il rancoroso.

– Parrucchieri? – domandò Ángela con curiosità.

Ingoiai una buona sorsata della mia birra, poi le parlai con la schiuma sulle labbra.

– Vuoi crederci, Ángela? Un'importante pista del caso dei cani ci porta a un non meglio definito parrucchiere di San Gervasio. Però non riusciamo a trovare il minimo nesso fra tutte quelle signore ben pettinate e l'omicidio di Lucena. Una disperazione!

– Non si tratterà di un parrucchiere per cani? – disse Ángela, con un candore confacente al suo nome.

Sentii che la birra appena inghiottita mi si bloccava improvvisamente in gola, mentre un calore soffocante mi saliva al viso. Guardai Garzón, anche lui era rosso in faccia e impietrito come un tacchino sul punto di essere ammazzato.

163

– Mi dica che sono una stupida, viceispettore, la prego.

– Stupida? Niente di tutto questo. Dica piuttosto a me che sono un perfetto coglione.

– No, Garzón, è un ordine.

– E va bene. Stupida! E adesso lei a me.

– Coglione! Coglioni tutti e due, bisogna essere proprio dei coglioni, e degli incapaci e ci meriteremmo che...

– Che ci espellessero dal Corpo!

– E anche dall'anima, Garzón, anche dall'anima.

Ángela assisteva a quello strano spettacolo con i suoi begli occhi color nocciola velati dalla sorpresa.

– Ho detto qualcosa di interessante? – esclamò lusingata.

Naturalmente c'era un parrucchiere per cani a San Gervasio. Un grande negozio, lussuoso e appariscente, con enormi fotografie nelle vetrine e un nome inequivocabile in lettere al neon: Bel Can. Ed era uno, uno solo, senza concorrenti e senza bisogno di tingere i cani di verde. Garzón si mangiava le mani pensando a tutti quei giri inutili. La nostra scarsa capacità deduttiva poteva essere attribuita unicamente a un attacco di idiozia. Bisognava essere davvero benevoli per ammettere che, non avendo familiarità con il mondo del cane, ci fossimo lasciati sfuggire la vasta rete creata dalla società dei consumi intorno a questo animale. Parrucchieri, toelettatori, veterinari, addestratori, alimenti calibrati, prodotti per l'igiene...

164

Ángela Chamorro ci aveva assicurato che l'industria del cane sta già muovendo miliardi nel nostro paese, ed è solo ai primi passi. «Crescerà ancora...» aveva sentenziato, «perché ci saranno sempre più cani e saranno sempre più curati. È uno degli indici di sviluppo di un paese», aveva concluso con orgoglio.

Doveva essere vero. Quel negozio di parrucchiere per cani sembrava più sofisticato di quelli per esseri umani. Completamente rivestito di piastrelline verde chiaro, vi si allineavano diversi tavoli su cui i cani venivano serviti da signorine in impeccabili uniformi. Lo gestiva una francese sulla trentina, sorridente e gentile, un bel volto lentigginoso e capelli neri lucenti. Non rifiutò di rispondere a nessuna delle nostre domande e si portò le mani alla bocca con infantile espressione di orrore quando seppe che stavamo indagando su un omicidio. No, non conosceva Lucena, ma se avevamo la pazienza di attendere, suo marito, titolare insieme a lei del negozio, non avrebbe tardato ad arrivare e sarebbe stato lieto di parlare con noi. Nel frattempo, si offrì di mostrarci come funzionava la sua attività.

– Di qui entrano i cani... – disse, imprimendo alle «erre» un brivido francese, – e qui viene fatto loro un lungo bagno con abbondante shampoo... – indicò una vasca degna di Cleopatra, – poi ricevono un buon massaggio antiparassitario e passano al taglio. Io sono l'unica a tosare il pelo. Come saprete già, ogni razza ha un suo stile, e poi bisogna assecondare il gusto del padrone. Non è una cosa facile, se mi consentite l'immodestia.

– Che cosa fa se un cane si ribella e cerca di morderla?

Sorrise e schiaffeggiò un immaginario muso di cane con la punta delle dita, come se volesse sfidarlo a duello.

– I cani sanno chi comanda, – affermò.

Poi ci mostrò i tavoli dove le belle signorine si davano da fare armate di spazzola e di potenti phon. Un minuscolo affaretto nano dai lunghi peli grigi, che sembrava dovesse volar via a ogni getto d'aria calda, ci guardò con evidente malumore.

– Quello è Oscar, un vecchio cliente della casa. E quella, Ludovica, un magnifico esemplare di bobtail.

Indovinammo due occhi fissi su di noi dietro la cortina pelosa di Ludovica.

– E questo? – domandò Garzón indicando un terzo cane issato sul tavolo da lavoro.

– Ah, quello è Macrino, un costosissimo levriero afgano.

– Santo cielo, sembra la mia vecchia padrona di casa! – si lasciò sfuggire Garzón in uno slancio di spontaneità.

La francese lo trovò divertente ed entrambi risero.

Garzón chiese:

– Conosce a memoria i nomi di tutti gli animali che passano di qui?

– Sì, anche se sono venuti una volta sola.

– Incredibile!

– O, non creda, non ha tanta importanza!

– Lei sarebbe adattissima per lavorare nelle pubbliche relazioni. Peccato che i cani non se ne accorgano.

La signora rise di nuovo, questa volta di gusto. Caspita, era il colmo. Garzón pensava mica di rimorchiarsi anche lei? Aveva forse sviluppato un irresistibile potere seduttivo che nemmeno lui controllava?

– Poi li profumiamo e li spruzziamo di lozione per lucidare il pelo e...

Un uomo era entrato nel salone e, in due passi, fu da noi. La francese interruppe la sua spiegazione.

– Vi presento mio marito, Ernesto.

Si rivolse a lui in francese.

– Écoute, chéri, ces Messieurs et Dames sont des policiers. Ils voudraient bien te poser des questions.

Non so se cercasse o no di trattenersi, ma il suo volto si contrasse per un istante. Poi assunse un'espressione di aperta ostilità. La parte diplomatica di quella visita era terminata. Ci fece passare nel suo ufficio senza proferire parola. Disse in tono seccato:

– In cosa posso servirvi?

– Ci dispiace di essere venuti a disturbarla, signor...

– Mi chiamo Ernesto Pavía.

– Stiamo indagando sull'assassinio di Ignacio Lucena Pastor e ci farebbe piacere se lei...

Saltò su come una molla.

– Un assassinio? E allora non so cosa diavolo cerchiate qui.

– Un testimone ha fatto il suo nome, signor Pavía, quindi...

– Io coinvolto in un assassinio? Ma siamo seri, per favore! Voglio che mi si spieghi immediatamente...

167

– Va bene, signor Pavía, la prego di non alterarsi, non mi ha nemmeno lasciato finire. Il caso è legato a un traffico di cani rubati. Un testimone ha dichiarato che lei aveva rapporti di lavoro con Ignacio Lucena Pastor.

– Non so neanche chi sia.

– Forse lei lo conosceva sotto un altro nome, per esempio Pincho, Susito, qualcosa del genere. Si tratta di quest'uomo.

Gli mostrai la fotografia. La guardò con sufficienza per un attimo, ma io avrei giurato che gli lampeggiassero gli occhi, che respirasse con difficoltà.

– Non ho mai visto questo tizio in vita mia.

– Ne è sicuro?

– So chi conosco e chi no. E ora vorrei che mi spiegaste com'è possibile che qualcuno mi abbia coinvolto in un crimine, dal momento che non sapevate nemmeno il mio nome.

– Il testimone ha parlato di un parrucchiere di San Gervasio.

– Fantastico! E come mai non l'avete portato qui perché mi riconoscesse personalmente?

– Non la conosce personalmente, ma dice che...

– Non mi conosce personalmente e mi accusa di assassinio?

– Non la sta accusando direttamente, ma...

– Sentite, questo è il colmo! Avete un mandato giudiziario per interrogarmi? Avete qualche prova su cui basarvi? Credo di essere stato già fin troppo paziente. Ora vi chiedo per favore di uscire dal mio negozio. Quando avrete in mano qualcosa di più concreto per accusarmi di furto di cani o di qualunque altra cosa, tornate ad arrestarmi. Nel frattempo sarà meglio che la smettiate di disturbare la gente onesta che si guadagna da vivere lavorando.

Si alzò e aprì la porta bruscamente, aspettando che uscissimo.

– Fuori! – disse fra i denti.

Era bianco. La moglie si avvicinò subito.

– Qu'est-ce qu'il arrive, chéri?

Lui non le rispose. Il suo indice, tremante d'ira, ci mostrava l'uscita.

– Fuori! – gridò questa volta.

Le parrucchiere per cani ci guardarono sorprese, e perfino i cani si voltarono per curiosare. L'afgano emise un ringhio sordo. Ce ne uscimmo senza salutare.

– Bel caratterino, vero?

– E che classe! Ha notato il buon gusto nel vestire, l'abbronzatura fasulla, le scarpe italiane?

– In fondo però ha ragione a incazzarsi, ispettore; le prove che abbiamo sono molto deboli. Forse sarebbe stato meglio non metterlo al corrente di quel che sappiamo.

– Neanche per idea! Bisogna cercare di innervosirlo perché faccia qualche mossa sospetta. Li faccia sorvegliare, lui e la moglie, ventiquattr'ore su ventiquattro.

– Sembra convinta che quel tipo c'entri qualcosa.

– Non so ancora cosa sia questo qualcosa, ma quel tipo di sicuro c'entra. Adesso il problema è come lo incastriamo.

– Non sarà facile, ho l'impressione che sia un furbo della malora.

– Furbo lo è senz'altro, ma non ha abbastanza sangue freddo. Bisogna metterlo sulle spine. Si faccia dare un mandato per chiedergli una lista dei suoi clienti. Credo che commetterà qualche errore.

– Ha un'intuizione?

– L'unica cosa che ho è un gran mal di testa.

– Peccato, proprio adesso che i negozi sono aperti...

Lo interruppi posandogli le mani sui risvolti della giacca.

– Calma, ora ci andiamo! Ha con sé del denaro, una carta di credito?

– Lasciamo perdere, ispettore, ci mancherebbe altro che con il mal di testa...!

– Ho detto che andavamo a quel maledetto supermercato e ci andremo, dovessi morire in questo istante.

In fondo Garzón non aveva tutti i torti. Un grande supermercato è pur sempre un luogo leggermente inquietante. Mai, salvo che in quell'occasione, sotto l'influsso delle sue parole, l'avevo visto così, ma qualcosa di vero c'era. Quelle file di lattine e pacchetti luccicanti, intatti, inerti, fra i quali ti muovevi spingendo un carrello, incutevano una certa angoscia esistenziale. Qualcosa come una visione metaforica della vita: avanzi trascinando fin dal principio un peso morto, scegli via via le cose che ritieni adatte a te, scartandone altre che potrebbero essere migliori, ti ritrovi sempre più carico delle tue scelte e, alla fine, tutto si paga.

– Mi sono dimenticato di dirle che stamattina è arrivata una telefonata del professor Castillo.

Immersa nelle mie riflessioni filosofiche, dovetti farmelo ripetere due volte.

– Non si ricorda?

– Certo che me ne ricordo! Che diavolo voleva?

– Niente, si informava sugli sviluppi del caso. Ha detto che era per curiosità.

– La sete di sapere dello scienziato!

Gettai qualche pacchetto di zucchero nel carrello.

– Crede davvero che si tratti di questo? Mi sembra un po' sospetto che gli interessi tanto da telefonare. Perché compriamo tutto questo zucchero?

– Le conviene avere una buona scorta di prodotti di prima necessità: zucchero, riso, olio, farina... non c'è bisogno di comprarne tutte le settimane. Che motivi avrebbe un uomo come Castillo per uccidere Lucena?

– Non so, gli scienziati hanno fama di essere eccentrici. Dice che devo comprare anche del lievito, ispettore?

– No! Perché diavolo vuole del lievito?

– Non so, cazzo, per fare il pane! E se Lucena avesse saputo qualcosa di Castillo e l'avesse minacciato di divulgarlo? Senta, maccheroni ne prendo, vero?

– Li compri, se le piacciono. No, non mi sembra verosimile. Tanto più che, se fosse colpevole, telefonandoci si sarebbe esposto. Prenda qualche lattina di pelati.

– Per i maccheroni, eh?

– Esatto, vedo che sta imparando.

– Io, ad ogni modo, non lo scarterei come possibile sospetto. Senta, ispettore, e del formaggio grattugiato per i maccheroni?

– Caspita, Garzón, mi lascia a bocca aperta!

Passammo al reparto dei prodotti freschi. Gli feci una sommaria spiegazione che fosse in grado di capire.

– Guardi, ci sono cose che bisogna congelare. Lo faccia mettendo un bigliettino che indichi il contenuto del pacchetto e la data. Se ha bisogno di verdure, le compri già congelate: è più facile e sono di buona qualità.

– D'accordo, dov'è la lattuga congelata? Mi piace una buona insalata di tanto in tanto.

– Non esiste la lattuga congelata, viceispettore, e non si può congelare quella fresca. Non la troverà nemmeno in scatola. Per mangiare un'insalata bisogna comprarla il giorno stesso.

Mi guardò scoraggiato.

– Credo che non ce la farò mai, è troppo complicato.

– Non faccia storie. Li vede quei filetti di manzo? Ne tenga sempre un chilo o due nel congelatore. Visto che abiterà da solo, le conviene impacchettarli a uno a uno. E non mi dica che anche questo è troppo complicato!

Osservava i pezzi di carne rossa come se fossero formule einsteiniane.

– L'hanno preparata la mappa informatica dei furti?

172

– Manca ancora la lista di Rescat Dog.

– Me ne ero dimenticata. Stasera ci toccherà passare di lì.

– Ho telefonato diverse volte ma non c'era mai nessuno. La segreteria telefonica e basta.

– Mi ricordi che bisogna andarci. E adesso facciamo un giro nel reparto detersivi.

– Cosa? Anche i detersivi?

– Diamine, Garzón! Dovrà ben metterci qualcosa nella lavatrice! E la donna di servizio avrà bisogno di liquido per i vetri, candeggina, forse anche ammoniaca: ci sono certe donne di servizio che vanno matte per l'ammoniaca.

Si strofinò gli occhi, sospirò. Sospettai che solo la promettente visione delle sue belle «ragazze» in visita al fiammante appartamento lo dissuadesse dal tornare ipso facto alla pensione.

– Per quand'è la festa? – gli chiesi nella speranza di motivarlo.

– Credo che farò prima quella di Valentina, magari domani stesso. Mi aiuterà con i preparativi o le sembra che stia esagerando?

– Sta esagerando, ma la aiuterò.

– Non so come ringraziarla.

– Non mi ringrazi. Troverò io un favore assolutamente smisurato con cui possa risarcirmi. Sa dare il bianco, pulire camini, sturare tubi di scarico?

– Certo che lo so fare.

– E allora un giorno ci metteremo in pari.

Da Rescat Dog nessuno venne ad aprirci, per quanto suonassimo il campanello. Domandammo ai vicini, e una signora ci disse che l'ufficio era chiuso da un paio di giorni. Che strano. Diversi plichi si ammonticchiavano vicino alla porta, e la buca delle lettere traboccava di cartaccia. Se erano andati in ferie, quello era certo un modo insolito di farlo. Per forzare la porta ci occorreva un mandato giudiziario, e così ce lo procurammo. Quella faccenda non mi tornava, tutto faceva pensare che Puig e la sua segretaria avessero preso il volo subito dopo la nostra visita. Però potevamo anche esserci sbagliati e fare irruzione nella sede di un'azienda pulita e integerrima creando un inutile incidente. Il nostro era un sospetto sufficientemente solido per buttar giù la porta ai detective per cani? Non sarebbe stato più prudente aspettare che tornassero, dovunque fossero andati? Pensai che non era il caso di farsi problemi: se ci fossimo beccati una querela per il nostro comportamento, ce ne saremmo assunti la responsabilità.

Due ore più tardi, provvisti di tutti i placet necessari, e di un paio di agenti che forzarono la porta, facemmo il nostro teatrale ingresso nei locali di Rescat Dog. Ci bastò gettare uno sguardo in giro per capire che l'ipotesi della fuga non faceva una grinza. Gli schedari erano stati svuotati in gran fretta, c'erano carte sparse sul pavimento e il disordine generale faceva pensare a una partenza precipitosa.

– Siamo stati proprio noi a mettere in fuga la preda, – dissi fra i denti.

– Ora verifico i dati personali del capo, il suo indirizzo privato.

– Rimanga fino alla fine del sopralluogo, Garzón, temo sia inutile affrettarsi, se ne sarà già volato chissà dove.

Mi chinai sulle carte che coprivano il pavimento: fatture, volantini pubblicitari, lettere commerciali... Se ci fosse stato qualcosa di compromettente, senza dubbio Puig l'aveva fatto sparire. Peccato, averlo avuto a portata di mano e non aver sospettato niente. Se esisteva una cosa che si chiama istinto poliziesco evidentemente noi nel nostro patrimonio genetico non l'avevamo. Adesso mettere le mani sul fuggiasco sarebbe stato complicato. All'improvviso il trillo del telefono ci fece trasalire. Sia io che Garzón rimanemmo inchiodati dove eravamo senza fare il minimo movimento. Al secondo squillo la segreteria telefonica partì. Udimmo il messaggio di risposta: «State parlando con Rescat Dog. In questo momento non siamo disponibili. Vi richiameremo appena possibile. Lasciate il vostro nome e il numero di telefono». Dopo il segnale acustico, un uomo cominciò a parlare. «Signor Puig, sono Martínez, per le persiane. Ho pronto il preventivo. Mi faccia sapere qualcosa. Arrivederci».

Corsi all'apparecchio. Premetti il tasto di ascolto e feci cenno a Garzón di avvicinarsi. Trattenendo il respiro cominciammo ad ascoltare tutti i messaggi registrati. Una signora domandava notizie del suo cane. L'azienda del gas. Un uomo chiedeva informazioni sui servizi dell'agenzia. Lo stesso Garzón lasciava il no-

175

stro numero di telefono. Di colpo, un messaggio attirò la nostra attenzione. Era una voce maschile, non disse chi era. Parlava concitatamente: «Dove sei, cosa succede? Sono venuti qui e non ho detto una parola, mi senti? Non sanno niente, quindi non è grave. D'accordo? Non chiamarmi».

Garzón se ne uscì in un fischio ammirativo non dei più raffinati. Feci scorrere il nastro all'indietro. Udimmo di nuovo le stesse frasi.

– Ha qualche idea su chi possa essere, Fermín?

– No, parla sottovoce, tanto che in alcuni punti non ero nemmeno sicuro che fosse un uomo. Oltre a rivelarci che c'è un complice, dubito che possa esserci d'aiuto.

– A meno che...

– Non mi dica che le sembra una voce conosciuta!

– Lei sa che cos'è un gallicismo, viceispettore?

– Una parola francese.

– Esattamente! Una parola presa dal francese e trasportata di peso in castigliano. Una parola o un'espressione, come per esempio: «C'est pas grave». In francese vuol dire qualcosa come «non ha importanza», ma tradotto letteralmente nella nostra lingua diventa «non è grave». E lei sa chi potrebbe usare un gallicismo senza rendersene conto?

– Qualcuno che parli spesso in fra... – Lasciò la frase a metà, fece schioccare le dita. – Il parrucchiere! Vuole che andiamo ad arrestarlo?

– Non si ecciti troppo, Garzón, con quali prove? Con la supposizione di un gallicismo? Sarà meglio

176

chiedere un mandato per vedere i conti di quel tizio. Se non troviamo niente, almeno lo spaventeremo un po'. Credo che siamo sulla strada giusta.

– E se nel frattempo ci scappa?

– Scherza? Ha un negozio che rende dei bei soldi, non può abbandonarlo. E poi, potrei giurare che sua moglie non sa niente di tutta questa storia.

– La vedo molto ispirata, ispettore.

– L'ispirazione non basta per mettere in galera gli assassini.

– Sì, ma con l'ispirazione e un buon dominio del francese...

Agustí Puig figurava nei nostri archivi. Il suo vero nome era Hilario Escorza ed era stato condannato un paio di volte a brevi pene detentive. Piccole truffe. Lavorando come agente immobiliare si era intascato qualche caparra sulla vendita di appartamenti. L'avevano beccato. Due anni dopo si era messo a fare le pubbliche relazioni per una discoteca. La affittava per feste private senza farlo sapere al padrone. Un altro periodo al fresco. Un pataccaro da due soldi, i casi come il suo riempiono un bel mucchio di schede negli archivi della polizia. Evidentemente stavolta aveva cercato di mettersi in proprio e di provarci con il recupero di cani rubati.

– D'accordo... – disse Garzón, – ma questo non è il profilo di un assassino.

– Cerchi di non pensare alla morte di Lucena come a qualcosa di premeditato. Sono sempre più convinta che sia stato un regolamento di conti fra colleghi in cui è volato qualche pugno di troppo. Questo ci permette di vedere il caso sotto una luce completamente diversa. Non abbiamo a che fare con un delinquente capace di uccidere, ma con un dilettante che ha avuto, diciamo, un «incidente di percorso».

– I soldi che Lucena teneva in quel buco non erano la paga di un dilettante.

– Forse erano dilettanti alle prese con un affare più grosso di loro.

– Allora, se è così, siamo quasi al capolinea.

– Credo di sì.

– Se vuole, possiamo andare oggi stesso a controllare i conti di Ernesto Pavía. Ho già l'autorizzazione del giudice.

– No, non c'è fretta. Lasciamogli il fine settimana perché faccia una mossa di sua iniziativa. È ancora sorvegliato?

– Sì, ma ho una gran paura che ci scappi.

– Non ci pensi, i veri commercianti sono come capitani sulla nave che affonda.

– Questo vuol dire che abbiamo il fine settimana libero.

– In teoria sì, però staremo all'erta.

– Riguardo al fine settimana… avrei pensato che…, be', se a lei va bene, potremmo dare la cena di Valentina il sabato e quella di Ángela la domenica.

Lo guardai con l'aria di chi la sa lunga.

– Questa sì che è una buona inaugurazione per l'appartamento, eh, Fermín? Ancora meglio di quella del canale di Suez. Non ha una terza candidata per il venerdì sera?

– Mi piacerebbe sapere fino a quando dovrò sopportare le sue prese per il culo.

– Questo è il prezzo. Se vuole che l'aiuti con i preparativi dovrà sopportare il mio sottile umorismo.

– Preferirei non doverle ricordare chi l'ha aiutata a liberarsi dai suoi due ex mariti.

– I cavalieri erranti non presentano fattura. Le dirò, per di più, che esigo di partecipare alle sue benedette feste in compagnia di Spavento. Poverino, se ne sta sempre a casa da solo o con la donna di servizio, che lo considera brutto, e ciò ha sicuramente un influsso psicologico negativo su di lui. Anzi, credo che ormai il suo ego canino strisci per terra.

– Lei è tremenda, Petra.

– Questo me l'ha già detto altre volte.

Quella stessa sera chiamai Juan Monturiol per dirgli della duplice inaugurazione del nuovo appartamento di Garzón. Moriva dal ridere. Tanto meglio, questo servì a rompere il ghiaccio. Accettò di venire a tutte e due le serate, sembrava perfino entusiasta. Non ero sicura se la sua acquiescenza si dovesse a qualche interesse per me, o se si trattasse solo del divertimento che gli procurava Garzón con le sue tardive cotte adolescenziali. Non era il caso di mettersi a filosofare su questo, intanto sarebbe venuto.

Alle sei di sabato pomeriggio, dopo aver finalmente riposato ed essermi concessa prolungate cure personali, maschere per il viso comprese, presi Spavento, anche lui perfettamente tirato a lucido, e mi trasferii in casa di Garzón. Dieci minuti dopo tutti e due pelavamo patate come un paio di reclute appena arruolate. Il mio vice era così imbranato con il coltello che in parecchie occasioni temetti per l'integrità delle sue grosse dita. Per di più, come se non gli bastasse concentrarsi su quell'umile compito, elucubrava sul caso.

– Ricapitoliamo, ispettore. Lei sa che ho bisogno di un buon riepilogo di tanto in tanto. Dunque, il parrucchiere e il detective erano d'accordo. Stando agli indizi sembrano collaborare in un affare poco chiaro in cui c'entrano i cani. Domanda: che genere di affare? Risposta: il furto di cani di razza. Nuova domanda: che cazzo c'entra Lucena in tutto questo? Risposta: era l'esecutore, cioè quello che rubava i cani.

– Mi sta facendo venire i nervi con questo interrogatorio campato in aria. Si sbrighi con le patate, che io ho già finito.

– Non si preoccupi, vado pianino ma sicuro. Di conseguenza, dico io, se Lucena rubava cani, allora Rescat Dog cosa faceva? Be', come dice il suo nome, li recuperava. Sembra abbastanza logico.

– Le buchi con la forchetta, le patate. Le mettiamo a macerare.

– A macerare? Che razza d'invenzione! Giusto, partiamo da questa base. Lucena ruba i cani e Puig li raccoglie, li tiene in un posto sicuro e mette su tutto il teatrino con i padroni facendosi pagare per un falso recupero. Ma allora, qual è il ruolo del parrucchiere in tutto questo?

Mi voltai verso di lui con le mani sporche di sangue d'agnello e odorose d'aglio.

– Ha del whisky, Fermín?

– Ci mette il whisky nell'arrosto?

– No, però potremmo farci un cicchetto. Questo aiuta sempre l'ispirazione dei cuochi.

Riempì i due bicchieri con liturgica cautela. Poi tornò ad astrarsi, la sua mente era ancora in preda alla deduzione contemplativa.

– Non riesco proprio a capire che cosa ci faccia il parrucchiere in quest'imbroglio.

Mi voltai verso di lui, abbandonando l'arrosto.

– Il parrucchiere è fondamentale. A prima vista io direi che ha due compiti: da un lato seleziona fra i suoi clienti i cani adatti a essere rubati, sia per i soldi che hanno i padroni, sia per la facilità di metterci su le mani. Dall'altro, consiglia ai proprietari di rivolgersi a Rescat Dog per recuperarli.

A Garzón scivolò via la patata che aveva in mano, che cominciò a rotolare sul pavimento finché Spavento non la intercettò per annusarla.

– Esatto, è così che funziona l'inghippo!

– Eppure rimangono dei «ma» in questa faccenda che danno da pensare. Per esempio, sarebbe troppo sospetto se tutti i cani rubati fossero dello stesso quartiere, prima o poi lo si verrebbe a sapere. Suppongo che tanto il parrucchiere quanto il tizio dell'agenzia siano in contatto con altri colleghi che forniscono materiale. Forse, viceispettore, siamo di fronte a una rete criminosa che si estende su tutta la città.

181

Accese una sigaretta con le mani macchiate dall'amido delle patate.

– Ma cosa fa, fuma? Assolutamente proibito mentre si cucina!

– Credevo che ormai avessimo finito.

– Finito? Sono le sette passate e dobbiamo ancora lavare la verdura per l'insalata, preparare la salsa, tagliare la frutta per la macedonia...

– Continuo a pensare che questa storia del far da mangiare sia troppo complicata.

– Tagli la lattuga a listarelle sottili.

– La sua teoria è molto buona, Petra, perché se davvero siamo di fronte a una rete di truffe che si estende per tutta la città, si spiegherebbero tutti quei soldi in mano a Lucena.

– Naturalmente, non faceva altro che rubare cani! Tolga i semi dei pomodori.

– E il movente, il movente per ucciderlo?

– Il movente è il denaro, senza alcun dubbio. Per il momento le circostanze non ci interessano. Mettiamo che Lucena chiedesse una percentuale più alta e avesse minacciato di denunciarli se non gliela davano, o che si fosse tenuto dei soldi che non gli spettavano, o che cercasse di rendersi indipendente mettendo a repentaglio tutto l'affare se lo pescavano, o che più semplicemente avesse messo mano alla cassa di Rescat Dog mentre quelli guardavano da un'altra parte. Cosa sia successo è del tutto indifferente, in qualunque caso volevano intimidirlo o regolare i conti e hanno un po' esagerato. Se avessero voluto ucciderlo fin dall'inizio, gli avrebbero sparato, op-

182

pure, in mancanza di armi, gli avrebbero dato un bel colpo alla nuca con una mazza da baseball.

Garzón fissava il pomodoro che aveva in mano manco fosse il teschio di Amleto.

– Sì, ispettore, sì, lei è una dritta. Più che dritta, è intelligente.

– Grazie. Sono come le *femmes savantes* di Molière: posso cucinarle un branzino al forno come comporre un sonetto d'amore. Tutto meno che catturare criminali.

– Rida, rida, io so quello che dico.

– Forza, Garzón, continui con le sue fatiche culinarie. Se non mette un po' di testa in quel che stiamo facendo, non imparerà mai.

– Non è vero! Oggi ho imparato una cosa molto importante: il cicchetto del cuoco. Crede di essere sufficientemente ispirata? Facciamocene un altro casomai la musa dovesse abbandonarci.

Scoppiai a ridere. Ineffabile Garzón! Era contento come un uccellino. A cinquant'anni passati cominciava per lui qualcosa di simile a una nuova vita: inaugurava un appartamento, godeva dei piaceri dell'amore e aveva scoperto che era capace di apprezzare le virtù femminili in generale. Bevvi il whisky che mi aveva offerto mentre lo osservavo lottare con un ravanello. Spavento, piazzato in un angolino della cucina, ci lanciava di tanto in tanto uno sguardo languido e poi sospirava socchiudendo gli occhi. Pensai che in quei sospiri profondi e rassegnati fosse racchiusa l'opinione che si era fatta di noi in quanto esseri umani. Non ci invidiava né ci compativa, si limitava a vivere accanto a noi, e questo era in fondo l'unico modo possibile di mostrare comprensione.

– Ispettore, ho pensato che cercherò di rintracciare anche quella bionda che lavorava da Rescat Dog. Magari ne sa qualcosa. In ogni caso è una pista che abbiamo trascurato.

– Bene, faccia pure. Anche se dubito che...

– *Cherchez la femme!* Non si dice così?

– Temo proprio che questo riesca meglio a lei che a me.

Alle nove in punto una ricca insalata riposava nel frigo e tutta la casa profumava del tiepido odore dell'arrosto. Garzón ed io eravamo già al nostro quarto whisky, di modo che la nostra ispirazione gastronomica si era elevata a livelli byroniani. Lui era già in condizioni di suggerire variazioni creative alla macedonia di frutta, proponendo che vi aggiungessimo le cose più disparate, come erbe aromatiche o pezzetti di biscotto. Ovviamente nessuno dei suoi interventi fu accettato grazie alla mia ferrea direzione dei lavori.

– Sono un po' in ansia, ispettore. Sto per inaugurare ufficialmente una nuova vita, siamo sul punto di risolvere il caso... insomma, non avevo mai provato tante sensazioni esaltanti tutte insieme.

– Non corra troppo, mio caro, sia prudente. Dovremo presentare una montagna di prove prima che il caso possa considerarsi risolto.

– Le presenteremo.

– Bisognerà dare la caccia al detective, far parlare il parrucchiere...

– Ci riusciremo.

– E questo, sempre che le nostre teorie siano valide.

– Ne dubita ancora? Mi sento forte, questa volta non possiamo sbagliarci.

Garzón era in preda a un attacco di onnipotenza tipico di chi è stato troppo a lungo chiuso in gabbia, sebbene alla sua euforia contribuisse la nostra intensiva terapia ispiratrice a base di alcol.

Apparecchiammo la tavola con un certo garbo, mentre io mi segnavo le cose che mancavano in casa: una saliera, un portapane, coltelli affilati per la carne, calici da spumante... Lui assisteva all'allungarsi della lista senza la minima protesta. Era disposto a qualunque sacrificio pur di sistemarsi come Dio comanda.

Alle nove e un quarto arrivò Juan Monturiol. Certo, quando non ce l'avevo davanti era già tanto se mi ricordavo di lui, ma non appena lo vedevo si rinnovava nel mio animo il desiderio d'avventura. Era magnifico, col suo aspetto da feroce corsaro ammansito dalla civiltà. Mi guardò in modo franco e simpatico, e da ciò intuii che doveva essergli passata l'incazzatura dell'ultima volta. Una luce di speranza spuntò all'orizzonte, ma non mi lasciai abbagliare. Ora avrei accettato l'avversità delle circostanze, e se mi fosse stato impossibile portarmi a letto quell'uomo per problemi di metodo, avrei rinunciato a qualunque manovra pur di cambiare il fatale destino. Se non altro, rimanendo sua amica, avrei ottenuto uno sconto sugli onorari quando gli avessi portato il cane per la prossima «revisione».

Spavento gli corse incontro e gli rivolse svariate

185

dimostrazioni d'affetto cui Monturiol rispose con fare esperto.

– Come va il vostro caso? – domandò a Garzón.

– A gonfie vele. Se tutto procede come pensiamo, fra poco dovremo fare un altro festeggiamento.

– Doppio anche quello?

– La prego di essere discreto davanti alle signore, amico Monturiol.

Aveva un bel coraggio, il mio collega piedipiatti: con una faccia innocentissima chiedeva di essere coperto nelle sue tresche amorose. Non mi piaceva che sotto il mio naso si stesse tramando un patto di omertà fra maschi. Fui colta da un impeto di solidarietà per le «ragazze», che durava ancora quando Valentina fece la sua apparizione. Con mia sorpresa, e costernazione di Spavento, si presentò accompagnata dalla feroce Morgana. Nell'istante stesso in cui la vide, il mio cagnetto partì a tutta velocità e andò a cacciarsi sotto un mobile. La temibile rottweiler ringhiò un paio di volte senza decidersi ad attaccare. Non ebbe il tempo di fare molto di più. La sua padrona le rivolse un deciso ordine in tedesco cui lei obbedì istantaneamente. Rimase accucciata, immobile, a osservare con intenzioni mal dissimulate il muso di Spavento che sbucava timoroso rasoterra.

Valentina era sfavillante, per la prima volta da quando la conoscevo potevo vederla nel massimo dispiegamento della sua femminilità e non vestita da amazzone. Portava un vaporoso abito di voile verde mela, che lasciava la sua muscolosa schiena quasi interamente scoperta. Scarpe verdi col tacco alto. Al collo, un cammeo a forma di cuore e, ai lobi, due grandi orecchini di smeraldi falsi che completavano il suo look clorofilliano da dea dei boschi. Il viceispettore se la mangiava con gli occhi, mentre la accompagnava a visitare l'appartamento. Lo presi da parte un attimo per domandargli se anche il cuoricino di Valentina si aprisse a metà. – Ho paura di non avere molta fantasia nei regali, – rispose a voce molto bassa. L'avrei ammazzato. Come poteva essergli venuto in mente di duplicare quel supposto pegno d'amore? Davvero non capivo che cosa ci facessimo Monturiol ed io a quella romantica serata. Poi, nel corso della cena, pensai che forse Garzón era così contento che aveva bisogno di testimoni della sua felicità.

Il vino correva nei nostri calici come in un circuito atletico. Nel frattempo, Garzón si diffondeva con incommensurabile faccia tosta in un resoconto dettagliato della preparazione dei piatti. Il porco faceva ostentazione di abilità domestica di fronte alla sua innamorata. A me quella strategia sembrava sbagliata, o almeno inutile, giacché a Valentina non doveva importare un fico secco di certe faccende. Si dava da fare per mangiare con appetito, ascoltava distrattamente il viceispettore e mostrava le maniere autosufficienti della donna matura abituata a vivere da sola e a togliersi da sé le castagne dal fuoco. Parlò signorilmente di cani con Juan, e magnificò le prodezze apprese dalla sua Morgana. Era capace di fare un mucchio di cose: camminava accanto alla sua padrona senza superarla né restare indietro, l'aspettava in strada mentre Valentina faceva spese in un negozio, in campagna era capace di seguire una pista olfattiva anche nelle peggiori condizioni atmosferiche e, dietro preciso comando, attaccava. Molto di più di quel che sapevo fare io il lunedì mattina. Guardai Spavento con commiserazione. Lui era ancora sotto il divano, forse umiliato da tante virtù. Perfino Garzón cantava le lodi di quel cane. Ma Morgana faceva finta di niente e se ne stava tranquilla e ieratica come un levriero in una tomba egizia.

Al momento del dolce ci eravamo già scolati diverse bottiglie di vino e il viceispettore si affrettò a passare allo spumante. Aveva un frigorifero ben fornito di alcolici, per questo non c'era stato alcun bisogno di istruirlo. Col risultato che eravamo già tutti un po' brilli, Garzón ed io più degli altri. Juan Monturiol propose un brindisi: – Alla nuova vita in una nuova casa –. Mi accorsi dello sguardo umido e profondo che Garzón rivolse a Valentina. Ma avrei giurato che lei non glielo restituisse. Infatti quella frase la trasportò verso sogni del tutto personali. Levò il calice all'altezza degli occhi festonati di rimmel e disse: – Brindiamo –. Poi emerse finalmente da un imprecisato abisso mentale e aggiunse:

– Un giorno anch'io avrò una nuova casa. In campagna, circondata da alberi e prati. Il giardino avrà una parte posteriore per i cani. Voglio dedicarmi all'allevamento, sicuramente di rottweiler. Ma non sto parlando di un grande allevamento industriale dove si fabbricano cani come ciambelle. Il mio avrà poche cucciolate, sarà un posto esclusivo, conosciuto solo dagli intenditori. Lavorerò a un perfezionamento della razza, verranno da tutte le parti per comprare uno dei miei esemplari.

Avrei giurato che per lei quello fosse qualcosa di più di un semplice progetto.

– E quando succederanno tutte queste meraviglie? – domandai.

Uscì dal suo sogno ad occhi aperti, agitò la sua chioma bionda diffondendo effluvi penetranti di profumo al gelsomino.

– Ah, per il momento sto solo risparmiando! Non voglio che il terreno sia troppo lontano da Barcellona, e i prezzi sono alti. E poi, ho bisogno di una casa grande e di buone attrezzature.

– Mi sa che dovrai addestrare molti cani per riuscirci, Valentina.

Mi guardò tristemente. Poi, un sorriso cancellò la preoccupazione dal suo volto.

– Il risparmio fa miracoli! E la certezza di poter raggiungere ciò che ci si propone è importantissima.

– Sono convinto che una donna così ottiene quello che vuole, – disse Garzón entusiasta. Lei protestò leziosa.

– Oh, Fermín, non adularmi! Non avresti un po' di musica piuttosto? Potremmo anche ballare!

Garzón non era ancora sufficientemente sistemato nella sua nuova casa per provvedere a quella richiesta, ma improvvisò una soluzione di compromesso andando a prendere una radio in camera da letto. Immaginai che l'avesse già alla pensione, e che la usasse per ascoltare le partite nella solitudine dei suoi pomeriggi domenicali. Il suono di quella vecchia radio era criminale, ma questo non sembrava importare molto né a lui né a Valentina. Si allacciarono l'un l'altra e cominciarono a trottare per la stanza come due cavallette pazze. Monturiol assisteva alla scena francamente divertito, incoraggiando con grida di incitamento il gran casino che combinavano. Spavento sporse un po' la testa dal suo nascondiglio per non perdersi la scena. Solo Morgana era rimasta impassibile, dimostrando che la sua mente, inquadrata da regole teutoniche, non si scomponeva. Forse neppure io seppi reagire dinanzi a quel bailamme, e mi limitai a sorridere. Alla fine del ballo Garzón, fuori di sé per via dell'alcol e dell'amore, improvvisò un piccolo numero. Fingendo di essere un grosso cane furioso, cominciò a ruggire davanti a Valentina. Lei, subito pronta a dargli corda, si armò di un tovagliolo a mo' di frusta e gli mollò varie tovagliolate emettendo strane grida di comando: – Aughf! Sine grumpen! – Il viceispettore aveva perso il ben dell'intelletto e abbaiava come un forsennato. Probabilmente si trattava di un pregiudizio mio, abituata com'ero alla sua compostezza di questurino démodé, ma di fatto quella scena mi parve volgare. E come se non bastasse, Morgana si unì all'esaltazione generale e cominciò ad abbaiare anche lei. In quel momento pensai che i vicini dovevano essere felicissimi dell'arrivo del nuovo inquilino. Finalmente Valentina mise a tacere il cane con energia.

– Maledetta bestia, non vuole saperne di lasciarci in pace! Perché non la portiamo a casa e non ce ne andiamo a ballare da qualche parte?

Garzón non se lo fece dire due volte. – Ballare, ho sentito dire "ballare"? – ripeteva compulsivamente infilandosi la giacca.

– Io credo che non verrò.

– Nemmeno io, – disse Monturiol.

– Oh, insomma, datevi una mossa!

– Vi raggiungeremo dopo, promesso.

Si prepararono per uscire, quando Garzón tornò indietro molto preoccupato:

– Ma non possiamo lasciare la tavola in questo modo.

– Andate, per una volta sparecchierò io, Garzón; però si ricordi che il suo debito sta crescendo.

– Giuro che la ripagherò.

– Andiamo allo Shutton, adoro quel locale! – disse Valentina avvolgendosi in uno scialle verde bottiglia.

Uscirono di corsa, a braccetto, dicendosi frasi sconnesse come una coppia di comici da varietà. Juan rideva ancora.

– Dici sul serio che li raggiungeremo più tardi? – mi domandò.

– Naturalmente no! Così come non ho nessuna intenzione di riordinare questo disastro. Credo che preparare la cena sia stato già più che sufficiente. Al massimo raccoglierò i piatti.

– Ti aiuto.

– No, va' pure a casa. Ricordati che domani dovremo ripetere l'impresa.

– Spero che con Ángela sia una cosa più tranquilla.

Mi seguì con una pila di piatti sporchi. La cucina aveva l'aria di essere stata devastata da una bomba. Non c'era nemmeno uno spazio libero per deporre il nostro carico. Cercai un angolino vuoto e vi posai i bicchieri. Voltandomi urtai involontariamente contro Juan.

– Scusa, è tutto così in disordine.

Non retrocedette. Rimase lì piantato, impedendomi il passaggio. Sentii l'odore della sua delicata colonia, il profumo impercettibile del suo corpo attraverso gli abiti. Respirava forte, anch'io. Socchiuse gli occhi e mi baciò sul naso, poi sulla bocca. Aveva ancora una pila di piatti sporchi in ciascuna mano, come un giocoliere da circo.

– Dio, e di quelli che ne facciamo?

Si chinò e li posò sul pavimento. Ci baciammo di nuovo.

– Dove andiamo? – disse lui sottovoce.

– In camera da letto.

– Qui?

– È territorio neutrale.

– Ma possono tornare.

– Non molto presto.

Spavento se ne stava sulla porta, a guardarci. Gli diedi un osso d'agnello perché lo rosicchiasse e ci lasciasse in pace.

Il letto di Garzón era matrimoniale ed era stato preparato con ogni cura, certamente non per noi. Ma dopotutto, cosa importava? La mia amicizia con il viceispettore era forse così fragile da non sopportare quel piccolo scavalcamento? Di colpo smisi di preoccuparmi di quel che poteva pensare Garzón. Sentii il corpo nudo di Juan accanto al mio. Quel corpo che avevo avuto tante volte davanti senza toccarlo, all'improvviso si concretizzava in una sensazione tattile, in un calore, in un volume, in una realtà. Mi resi conto di quanto l'avevo desiderato, di quanto anelavo posare le mani sul suo torace nudo, forse sul torace nudo di qualunque uomo.

Il mattino seguente mi svegliai nella mia stanza sola e tranquilla, con sensazioni confuse nella mente e nitide sulla pelle. Mi sentivo rilassata, felice di aver trovato una piccola Svizzera dove Juan ed io eravamo finalmente riusciti a firmare un armistizio. Era stato facile dopotutto. Speravo solo di non dover ricorrere a quell'appartamento ogni volta che fra noi si risvegliasse la fiamma del desiderio. A un tratto la situazione mi si presentò da un'altra prospettiva: ricordai lo stato pietoso in cui avevamo lasciato il campo di battaglia. Passi il disordine della cucina, ma il letto! Disfatto, insozzato, con le tracce dell'amore impresse nelle lenzuola... era troppo. Garzón sarebbe rimasto a bocca aperta entrando in camera da letto, forse non mi avrebbe più rispettata come suo superiore. E in che modo potevo spiegargli le particolari circostanze diplomatiche e l'accordo politico che avevano determinato l'uso del suo letto? Sarebbe stato molto peggio. Meglio lasciare che giungesse da solo alle conclusioni più ovvie: che Juan ed io eravamo stati colti da un impeto di passione che non ammetteva dilazioni.

Sarei morta di vergogna quando l'avessi rivisto. La mia unica speranza era che il suo senso della cavalleria gli impedisse qualunque commento, per indiretto che fosse, o che quella notte fosse arrivato a casa completamente ubriaco.

Feci colazione e andai in commissariato. Poca gente di domenica. Tanto meglio. Sulla mia scrivania c'erano i rapporti degli agenti incaricati di sorvegliare il parrucchiere per cani e l'ufficio di Rescat Dog. Niente di nuovo. E poi gli elaborati che avevo richiesto al centro di elaborazione dati. Li studiai con attenzione, erano impeccabili. Da un lato era stata compilata una lista ordinata e unificata sulla base di tutte quelle che avevo fornito. Era chiara e facilmente consultabile. Su un grande foglio allegato c'era la mappa, una sintetica pianta di Barcellona su cui erano stati rappresentati da un minuscolo osso di colore rosso tutti i punti in cui risultava la scomparsa di un cane. Fui affascinata dall'idea dell'osso, dimostrava un umorismo del tutto insolito nel corpo di polizia. A una prima occhiata d'insieme, i puntini rossi apparivano disseminati in tutta la città. Vi era una maggiore concentrazione nei quartieri ricchi, il che non doveva stupire trattandosi di cani di razza. Mi concentrai in particolare sulla zona di San Gervasio, nei dintorni di Bel Can. Sì, forse lì si poteva notare una maggior profusione di ossi, ma non particolarmente significativa: vi erano altre zone con la stessa densità. L'ipotesi più logica mi portava a supporre che il traffico fosse organizzato a catena. Il centro nevralgico era senza dubbio Rescat Dog, ma Bel Can non poteva essere l'unico selezionatore di cani: la cosa sarebbe stata sospetta oltre che poco redditizia. Se tutti i cani scomparsi fossero stati clienti del negozio, perfino i loro padroni si sarebbero accorti della coincidenza. L'affare doveva essere stato pensato in grande, ed essere abbastanza redditizio da giustificare l'uccisione di un uomo una volta che qualcosa fosse uscito dai binari stabiliti. Con ogni probabilità Lucena non era l'unico ladro di cani alle dipendenze del giro, dovevano essercene altri. Una struttura importante la cui testa visibile aveva tagliato la corda. Speravo che l'ordine di cattura emesso contro Puig desse presto dei risultati. Avevo ragione di credere che non fosse scappato molto lontano. I suoi affari erano troppo prosperi perché non se ne stesse acquattato dietro le quinte, in attesa di vedere che piega prendevano le cose, o impegnato a regolare i conti con i soci nel modo più tranquillo possibile... Per quanto fossero stati riciclati, i suoi incassi fino a quel momento non erano di certo sufficienti da permettergli di installarsi vita natural durante in Brasile. Doveva essere lì, a un passo da noi, ad aspettare che le acque si calmassero nascosto in un posto sicuro. Bisognava lasciarlo affiorare da sé, come un fungo dopo la pioggia. Forse avrebbe commesso qualche errore per conto suo, altrimenti, avremmo dovuto dargli una spintarella noi. Era necessario tirarlo fuori a forza di prove, in modo che tutti i pezzi mancanti andassero a incastrarsi negli spazi vuoti. Tornai a guardare il grazioso simbolino. Quartieri eleganti pieni di ossicini rossi. Sarebbe stato sempre così, ladri, truffatori, ricattatori... tutti a caccia dei punti deboli dei ricchi: il loro gusto per i gioielli firmati, i loro quadri d'autore, i loro cani di razza. Senza dubbio sapevano del grande attaccamento che i potenti nutrono nei confronti dei loro cari amici a quattro zampe. Sicuramente ognuno dei cani per cui era stato pagato un riscatto aveva complessivamente ricevuto più amore di Lucena. Chissà se lui ci aveva mai pensato? Chissà se aveva in testa quest'idea quando metteva via tutti quei soldi sotto le piastrelle della cucina? Forse pensava che questo lo compensasse delle miserie della sua vita? Chissà se Lucena pensava o sentiva? Sì, il suo cane lo dimostrava. Spavento era un animale sensibile, perfino riflessivo, e se il cane rispecchia il padrone... Qualche volta Lucena doveva essersi sentito triste e solo, senza una famiglia, senza un nome, senza nemmeno documenti. Qualche volta doveva essersi visto come un rifiuto della società vincente che si muoveva intorno a lui. Ma, così è la vita, nel mondo ci saranno sempre materiali eccedenti, scarti, scorie, come quei mucchi di calcinacci che si raccolgono, inservibili, accanto alle case in costruzione. Io non potevo far niente perché questo cambiasse, ma dovevo scoprire il suo assassino, anche solo per dimostrare al mondo che un avanzo della società vale qualcosa di più di un pugno di calce e sabbia. Dopo pensieri così ponderosi, decisi di andarmene a casa e di prepararmi qualcosa di leggero per pranzo.

Nel primo pomeriggio uscii con la macchina. Passai davanti all'ambulatorio di Juan Monturiol. Eravamo stati stupendamente insieme. Tutto era andato benissimo, forse finalmente avere qualcuno con cui scopare non sarebbe stato incompatibile con l'amicizia. Con la speranza che le cose continuassero per il verso giusto mi avviai verso la mia seconda e ultima lezione di cucina. Mentre guidavo, tornò ad assalirmi l'inquietante ricordo del letto sfatto. La prima reazione del viceispettore nel vedermi sarebbe stata fondamentale per determinare il mio umore per il resto della serata. Ma non ci fu alcun problema, Garzón aprì precipitosamente la porta e se ne scappò di corsa in cucina, quasi senza salutare. – Ho qualcosa sul fuoco! – gridò a mo' di saluto. Spavento gli andò dietro pieno di curiosità. Io preferii approfittare della confusione per dare una sbirciatina all'appartamento. Tutto era in perfetto ordine, ripulito a dovere. Con un gesto abbastanza infantile, gettai uno sguardo dalla porta socchiusa della camera da letto. Il letto appariva intatto. Niente faceva pensare al piccolo prestito della notte prima.

Più tranquilla, andai a vedere che cosa stesse succedendo in cucina. Spavento, seduto sul pavimento, stirando il collo quanto più poteva, non si perdeva un solo particolare del caos in cui il viceispettore era immerso. Sul fuoco cuoceva, o sarebbe meglio dire crogiolava, una massa marroncina composta quasi interamente di spessi grumi. Intorno alla padella giacevano montagnole di farina e pozze di latte.

– Deduco, dai segni del disastro, che ha cercato di fare una béchamel.

– Porca miseria, Petra, non me ne parli! Guardi in che casino mi sono ficcato!

Era scarmigliato, sudato, congestionato.

– Volevo farle una sorpresa e stamattina ho comprato dei cannelloni già pronti. Bisognava soltanto aggiungere la béchamel, e così sono andato in una libreria a cercare un libro di cucina. Be', ho seguito le istruzioni della ricetta per filo e per segno e guardi che disastro ho combinato. Non le darò più retta quando mi dirà che i lavori domestici sono una cosa da niente!

– Lasci fare a me. Mi aiuti a buttare tutto nella spazzatura.

Fra tutti e due risistemammo i piani di lavoro. Misi di nuovo la padella sul fuoco, vi deposi un pezzetto di burro.

– Il libro non diceva che il latte va scaldato, prima?

– E io che cazzo ne so! Quel maledetto libro è più complicato del Codice Penale. Gli ho dato un'occhiata e non ci ho capito niente: bagnomaria, rosolare, montare a neve, soffriggere, marinare... perché non usano parole più normali?

Io scuotevo la testa mentre facevo cadere a pioggia la farina.

– No, non è colpa del linguaggio, Fermín, il problema è che lei inconsciamente è convinto che non imparerà mai queste cose. Anzi, nel fondo del suo cuore, lei pensa che siano tutte cazzate e non vede il motivo di sforzarsi finché ci sono donne in grado di farle.

– Cavoli, ci mancava solo la predica femminista!

– Pensi a quello che le dico, ci pensi.

Si mise a maledire sottovoce, era di umore schifoso e non si era ancora ripreso dal suo stress culinario.

– Non se la prenda con me, Fermín, io sono venuta solo ad aiutarla. A proposito, le ho portato qualcosa che le piacerà.

– Un altro libro di cucina?

– No, la lista e la mappa informatica dei cani scomparsi. Le ho lasciate nell'ingresso.

– Vado a dare un'occhiata.

– Ah, no, neanche per idea! Lei se ne sta qui a vedermi fare la béchamel.

– Certo che le piace proprio comandare!

Mi misi a ridere. Tolsi la padella dal fuoco per poterlo guardare in faccia.

– Davvero pensa che mi piaccia comandare?

– No, no, ispettore, veramente io...

– Lasci stare i formalismi, Fermín, mi dica la verità. Crede che mi piaccia comandare?

– Sì, – mormorò.

– È strano, – dissi, – può darsi che abbia ragione, solo che non me ne accorgo.

– Senta, la béchamel sta facendo di nuovo i grumi.

– Non si preoccupi, adesso la riprendiamo. Forza, lo faccia lei –. Mi misi alle sue spalle e gli dissi come doveva mescolare la salsa. Dopo qualche movimento inesperto afferrò il segreto della semplice manovra e cominciò a lavorare con lena.

– Lo fa benissimo.

– Insomma, non è che ci voglia tutta quella...

Un'ora più tardi avevamo finito i preparativi della maledetta cena. Seduti, con un bicchiere di whisky in mano, sfogliavamo i tabulati del computer. Attesi un suo verdetto.

– Che gliene pare?

– Non so cosa pensare, ci sono cani rubati da tutte

le parti. La zona di San Gervasio non è particolarmente colpita. Questa gente deve aver messo le mani
su tutta la città.

– Anch'io ne ho tratto la stessa conclusione.

– Per questo Lucena aveva tanti soldi in casa.

– L'unica cosa che mi stupisce è che non avesse
registrato queste somme su un altro quaderno.

– Magari quel quaderno c'era, ma gliel'hanno portato via al momento dell'aggressione.

– È quel che diciamo ogni volta che arriviamo a
questo punto.

– Be', se lo diciamo sempre, magari è vero.

Mi accesi una sigaretta, assentendo poco convinta.

– Credo che abbiamo già dato fin troppo tempo a
Pavía. Lunedì mattina voglio trovare sulla scrivania
un mandato di perquisizione per Bel Can. Gli seque-
streremo la contabilità e la daremo in mano ai nostri
esperti.

– D'accordo, ispettore. Oh, cazzo!

– Cosa succede?

– Sono le nove meno venti e alle nove arriva Ángela. Devo ancora cambiarmi e farmi di nuovo la barba.

– Sta benissimo così.

– Ah, no! Non per Ángela, magari per Valentina…
ma per Ángela tutto dev'essere perfetto.

Non seppi come interpretare quell'affermazione. Forse Ángela era in vantaggio nella gara per il cuore del mio
collega? O stava vincendo Valentina? L'autocontrollo
imposto dalla libraia era vissuto come qualcosa di po-
sitivo dal viceispettore, oppure lui preferiva Valentina,

che gli permetteva di sentirsi più libero? Enigmi dell'amore. Non avrei desiderato essere nei panni di Garzón manco morta. L'amore: scelte, decisioni, incertezze, insicurezze, sensi di colpa, sofferenza... meno male che mi ero lasciata alle spalle tutto quanto! Alzai il bicchiere da sola e brindai al mio tempestoso passato sentimentale e al mio pacifico presente erotico.

– A te, Spavento, unico e fedele compagno del mio cuore!

Spavento non era in vena di grandi gesti simbolici e sbadigliò senza mostrare il minimo interesse. Bevvi. Dal bagno giungeva il ronzio del rasoio elettrico di Garzón. Senza gli insistenti dubbi e interrogativi sul caso dei cani, quello sarebbe stato un momento di calma perfetta.

Alle nove in punto si presentò Ángela accompagnata da Nelly. La voluminosa cagnetta si avvicinò a Spavento e i due si annusarono e si studiarono. Poi agitarono la coda: non c'era da temere alcuna lite. Ángela era bella, più che bella, era splendida. Un semplice vestito nero con un ampio colletto bianco incorniciava la serenità del suo viso. I capelli raccolti sulla nuca lasciavano vedere il grigio argenteo alle tempie. Nella scollatura le pendeva l'infame ciondolo di Garzón, identico a quello di Valentina. Lo odiai per questo. Guardai i nostri cani.

– Spavento va d'accordissimo con la tua, non ha paura come con... – rettificai appena in tempo, – come con gli altri cani di grossa taglia.

È mai possibile fare una gaffe proprio quando si

desidera fervidamente di non farla? Lei mi guardò con amarezza e disse:

– I cani da difesa incutono molto timore, soprattutto in un appartamento piccolo come questo.

Dio, lo sapeva! Sapeva che Valentina era stata lì con il suo rottweiler, o comunque lo sospettava. Speravo che almeno non gliel'avesse raccontato quell'animale di Garzón. Mi invase una nuova corrente di solidarietà nei confronti della libraia. E quando tornò il mio collega, ben pettinato e roseo come un bambino all'ora della merenda, gli avrei spaccato il bicchiere di whisky sulla testa.

– Era ora, Garzón! Ángela è qui da un bel pezzo.

Mi guardò senza capire, si avvicinò alla sua dama e, nel migliore stile cavalleresco, le prese la mano e gliela baciò brevemente. Lei sorrise, parve rilassarsi.

Due minuti dopo arrivò Juan Monturiol. Il vice-ispettore lo ricevette con cordiali pacche sulle spalle e allusioni scherzose alla necessità strategica della presenza di un altro uomo alla serata. La cosa non mi divertì affatto. Fortunatamente la visione del bellissimo veterinario riuscì a restituirmi un po' di benevolenza. Come poteva uno andarsene in giro con due occhi verdi come quelli e far finta che tutto fosse normale? Fui presa da un sentimento di orgoglio nel sapermi la depositaria passeggera di tanta bellezza.

Fu una serata piacevole, dalla conversazione moderata e fluida, come sempre quando Ángela era fra noi; ma, malgrado le apparenze, aleggiava nell'aria una certa tensione. La libraia lanciava di tanto in tanto qualche frecciatina rivolta al viceispettore sotto forma di allusioni a un futuro incerto, alla solitudine o all'incapacità degli uomini di comprendere il cuore femminile. In quei momenti Juan abbassava gli occhi sentendosi coinvolto, io scaricavo un po' della mia rabbia su Garzón, e Ángela appariva triste. L'unico a non fare una piega, ad aver l'aria di non rendersene conto, era Garzón. Hai capito, il poliziotto di provincia! Non so come avessi fatto a non accorgermi che era un sultano, uno sciupafemmine, un casanova! Senza dubbio aveva sviluppato la tendenza all'eccesso propria di coloro che sono stati a lungo privati di qualcosa. Digiunatori abituali che improvvisamente soccombono alla gola più estrema, bacchettoni trasformati di colpo in cittadini di Sodoma. Brutto affare per lui, brutto affare per tutti.

Dopo il dolce ci sedemmo a bere qualcosa sul divano, e il disagio diffuso che aveva aleggiato per tutta la cena si concretizzò in qualche schiarimento di gola di troppo. Ángela decise di rompere il silenzio.

– Come va il caso dei cani?
– Siamo a cavallo! – rispose Garzón.
Io lo guardai con severo scetticismo e rettificai.
– Diciamo piuttosto che non siamo fermi. Mi hanno appena fornito una statistica completa e una mappa realizzata al computer che riporta la collocazione dei cani scomparsi.
– Che cosa curiosa! Credi che potrei vederla?
Garzón gliela portò e lei si mise a guardarla con interesse.

– Pare che i cani siano diventati protagonisti di veri e propri traffici sospetti, – commentò.

– Come tutto ciò che si compra e si vende.

Garzón era uscito dalla stanza ed era tornato all'istante con la radio. Pregai Dio che non avesse in mente una nuova serata danzante. Dio mi ascoltò, perché il mio vice cercò una musica tranquilla e tornò a sedersi. Guardò con aria trasognata Ángela, che stava ancora esaminando la lista. All'improvviso lei alzò gli occhi e si rivolse a Juan Monturiol.

– Hai visto che strano? Guarda le razze: schnauzer gigante, pastore tedesco, pastore di Brie, rottweiler, boxer, dobermann...

– Sì, tutti cani da difesa.

– Sono le razze che ricorrono di più, decisamente più di quelle da guardia, da caccia o da compagnia.

Posai il mio bicchiere sul tavolo, mi sporsi dalla poltrona.

– Come interpreti questo, Ángela?

Scosse la testa, un po' imbarazzata.

– Non lo so, non pretendevo di dare un'interpretazione, è solo una cosa che ho notato.

– Forse un cane da difesa ha più valore? Oppure è più vendibile?

I due esperti canini si interrogarono con lo sguardo.

– Può darsi, adesso sono di moda.

– Che significato dai a questo fatto? – tornai a chiederle. Parve smarrita come una bambina cui vengano chieste troppe spiegazioni.

– Dicevo per dire!

– Lo so, ma dopo il tuo brillante intervento riguardo i parrucchieri per cani...

Rise, lusingata, lanciando occhiate vezzose a Garzón. Lui non sembrava interessato alla faccenda dei cani: quando era in compagnia delle sue «ragazze» il lavoro gli stava stretto. Probabilmente attraversava un momento di rimozione delle responsabilità e io me ne stavo accorgendo. Non potevo farci molto, però, non era certo il momento adatto per la passione investigativa. Forse ero io che esageravo nel far sconfinare il dovere nella vita privata; infatti non mi ero nemmeno accorta che la serata si stava spegnendo, e che Monturiol mi lanciava sguardi interrogativi. Sì, s'imponeva una ritirata, Ángela e Garzón erano assenti e mielosi. Ci salutarono sulla porta con ringraziamenti e promesse di rivederci presto.

Juan ed io ci avviammo a piedi nella strada buia fino alla mia macchina. Spavento ci seguiva.

– È tutto molto strano, vero? – dissi a Monturiol. Mi guardò senza capire. – Voglio dire il mio rapporto con il mio vice, i suoi amoreggiamenti con Ángela e Valentina, la nostra stessa storia.

Sussultò nel sentire questo.

– Ti disturba la parola «storia»? Potremmo chiamarla in qualunque altro modo: rimorchio, flirt, colpo di fulmine...

– Preferirei non darle un nome.

Capii che stavamo per cadere nelle passate difficoltà. Lo presi per un braccio, scuotendolo un poco.

– Hai ragione, le parole rovinano tutto. Dove andiamo, a casa tua o a casa mia?

– Dove vuoi tu.

– Mi è indifferente.

Sorrisi e sorrise. Una battaglia sventata. In fondo era un piacere lasciare a casa l'armatura di tanto in tanto.

7

Garzón ed io ci ritrovammo il lunedì mattina in commissariato. Entrambi sfoggiavamo due occhiaie degne di Ivan il Terribile. Troppe inaugurazioni, troppa attività fisica. Io avevo giurato che non mi sarei più prestata ad altri festeggiamenti. Non c'era più tempo da perdere. Avevamo accumulato un ritardo ecclesiastico, non era proprio il caso di andarci a impegolare in un programma di feste patronali. Prima di andare da Bel Can prendemmo un caffè più carico di un treno merci. Garzón si immerse nella sua tazzina come in un bagno rigenerante. Sondai fino a che punto potessi contare su di lui.

– Si sente in condizioni di lavorare?

Scosse la testa come un cane bagnato.

– Sono fresco come una rosa, – disse. Io lo guardai pensando alle rose che languiscono per anni pressate fra le pagine di un libro.

– Abbiamo il mandato di perquisizione

Col palmo della mano si diede dei colpetti sulla tasca della giacca.

– Con menzione specifica per il sequestro dei libri contabili.

– Credo che dovremo consacrarci anima e corpo al caso, Garzón.

– Sono d'accordo.

– Le cose si stanno mettendo bene e, con un po' di fortuna, forse potremmo risolverlo in modo fulminante.

– Sono d'accordo anche su questo.

– Non si disperda sul lavoro, per favore.

– Non c'è pericolo, – replicò, senza fare una piega.

Che altro potevo dirgli per risvegliare la sua coscienza professionale? Niente, dovevo confidare nella sua maturità. Eppure, mentre eravamo in macchina fui punta dall'inquietudine nel sentirgli dire, senza che c'entrasse niente:

– Ángela è una donna da sogno, da sogno.

Rimasi in silenzio. Allora domandò:

– E a lei come le va con il veterinario?

Mi infastidì quell'eccesso di confidenza. Mi irrigidii e risposi:

– Le sarei grata se cambiassimo argomento.

– Ma naturalmente!

Neanche i miei modi bruschi gli facevano il minimo effetto, la sua euforia resisteva a qualunque attacco. Per fortuna cambiò registro quando arrivammo al negozio. Assunse un'espressione seria e le sue sopracciglia, che un momento prima erano un paio di parentesi trasognate, si trasformarono in minacciosi accenti circonflessi.

Ernesto Pavía era in negozio, accanto alla sua incantevole moglie. Ci ricevette senza troppa sorpresa, con freddezza calcolata. Andammo nel suo ufficio. Le lavoranti avevano più occhi per noi che per il manto dei cani che stavano tosando. Ci accomodammo con diplomazia.

– Signor Pavía, abbiamo un mandato giudiziario per ispezionare il suo esercizio e verificare la contabilità.

Mise su un sorriso cinico.

– Molto bene, non intendo certo oppormi alle decisioni della giustizia.

La francese intervenne.

– Non avrei mai pensato che ci trattaste in questo modo.

– Non c'è niente di personale, signora.

Pavía la tranquillizzò con qualche colpetto sul braccio. Lei tacque.

– Guardi, signor Pavía, credo che sarà tutto molto meno sgradevole se lei collaborerà con noi.

– Vi ho già detto che non ho niente in contrario a lasciarvi verificare quel che volete.

– Non si tratta solo di verifiche, il fatto è che lei potrebbe essere accusato di furto e truffa, una faccenda grave. E dico grave perché questa accusa ne comporta necessariamente un'altra, quella di omicidio, che potrebbe ricadere su di lei in quanto complice o perfino in quanto principale responsabile.

Si mise in guardia, si staccò dallo schienale della sua poltrona presidenziale e mise le mani avanti.

– Un momento, un momento, dovrà pur spiegarmi che cosa significa tutto questo, no?

– La stiamo accusando di complicità con un tale Agustí Puig in un'attività di truffa continuata, e anche di aver preso parte all'assassinio di Ignacio Lucena Pastor.

– Di nuovo questa storia? Non so nemmeno di cosa stiate parlando.

– Abbiamo le prove, Pavía; non faccia storie.

– Che prove avete? Prove di cosa?

– Abbiamo la registrazione della segreteria telefonica di Puig. Con la sua voce che lo avverte della nostra presenza. Un errore macroscopico, da dilettante. Lei non immaginava che Puig avrebbe tagliato la corda.

Cercavo di parlare con tranquillità, abbastanza lentamente, e intanto lo osservavo per registrare ogni sua minima reazione. A parte il logico nervosismo, non ce ne fu nessuna. Era evidente che se lo aspettava, che era preparato a negare tutto.

– Le ripeto che non so di cosa stia parlando.

– Non conosce Agustí Puig?

– No.

Con scarse speranze di metterlo in difficoltà, cominciai a frugare nella mia enorme borsa a tracolla. Tirai fuori un piccolo registratore, lo misi sul tavolo e lo accesi. La voce dello sconosciuto, così somigliante a quella di Pavía, snocciolò l'intero messaggio trovato da Rescat Dog. Mentre il nastro girava, io non perdevo di vista la francese. Sarebbe stato utile sapere se fosse al corrente della faccenda. Colsi un impercettibile battito di palpebre. Il suo autocontrollo era forse meno elaborato di quello di suo marito. Sì, lei era al corrente. Perfetto, un altro

210

fronte su cui fare pressione. Pavía sorrise dopo aver ascoltato il nastro. Supposi che non ricordasse il contenuto esatto delle sue parole e che l'avesse trovato più tranquillizzante di quanto sperasse. Mostrò la sua dentatura perfetta in una smorfia di autosufficienza.

– E quello che parla sarei io?

– Così pare.

– Andiamo, ispettore, un po' di serietà! Quella voce può essere di chiunque.

– Però è la sua.

– Sta cercando di farmi credere che intende usare questa stupidaggine come prova per accusarmi di omicidio? Ma per favore, anche i bambini lo sanno che una registrazione non vale come prova processuale da nessuna parte!

La moglie intervenne di nuovo, stavolta in tono collerico.

– Questo è un insulto e un abuso! Quella voce non ha niente a che vedere con quella di mio marito! Noi siamo onesti artigiani, lavoriamo e diamo lavoro a tanta gente, e voi vi presentate qui accusandoci di truffa e perfino di omicidio. Chiederò protezione al consolato del mio paese.

Questa volta Pavía non cercò di calmarla. Ritirai il registratore.

– Possiamo dare un'occhiata in giro?

– Ma prego! Chissà che non troviate un cadavere nascosto da qualche parte.

– Ci occorrerebbe anche una copia di tutta la contabilità degli ultimi due anni.

– Certo, io non ho niente da nascondere! Poco tempo fa abbiamo ricevuto la visita di un ispettore della finanza, non credo che voi sarete più esigenti.

Era offeso nella sua dignità. Guardai Garzón, ordinandogli con un battito di ciglia che si mettesse al lavoro. Lo fece, cercò sugli scaffali dell'ufficio, nei cassetti della scrivania. Andò di là nel negozio e sfogliò le agende in cui venivano segnati gli appuntamenti dei clienti. Naturalmente era un lavoro del tutto inutile, e capii benissimo che anche Garzón lo sapeva dal modo meccanico in cui eseguiva l'operazione. Lì non avremmo trovato niente di sospetto, ma si trattava di una prassi obbligata che poteva contribuire al crollo psicologico dell'indiziato. Anche se tutto in lui sembrava indicare un'incrollabile solidità psichica. Lui stesso ci fornì una copia stampata dal computer di tutta la contabilità riguardante il periodo richiesto.

– Non è che non mi fidi di lei, ma visto che il suo ufficio è completamente informatizzato, verranno i nostri esperti a dare un'occhiata in loco alla sua contabilità.

– Oh sì, naturalmente, saranno ricevuti con piacere! Offriremo loro anche il caffè. E se qualcuno dei suoi uomini dovesse mai rimanere qui a passare la notte, abbiamo delle coperte per cani.

– No, grazie, sarà questione di qualche ora.

Non avevo nessuna intenzione di farmi coinvolgere dall'ironia di quello stronzo. In macchina dissi a Garzón:

212

– Mi sa che sarà più dura di quanto pensassimo, quello non è disposto a parlare. Bisogna mettergli il telefono sotto controllo.

– Me ne occupo io.

– Dovremo sottoporlo a qualche genere di pressione psicologica.

– Lo faremo, e magari nel frattempo qualcuno riuscirà a mettere le mani su Puig.

– Non possiamo contarci. Ha preso una lista dei clienti del negozio? Bisognerà trovarne alcuni che si siano fatti recuperare il cane da Rescat Dog. Li interrogheremo.

– Mi occuperò anche di questo. Prenderò qualcuno che mi dia una mano.

– Lo faccia. Io darò tutta la contabilità all'ispettore Sangüesa. Dovrà mandare degli uomini da Bel Can; non ho molte speranze che trovino qualcosa, ma almeno cominceremo a intensificare le pressioni.

– La nostra visita è stata già una bella strizzata.

– Davvero? Allora bisogna riconoscere che questi due reggono bene.

– Nessuno regge in eterno, ispettore.

– Come no, forse saremo noi a stancarci per primi.

– Questo mai!

– Non sia troppo ottimista. Ci vediamo in commissariato.

Mi domandavo come facesse Garzón a essere così sicuro di sé. Non ce n'era motivo. Ci trascinavamo da una vicenda squallida all'altra senza vedere l'ombra dell'assassino di Lucena e a sentir lui sembrava che il mondo fosse ai nostri piedi. Immerso com'era fino al collo nei suoi guai amorosi! Ma Garzón era inattaccabile, passeggiava col culo all'aria per il Paradiso Terrestre felicissimo di figurarvi come l'unico Adamo.

Seduta alla scrivania nel mio ufficio diedi un'occhiata ai conti di Pavía prima di passarli al dipartimento di economia. Nemmeno dopo un caffè e una sigaretta riuscii a capirci qualcosa. Che cosa andavo cercando? Corrispondenze con il secondo quaderno di Lucena? La sua percentuale poteva essere così generosa da permettergli di accumulare tanto denaro nel giro di un anno? Quanti cani poteva aver rubato quel disgraziato? Bussarono alla porta: un agente infilò la testa nell'ufficio.

– Ispettore Delicado, fuori c'è una signora che vuole parlarle.

– Una signora?

– Dice di chiamarsi Ángela Chamorro, e che la conosce.

– La faccia passare.

Prima o poi doveva succedere! Adesso la libraia mi avrebbe chiesto di intercedere presso il mio vice, o si sarebbe lamentata con me, da donna a donna, del suo comportamento scorretto, o avrebbe fatto una qualunque delle cose cui si riducono le donne innamorate quando vedono traballare il loro amore. Maledetto Garzón! Questa me l'avrebbe pagata. Se non avessi avuto le sbarre alla finestra sarei scappata di lì. Il consueto aspetto sereno di Ángela mi tranquillizzò un poco.

– Ángela! Hai abbandonato il negozio?

– Ho lasciato un attimo sola la commessa. Mi fermerò appena un momento, so che hai tante cose da fare.

Si sedette davanti a me raccogliendo la gonna a quadri verdi. La trovai un po' dimagrita.

– Ti porto un caffè?

– Non voglio disturbarti.

Uscii a prendere due caffè mentre cercavo di prepararmi al peggio. Quando tornai, Ángela mi ricevette con un sorriso triste. Girammo entrambe i cucchiaini in un'atmosfera venata d'imbarazzo e finalmente lei cominciò a parlare.

– A dire il vero ieri sono rimasta un po' turbata dopo la cena a casa di Fermín.

Il mio cuore diede un balzo. Finsi naturalezza e disorientamento.

– Perché?

– Non riesco a smettere di pensare al gran numero di cani da difesa che compare nella tua lista. È sproporzionato rispetto al numero di esemplari delle stesse razze censiti a Barcellona. Capisci che cosa voglio dire?

Capivo, francamente sollevata nel vedere che il motivo della visita era il nostro caso.

– Ci ho pensato e ripensato finché non ho messo in rapporto questo dato con quanto mi ha raccontato l'altro giorno il mio amico Josep Arnau. Arnau ha un allevamento di rottweiler nei dintorni di Manresa, isolato nella campagna, come lo sono di solito gli allevamenti. Dice che da un po' di tempo di notte gli rubano dei cani. Dei begli esemplari adulti che lui tiene per la riproduzione. Quel poveretto non ne può più, sono animali di grande valore.

– Ti sembra che questo possa avere a che fare con il nostro caso?

– Non ne ho idea, Petra, ma questo mio amico dice che anche altri allevatori si sono lamentati della stessa cosa. E tutti allevano razze da difesa! In fin dei conti voi state lavorando sui furti di cani, quindi ho pensato...

– È vero, ma il nostro punto di partenza è l'assassinio di Lucena, e non vedo quale rapporto potrebbe esserci fra gli allevatori e il morto.

Rimase lievemente sconcertata. Annuì.

– Sì, immagino tu abbia ragione. Voi di queste cose ve ne intendete. È stato sciocco da parte mia venire.

– No, no, assolutamente. Anzi, se mi dai l'indirizzo del tuo conoscente andrò a fare una chiacchierata con lui. Il fatto che si tratti di razze da difesa è una coincidenza curiosa e, per quanto possa apparire casuale, merita di essere approfondita.

Abbassò gli occhi con gratitudine.

– Be', deciderai tu che cosa conviene fare.

– L'idea di prendere in considerazione le razze dei cani invece della loro distribuzione per quartieri è stato un contributo interessante, Ángela, e ti assicuro che indagheremo in questo senso. Hai con te l'indirizzo di quell'allevatore o lo darai a Fermín?

– L'ho con me, non ero sicura di vedere Fermín

oggi... – Frugò nella borsetta e mi porse un foglio di carta. – Petra, per quanto riguarda Fermín...

Ecco, tutti i miei timori erano confermati, stavamo finalmente arrivando al vero motivo della visita.

– Sì?

– Be', tu sei al corrente del fatto che esce con un'altra donna, vero?

– Insomma, io...

– Non temere di svelare alcun segreto, io lo so. Lui stesso mi ha spiegato la situazione.

Mi accesi un'altra sigaretta senza rendermi conto che la prima era ancora a metà sul posacenere.

– L'ultima cosa che voglio è crearti dei problemi, ma so che conosci bene Fermín, che lavorate insieme da qualche tempo.

– Non è una conoscenza molto intima.

– Forse lo è abbastanza perché tu mi spieghi come mai fa una cosa del genere. Non riesco a capirlo, con me si comporta come un vero innamorato. Mi telefona, insiste per vedermi, mi copre di parole tenere... eppure, continua a uscire con quella Valentina senza nemmeno nascondermelo ormai, senza provare alcun rimorso, come se fosse la cosa più naturale del mondo.

– Sì, mi sono già accorta di questo comportamento.

– Come può prendere l'amore con tanta superficialità? Io, da quando è morto mio marito... ecco, io non mi ero più innamorata fino ad ora, Petra. Fermín è un uomo semplice, buono, divertente, pieno di vitalità, ma non riesco a capire cosa voglia da me, né posso abituarmi a questa maniera di vivere.

– Ti capisco benissimo, Ángela, davvero. Però mi piacerebbe farti capire che Fermín non si sta prendendo gioco di te. Ha un'età alla quale dovrebbe corrispondere una certa maturità; e infatti è maturo sotto molti aspetti, ma non nelle questioni amorose. Ha passato tutta la vita accanto a una donna che non amava, senza domandarsi in cosa potesse consistere l'amore. E adesso, quando meno se lo aspettava, saltano fuori due donne meravigliose nello stesso tempo. Non si pone nemmeno il problema, crede soltanto che tutto sia stupendo. Sta scoprendo il sentimento amoroso, e non sa ancora che cosa l'amore comporti. È molto probabile che non tarderà a rendersene conto, ma oggi come oggi non è in grado di dar retta a nient'altro che alle sue sensazioni.

Aveva ascoltato in completo raccoglimento. Assentì gravemente.

– Sì, capisco.

– Però, se vuoi, potrei dirgli che almeno...

Si tirò su di colpo e si fece scudo con le palme rivolte verso di me.

– No, per favore, ti prego di non dirgli niente. Ti supplico di non dirgli nemmeno che abbiamo parlato.

– Va bene.

Si alzò, mi tese la mano e si avviò verso la porta.

– Ángela!

Si voltò.

– Ti ringrazio di essere venuta. Quel che mi hai detto sul tuo amico allevatore è interessante, gli parlerò –. Sorrise con malinconia. – E, credimi, Fermín non è cattivo.

– Lo so, – sussurrò, e scomparve lasciandosi dietro una lieve scia di buon profumo francese.

No, Garzón non era cattivo, era semplicemente il più dannato figlio di puttana che avessi mai visto, e se lo avessi avuto fra i piedi in quel momento, gliene avrei dato solenne dimostrazione ficcandogli un bel calcio nelle palle. Il colmo! Dovermi trovare in una situazione simile per colpa sua! Drammi amorosi in commissariato! E me l'ero giustamente meritato, per essermi lasciata coinvolgere nelle sue tresche. Eppure, cosa diavolo avrei potuto fare per evitarlo? Le aveva conosciute tutte e due nel corso di quel maledetto caso. Ma ora basta, era inutile piangere sul latte versato, alla prima occasione dovevo far capire a Garzón che non avevo più nessuna intenzione di essere coinvolta nella sua tempestosa vita privata. Ripresi a guardare i conti indecifrabili che avevo sulla scrivania e mi sentii invadere da un omerico malumore. Decisi di informarmi se ci fossero novità riguardo alla caccia a Puig, più che altro per togliermi dall'ufficio, dove mi sentivo intrappolata come in una gabbia.

I giorni seguenti trascorsero nell'attesa dei risultati dell'ispezione contabile a Bel Can. Un uomo di Sangüesa si presentava tutte le mattine al negozio e passava la giornata intera a ficcanasare. Indagine e pressione psicologica nello stesso tempo. Era evidente che la presenza del perito e le nostre ricorrenti visite davano un gran fastidio ai Pavía, ma i loro segni di nervosismo, minimi, non facevano pensare di certo a una confessione imminente.

219

Da parte sua, Garzón aveva cominciato a convocare i clienti del negozio. La maggior parte di loro non aveva mai ritrovato il proprio cane; ma, a partire dal terzo giorno, alcuni assicurarono di aver fatto ricorso ai servizi di Rescat Dog con risultati positivi. Nessuno pensava che nelle procedure dell'agenzia vi fossero dettagli sospetti, tutto si era svolto in modo normale. Avevano pagato intorno alle centomila pesetas per il ritrovamento, e il prezzo non era parso loro eccessivo: la gioia di riabbracciare i loro animali era così intensa che sarebbero stati disposti a pagare perfino di più. Come avevano «perduto» il loro cane? In genere non ne avevano un'idea chiara: li avevano slegati un momento nel parco, li avevano lasciati in macchina mentre facevano la spesa al supermercato... Com'erano venuti a sapere dell'esistenza di Rescat Dog? Chi se ne ricordava affermò di aver trovato dei volantini pubblicitari nella buca. Una signora aveva ricevuto il suggerimento dal parrucchiere del proprio cane, il signor Pavía. Garzón aveva messo accuratamente a verbale tutte le testimonianze. Gli consigliai di non cantar vittoria, era difficile tirar fuori delle prove da quelle testimonianze, di lì non sarebbe mai venuto fuori niente di concreto sul vincolo Puig-Pavía. Io continuavo a confidare nel crollo psicologico del parrucchiere, che non avveniva.

Un pomeriggio in cui il mio collega ed io eravamo seduti tutti e due nel mio ufficio feci la seguente proposta: – Facciamoci una gita in campagna –. E visto che voleva a tutti costi delle spiegazioni, dovetti riassumergli sommariamente la visita di Ángela, le sue rifles-

sioni sui cani da difesa e la storia del suo amico allevatore. Garzón ci rimase secco. Che Ángela fosse venuta
a trovarmi senza dirglielo lo spiazzava completamente,
ma riuscì a trovare la forza di velare la sua reazione con
una patina professionale. – Mi sembra ridicolo immi-
schiare questo allevatore nel nostro caso –, disse, e io
sapevo che, a parte le scuse, era vero che non gli andava. Lui era contrario per principio ad aprire nuove li-
nee investigative quando ce n'erano altre in corso.

– Che cosa abbiamo da perdere? – replicai. – E
poi, le assicuro, sono stufa di aspettare, di spiare il
nervosismo di Pavía. Sono io che sto cominciando a
diventare isterica! E per di più Sangüesa e i suoi
uomini, lenti come lumache! Una settimana per dire
qualcosa su quella dannata contabilità, dalla quale mi
sa che non caveremo niente.

– Vuol dire che non ha nessuna fiducia in quello
che stiamo facendo?

– No, per niente.

– Però si fida di un presentimento di Ángela.

– È più di un presentimento, è un sospetto.

– Ha pensato alla possibilità che i sospetti di Ángela non siano completamente disinteressati?

– Che cosa intende dire?

– Be', immagino che ad Ángela piacerebbe molto
se ci accorgessimo di quanto è perspicace, di quanto
si prende a cuore il nostro lavoro.

– Vuol dire che sta cercando di farsi bella davanti
a lei?

– In un certo senso.

– Be', non ci avevo pensato, glielo assicuro, e nemmeno avevo pensato che esistessero individui tanto presuntuosi, fatui e meschini da poter trarre una simile conclusione.

– Ma ispettore!

– Che ispettore e ispettore! Lei mi ha immersa fino al collo nella sua vita privata e questo mi dà il diritto di avere un'opinione. E sa cosa le dico, Garzón? Che il suo atteggiamento da Dio dell'amore, sullo stile «lasciate che le bambine vengano a me» mi sembra patetico alla sua età! Dovrebbe rendersi conto una buona volta che le persone intorno a lei hanno un cuore e possono soffrire, ha capito?

– Le ha detto qualcosa quando è venuta qui?

– No, per quanto possa sembrarle incredibile, non mi ha parlato di lei. Si è limitata a offrirci la sua collaborazione di cittadina, questo è tutto.

Garzón si morse l'interno del labbro. Cercai di calmarmi un po', andai all'attaccapanni e presi la giacca.

– Ce ne andiamo, o preferisce rimanere qui?

Mi seguì mogio mogio. In macchina, più che arrabbiato, era pensoso. Gli chiesi di passarmi le sigarette che avevo nella borsa. Il pacchetto era ancora da aprire. Lo fece lui per me. Ne tirò fuori una e me la porse, mi diede da accendere cercando di non togliermi la visuale.

– Mi dispiace di averla sgridata, Fermín, mi scusi. Non ne ho alcun diritto e mi dispiace. Mi sono lasciata trascinare.

– No, va bene quel che mi ha detto. E ha ragione, oltretutto, ha ragione.

Proseguimmo il viaggio in silenzio. La gravità dei pensieri del viceispettore sembrava diffondersi nell'abitacolo. Guardai la campagna. L'inverno era finito e tutto era verde. Se non fossimo stati due poliziotti impegnati in un'indagine, la situazione avrebbe potuto apparire idilliaca. Ma lo eravamo, e il nostro caso era immerso nella quintessenza dello squallore. Che cosa ci facevo io in cerca di ladri di cani e assassini da due soldi mentre l'erba cresceva là fuori? Accesi la radio. Nemmeno un po' di musica classica che ingentilisse, seppur falsamente, la nostra cruda realtà. Un programma sportivo. Voci concitate denunciavano l'ingiustizia degli arbitri. Quello sì che si confaceva al livello della nostra vita. Tutto il tragitto fino a Santpedor lo trascorremmo accompagnati da rivendicazioni insulse.

L'allevamento di Josep Arnau era un grande rettangolo cintato, solitario in mezzo alla campagna. Aveva un vasto giardino interno circondato da file di canili affiancati. Una cinquantina di cani popolavano quei cubicoli. Non appena mettemmo piede all'interno del recinto, si sollevò una tale cagnara che dovemmo tapparci le orecchie. Rimasi impressionata dalla ferocia dimostrata da quegli animali. Cinquanta rottweiler, tutti insieme, tutti neri, tutti a mostrarci i denti da dietro le reti, davano vita a uno spettacolo inquietante. Sembrava inverosimile che qualcuno si fosse azzardato a entrare lì dentro per rubare una di quelle belve.

Arnau era stato informato della nostra visita e uscì per venirci incontro. Era un uomo asciutto e piccolo di statura, ansioso, tanto che veniva spontaneo chiedersi come fosse capace di mettere ordine fra quelle belve furibonde. A gesti, ci invitò a entrare nel suo piccolo ufficio. Una volta lì, fece megafono con le mani, e ci gridò: – In un paio di minuti si calmeranno!– Ci sedemmo tutti e tre in silenzio. Ne approfittai per dare uno sguardo alle pareti, piene di foto di cani e attestati di concorsi cinofili. Dopo due minuti esatti il fragore all'esterno cessò di colpo. Allora Arnau ci salutò e cominciò a parlare con una certa veemenza. Si lamentava dei furti; furti, a suo dire, strani. Non erano generalizzati, ma mirati. Mancava sempre soltanto un determinato cane, sempre maschio, quasi sempre giovane o adulto. Erano esemplari di pregio che aveva destinato alla riproduzione in virtù di predisposizioni naturali dimostrate fin dalla nascita. Gli sembrava strano che gli rubassero un solo cane alla volta e che in nessuna occasione si trattasse di un cucciolo. Aveva sempre diverse cucciolate quando erano entrati a rubare, come mai non le avevano toccate, se l'intenzione era quella di vendere i cani? Un cucciolo è decisamente più richiesto di un esemplare adulto. Ci guardò come se sperasse di trovare in noi le risposte a questi enigmi.

– Certo che è strano, signor Arnau, ma a me sembra ancora più strano che qualcuno sia stato capace di rubare uno di questi cani così aggressivi.

– Quelli che sono entrati sapevano come muoversi. Un buon conoscitore può farlo.

– Ci sono sistemi antifurto?

– Tutti i sistemi che funzionano all'aria aperta

224

sono complicati e molto cari. Oltretutto, in un luogo così isolato dubito che servano a qualcosa. Preferisco perdere un cane di tanto in tanto.

– Hanno fatto danni, entrando?

– No, sono dei professionisti.

– Hanno lasciato segni o impronte o...?

– Niente. E nemmeno dai miei colleghi.

– Colleghi?

– Non so se Ángela gliel'ha detto, ma in diversi altri allevamenti della provincia sono stati rubati dei cani, e con lo stesso sistema. Come saprete, nel mondo dei cani ci conosciamo tutti.

Garzón si lisciò il baffo col mignolo prima di parlare.

– Però senta, Arnau, a me continua a non tornare che questi ladri, per quanto bravi, entrino qui dentro e mettano fuori combattimento il suo cane da guardia. Non sarà che lo narcotizzano?

– No, l'ho portato dal veterinario per vedere se ci fossero tracce di farmaci nelle urine e non è mai saltato fuori niente.

– Allora, come diavolo fanno? A quanto ne so uno di questi cani, addestrato come si deve, attacca senza pensarci due volte.

Evidentemente il viceispettore aveva imparato molte cose negli ultimi tempi. Arnau si alzò e cominciò a camminare spasmodicamente su e giù per l'ufficio.

– Non creda che non me lo sia domandato anch'io, e alla fine sono giunto alla conclusione che esistono solo due modi per riuscirci. Uno, che i ladri vengano qui con una cagna in calore. Questo annullerebbe qualsiasi ordine... È un'ipotesi, un po' tirata per i capelli forse, ma non impossibile. Un'altra è che l'uomo o, meglio ancora, gli uomini che hanno scavalcato la recinzione, tenessero il mio cane in stato di allerta senza però dargli motivo di attaccare.

– E com'è possibile questo?

– Be', facendo movimenti lenti, calmi, insinuanti. Così uno dei ladri avrebbe potuto intrattenere il cane, lasciandolo abbaiare ma non mordere, mentre l'altro si sarebbe diretto verso le gabbie e avrebbe commesso il furto. Anche se, e lei mi scuserà, signora, ci vogliono un bel paio di palle per farlo.

– Io di certo non lo farei, – disse Garzón.

– Nemmeno io! – aggiunse subito Arnau per non lasciare solo il viceispettore sotto il peso di una così pesante allusione.

– È un grosso rischio, e tutto per rubare un solo cane. Perché non sparare a quello da guardia, invece?

– Probabilmente non hanno armi da fuoco, e poi a loro non conviene. Se lo facessero, la polizia prenderebbe sul serio la faccenda e finirebbe la pacchia.

– Ha denunciato qualche volta i furti? – intervenni.

– All'inizio sì, ma vista la serietà con cui veniva presa la cosa... Voi pensate di fare delle indagini?

– Stiamo indagando sull'assassinio di quest'uomo, signor Arnau, lo conosce?

Rimase a guardare la foto di Lucena con occhi sbarrati.

– No, chi è?

– Un ladro di cani che è stato ammazzato a forza di botte.

– Perbacco! Non credevo che le cose fossero arrivate a questo punto.

– Già.

Facemmo il gesto di andarcene.

– Un momento! Dobbiamo salutarci qui. Una volta in giardino non ci sarà più modo di sentirci.

Nel viaggio di ritorno Garzón aveva un diavolo per capello.

– Abbiamo localizzato due indiziati grossi come una casa e adesso l'unica cosa che le viene in mente è andare a far visita agli allevatori in giro per la campagna. A volte non la capisco, ispettore, sembra che ci prenda gusto a perdere tempo con delle sciocchezze.

Sorrisi ironicamente. Ero stanca, non avevo voglia di discutere.

– Forse ha ragione, non sono all'altezza di fare cose più importanti.

– Io non volevo dire questo!

– Lo so, Garzón, lo so. Beviamo qualcosa quando arriviamo a Barcellona?

Si agitò sul sedile, a disagio.

– Mi rincresce, ma devo andare a cena fuori.

– Da quando lei è diventato un casanova impenitente non c'è modo di approfondire il rapporto di lavoro.

– Mi lasci stare, Petra, mi lasci stare, – disse come un bambino colto in fallo, e si mise a guardare dal finestrino, dal quale ormai non si vedeva altro che buio.

Quando l'ispettore Sangüesa ci diede i risultati della perizia contabile su Bel Can, fummo invasi dallo sconforto. Se vi erano state grandi entrate e uscite di denaro irregolari, non ne rimaneva traccia. Tutto faceva pensare che il denaro sporco fosse stato coscienziosamente riciclato. C'erano, a dire il vero, delle cifre non giustificate che effettivamente coincidevano con quelle di Lucena. Ma con questo si poteva provare ben poco. Ignoro che cosa si fosse aspettato Garzón, senz'altro più di me, perché andò in bestia quando capì che nemmeno tutti quei numeri avrebbero sbloccato la situazione. Era indignato.

– Mi dica lei come cazzo facciamo ad accusare qualcuno di omicidio con questa merda di prove!

– Cercheremo di aumentare le pressioni su Pavía facendo leva su queste piccole cifre vaganti.

– Lei lo sa perfettamente che questa è tutta carta straccia, ispettore.

– Non sarebbe la prima volta che una somma di indizi non determinanti è sufficiente per inchiodare degli indiziati, o almeno per spingerli a una confessione.

– Quel bastardo di Pavía se ne frega delle pressioni psicologiche. Sono giorni che gli piombiamo in negozio, lo tartassiamo di domande, gli chiediamo documenti, gli spacchiamo i coglioni in tutti i modi, e cosa ne abbiamo ottenuto? Niente, eccolo lì, bello come un sole.

– Era lei a dire che eravamo a buon punto!

– E non credo di essermi sbagliato! Solo che quel-

lo là ha bisogno di altre pressioni oltre a quelle psicologiche.

– Che cosa propone, un pestaggio?

– Sarebbe un'idea.

– Non sia zotico, Garzón, nemmeno questa sarebbe una soluzione.

Brontolò sottovoce per un bel po' mentre io cercavo di non dargli retta, ma senza dubbio aveva ragione. Ormai, se né Pavía né sua moglie avevano cantato, le possibilità che lo facessero si affievolivano di
giorno in giorno. Si sarebbero sentiti sempre più al sicuro, convinti che avessimo le mani legate malgrado il
sospetto della loro colpevolezza. E, per di più, quel
sospetto non aveva ancora preso la forma di un'ipotesi chiara. Chi aveva ammazzato Lucena? Puig, Pavía,
o tutti e due? O forse nessuno dei due? E quel mucchio di milioni nascosto in casa di Lucena? Quei soldi continuavano a essere un tocco fuori posto in un
quadro quasi terminato. Però non potevamo permet-
terci il lusso di aggiungere nuovi interrogativi. Dovevamo lavorare con quello che avevamo, sicché decisi
di fare l'ultimo tentativo di intimidazione convocan-
do Pavía nel mio ufficio.

In genere si pensa ai piloti d'aereo o ai giocatori di
poker quando ci si riferisce a tipi con i nervi d'acciaio.
Dopo l'interrogatorio di Pavía, sarebbe stato necessario aggiungere alla lista i parrucchieri per cani. Non ci
fu modo di farlo vacillare. Resistette. Resistette alle
domande intorno alle piccole somme non giustificate,
e resistette quando gli dissi che alcuni dei suoi clienti

avevano ricevuto da lui il consiglio di rivolgersi a Rescat Dog.

– Caspita! – esclamò. – E questo la sorprende? Tengo i volantini pubblicitari dell'agenzia appesi in bacheca. Come ne ho di gruppi teatrali, di feste di laurea, di chiunque mi chieda di esporre un annuncio gratuito. Non se ne era accorta?

Esultava di soddisfazione mal dissimulata e di tracotanza. Si sentiva liberato. Era sicuro che non sapessimo niente e che non potessimo incolparlo. Passò all'attacco.

– Non vi siete ancora tolti dalla testa l'idea di accusarmi di omicidio?

– Naturalmente no, così come siamo convinti che lei sia implicato in un'organizzazione dedita al sequestro di cani.

Gli venne una crisi di riso. Le sue sghignazzate fasulle lo facevano sussultare come scariche elettriche. Lo osservai senza cambiare espressione. Garzón vibrava, nervoso, al mio fianco.

– Mi scusi, ispettore, ma è così divertente! E mi dica, come li sequestriamo i cani, che cosa ne facciamo? Mandiamo ai padroni un ciuffo di pelo, o li fotografiamo accanto al giornale uscito quel giorno per far vedere che stanno bene? No, meglio ancora, telefoniamo ai padroni e facciamo abbaiare il cane al ricevitore.

Continuò a ridere come un pazzo. Garzón si alzò di colpo e si diresse verso di lui con l'energia di un bufalo.

– Senta, pezzo di merda, le giuro che quando la pesco da solo, la voglia di ridere gliela tolgo io finché campa.

Ebbi appena il tempo di alzarmi e trattenerlo per un braccio. Vedevo già il suo grosso pugno stampato sul naso di Pavía. Questi si spaventò davvero, ma riuscì a ricomporsi subito.

– Ispettore, non sono un ragazzino, non sono disposto a tollerare abusi. Mi rivolgerò alle autorità competenti. Posso andarmene, adesso?

– Sì, vada pure, signor Pavía, e non dubiti che rimarremo in contatto.

Garzón era ancora su di giri quando l'indiziato uscì. Mi guardò quasi con odio.

– Come ha potuto permettere che quel damerino, quel figlio di puttana di un tosacani ci prendesse per il culo? Perché non mi ha lasciato intervenire?

– Intervenire? Ma non si rende conto, Garzón? Quel tosacani come lei dice è consigliato da un avvocato. Sa benissimo che non abbiamo prove sufficienti per accusarlo. Che cosa vuole, mettersi nei casini solo per il gusto di prenderlo a sberle?

Mollò un pugno alla sedia lasciata vuota da Pavía.

– Merda! Lei non sa che voglia ne avrei.

– E allora si trattenga.

– Siamo bloccati, ispettore; è lei che non si rende conto. Se questo stronzo non confessa non ne veniamo più a capo.

– Si calmi! Qualcosa succederà.

Si diresse verso l'attaccapanni e prese il suo cencioso impermeabile.

– Andiamo a bere qualcosa, ne ho i coglioni pieni di questa storia.

– Mi spiace, Fermín, ma stavolta sono io che ho un appuntamento.

– Un appuntamento?

– Sì, anch'io ne ho il diritto, non le pare?

Se ne andò ancora furibondo. Con l'impermeabile spiegazzato e la faccia corrucciata sembrava un pacco postale dopo un viaggio di mille chilometri in un sacco. Le famose incazzature di Garzón! Se era altrettanto focoso in amore, capivo il suo successo con le donne. Raccolsi le carte sul tavolo e me ne andai. Basta così per il momento, non sarebbe stato prudente fare tardi all'appuntamento.

Monturiol mi stava aspettando davanti casa, al volante del suo furgone pubblicitario, da bravo commerciante. Lo trovai forse meno attraente nella cornice della vita quotidiana. Entrando, nel vedere che la donna di servizio aveva lasciato tutto pulito e in ordine, ebbi uno slancio di adorazione per lei. Anche Spavento avrebbe superato senza problemi un'ispezione del KGB, e la cena splendeva nel microonde come un diadema medievale. Non mi restava nient'altro da fare che mostrarmi seducente e affascinante con il mio prestante ospite, così mi misi all'opera e servii un paio di bicchieri che ci aiutassero a rompere il ghiaccio. Sorrisi, consapevole di un sensuale batter di ciglia che avevo imparato a eseguire durante la mia gioventù. Anche Monturiol sorrise, e contro ogni pronostico attendibile in quella situazione, esclamò:

– Ti domanderai come sia stata la mia vita sentimentale fino adesso.

– No, – sorrisi, nel disperato tentativo di mettere
un punto fermo alla sua pericolosa domanda, che
speravo retorica.

– È discreto da parte tua dirlo, ma so che non è così.

Fu inutile: qualunque sforzo da parte mia era destinato a fallire a priori. Juan Monturiol stava commet-
tendo l'irrimediabile errore di avventurarsi sulla scivo-
losa china delle confidenze. Un simile passo falso può
essere paragonato soltanto, in area femminile, a quello
di una donna che decidesse di presentarsi al suo amante con il vestito della prima comunione. Non c'è niente che uccida più rapidamente il desiderio che il resoconto dettagliato di matrimoni sfortunati da parte di
un corteggiatore. Ma lo ascoltai. Che diavolo potevo
fare se non ascoltarlo? Lo ascoltai durante l'aperitivo,
e durante la cena, e lo stavo ancora ascoltando quando,
ormai rassegnata, servii il caffè. Monturiol mi raccontò
tutta la storia. Un primo matrimonio con una bellissi-
ma insegnante di liceo che si era lasciata progressivamente catturare da astruse discipline orientali. Nella
trama erano presenti tutti gli elementi di rito: il pro-
gressivo allontanamento, l'assenza di comunicazione,
gli obiettivi divergenti... Poi veniva il fattaccio: l'ex
moglie era scappata con una specie di buddhista assai
trascurato nella persona. E dopo il fattaccio sorgeva il
vero interrogativo cosmico e umiliante: come fa lei a
stare meglio vendendo collanine sulle Ramblas con
quello là, piuttosto che in una casa tranquilla con me?

La seconda moglie era stata un colpo di fulmine. Una giovane divorziata con una figlia di tre anni. Amore a prima vista e decisione di sposarsi a richiesta di lei. Tutto perfetto: bambina, cani, colazioni a letto la domenica mattina... una cartolina di Natale. Finché dopo due anni, senza che fossero intercorsi segni di declino, lei un bel giorno gli si presenta in lacrime dicendo che pensa di tornare con l'ex marito. Stupore, indignazione, ma soprattutto curiosità: perché tornare insieme a uno con cui hai litigato telefonicamente per quattro anni con i più futili pretesti? Risposta da restarci secchi: si è resa conto che non tutto è perduto e che la cosa migliore per la bambina è tornare ad avere una famiglia normale.

– Tu ci capisci qualcosa? – mi chiese Juan. – Capisci perché le donne scappano tutte da me?

Io ero già al mio quinto whisky di sopravvivenza e fui sul punto di rispondergli con sincerità, ma un ultimo barlume di buon senso mi fece seguire il sentiero già tracciato.

– Non dovresti tormentarti per questo, Juan, – cantilenai con voce impastata, al che lui sfoderò l'ultimo luogo comune:

– Ci provo, ma alla fine mi chiedo sempre se la colpa stia in me.

Tutte le storie sentimentali sono la stessa da quando William Shakespeare ha smesso di scrivere; e così, quando voglio immergermi in laghi amorosi, mi rileggo una delle sue tragedie e finito lì. Ma questa è una cosa che nessun uomo potrà mai capire: loro si ostinano a inventare cento volte l'acqua calda, a sentirsi sempre i primi, come Amundsen imbacuccato nella sua pelliccia da eschimese.

– Vuoi che andiamo a letto? – gli domandai, come unica via di scampo ancora praticabile.

Accettò, ma la cosa non funzionò troppo bene, perché lui era ancora troppo preso dalle sue passate sventure e io avevo la testa piena di confidenze e di alcol. Come se non bastasse, alle sette del mattino suonò il telefono, svegliandomi di soprassalto.

– Ispettore? – udii la voce di Garzón, nitida come il cinguettio di un uccello mattiniero.

– Garzón! Che diavolo c'è?

– Ho una buona notizia da darle, ispettore. Pavía ha confessato.

– Cosa?!

– Proprio così. Sono riuscito a farlo confessare.

– Che cosa dice? Cos'è successo? Cosa diavolo gli ha fatto?

– Stia tranquilla, non gli ho torto un capello, non mi sono nemmeno avvicinato. Solo metodi psicologici, come piace a lei.

– Voglio sapere dov'è e cos'è successo.

– Non si scaldi, Petra. Sono al commissariato e tutto va bene.

– Ha confessato di aver ammazzato Lucena?

– No, quello no. Anzi, giura che lui non è stato.

– E allora?

– È meglio che venga subito, ispettore. Pavía è pronto a firmare la sua deposizione. I particolari glieli spiego poi.

Credevo che Juan dormisse, ma quando riattaccai le sue braccia mi attanagliarono e sentii una filza di baci scendermi lungo la spina dorsale.

– Mi dispiace, Juan, ma ora devo andare.

– Adesso?

– Forse abbiamo preso l'assassino di Lucena.

– Be', se l'avete preso non si muoverà di lì, dài, rimani ancora cinque minuti...

Saltai giù dal letto, infastidita da quella mancanza di serietà. Finii di vestirmi in cucina e mi preparai un affrettato caffè. Mentre guidavo alla volta del commissariato sentivo il battito del mio cuore accelerato dal doposbronza e dall'ansia. Metodi psicologici! Va' a sapere cosa intendeva Garzón per «metodi psicologici». Come minimo l'avrei trovato spellato vivo, il parrucchiere, reduce da tutti i supplizi dell'Inquisizione.

Eppure, proprio come il viceispettore mi aveva giurato, Pavía era incolume. Fisicamente incolume, voglio dire, perché in realtà aveva i nervi completamente a pezzi. Dopo le spiegazioni del mio collega, capii che quelli che secondo lui erano metodi psicologici consistevano in una vera e propria tortura mentale. Garzón, quella bestia di Garzón, aveva aspettato Pavía alla chiusura di Bel Can. Mentre stava tirando giù la saracinesca del negozio, l'aveva avvicinato e gli aveva chiesto di seguirlo fino alla macchina. Una volta lì, l'aveva fatto salire a bordo e l'aveva portato in un posto isolato. Ma come aveva fatto il viceispettore a convincere un uomo sicuro di sé, probabilmente assistito da un avvocato, e in definitiva per niente stupido, a piegarsi docilmente a una richiesta che aveva tutta l'aria di essere assolutamente irregolare? Facile, Garzón non era solo. Al suo fianco, legata al suo polso da un guinzaglio corto, ringhiava minacciosamente Morgana, il cane di Valentina Cortés.

– Dio santo! – esclamai.

– Mi lasci finire, Petra, non corra. Io so come trattare Morgana, Valentina me lo ha insegnato. Non c'era nessun pericolo che il cane mi sfuggisse di mano.

Per ascoltare il resto dovetti trattenermi stringendo i denti, i pugni e tutti i muscoli del mio corpo.

– All'inizio, e per far vedere a Pavía che il cane non me l'ero portato tanto per figura, le diedi una serie di comandi cui lei obbedì all'istante. «Vedi, Pavía...» gli feci, «basta che io glielo dica e questa bestiaccia ti salta al collo e ti taglia la giugulare. Proprio così, di netto. Poi vediamo come si fa a scoprire chi è stato ad ammazzarti». Resistette ancora un po' senza rispondere, nervoso ma fermo. Allora gridai a Morgana: «Gib laut!» che vuol dire: «Abbaia!». Il cane rivolse all'indiziato un latrato basso, preciso, esatto. Pavía cominciò a cadere in preda al panico. Fu il momento in cui le dissi con tutte le mie forze: «Voran!» che significa: «Avanti!». Ah, se avesse visto com'è stata brava! Gli si è buttata addosso, e mentre io la trattenevo con uno sforzo tremendo, ringhiava, sbavava, dava morsi nell'aria. E così l'indiziato è crollato del tutto e mi ha supplicato di richiamare il cane. Era disposto a parlare.

– L'indiziato! La smetta di chiamarlo indiziato, lo chiami il martire, la vittima, piuttosto. Ma come le è venuto in mente di fare una cosa simile? Non sa che le confessioni ottenute sotto coazione poliziesca non sono valide?

– E invece no! Pavía ha capito la situazione ed è pronto a sputare il rospo. Dice che quello che ha fatto non è abbastanza grave per finire in galera vita natural durante. Si è reso conto dell'importanza del caso quando ha visto fino a che punto ero disposto ad arrivare. Morgana l'ha riportato alla realtà. E allora io le ho gridato: «Aus!» che vuol dire: «Basta!» e lei si è calmata immediatamente.

– La smetta di gridare in tedesco come un dannato nazista! E così ha capito la situazione, eh? Appena Pavía avrà davanti il suo avvocato le pioverà addosso un ricorso da farla esonerare dal servizio. Ma non si rende conto?

– Vedrà che non succede niente. L'avvocato capirà che abbiamo scoperto la colpevolezza del suo cliente, ne dedurrà che possono venirgliene delle rogne e che la cosa migliore per lui è non vedersi coinvolto in un'accusa di omicidio.

Mi sedetti. Mi passai le mani sulla faccia.

– È stato un errore, Garzón, e un'imprudenza.

– Ne avevo le palle piene di essere preso per i fondelli da quel bellimbusto! Adesso gli è passata la voglia di ridere, glielo garantisco.

– Vediamo chi ride per ultimo.

– Non le interessa sapere che cosa mi ha raccontato Pavía?

Assentii gravemente, cercando di farmi forza.

– Ascolti, Petra: tutte le nostre supposizioni erano esatte. Puig e Pavía sono complici. Avevano assoldato Lucena, e gli davano di tanto in tanto dalle trenta alle cinquantamila pesetas per rubare i cani che il parrucchiere indicava. Questo coincide con le cifre del secondo quaderno di Lucena, si rende conto? Pavía dice che non era l'unica fonte di informazioni per Rescat Dog. Puig aveva altri referenti strategici. In più, loro due insieme collaboravano in un altro traffico, qualcosa che aveva a che fare con il riciclaggio di denaro sporco.

– E la morte di Lucena?

– Lui giura e spergiura di non averlo ucciso. E nemmeno accusa Puig di averlo fatto. Dice che Lucena non si faceva più vedere da un anno. Era stato lui stesso a darci un taglio, convinto che la sua faccia ormai fosse troppo conosciuta e che quel lavoro per lui cominciasse a diventare pericoloso. Era passato a qualcos'altro.

– Che cosa?

– Non lo sa.

– Naturalmente, non lo sa.

– Io credo che non stia mentendo, ispettore. Magari è vero che non l'hanno più visto, è già successo una volta. E poi Pavía era in un tale panico che mi è parso sincero.

– Certo che era sincero! Di fronte a una belva di sessanta chili con le fauci insanguinate... Avrebbe confessato anche l'assassinio di Kennedy pur di togliersela di davanti!

– Appunto! E allora perché non ha voluto riconoscere a nessun costo di aver ucciso Lucena?

– Vuole dire che ha continuato ad aizzargli il cane
contro anche dopo che aveva confessato?

– Non aveva confessato la cosa più importante!

– Lei è peggio di Nerone, peggio di Nerone e
Caligola messi insieme.

– Sarò peggio di chi le pare, ispettore, ma grazie a
me abbiamo sbloccato il caso.

– Certo, sempre che non la buttino fuori dalla
polizia, come forse meriterebbe.

Interrogai io stessa Pavía. Era ancora pallido come un
morto. Ripeté punto per punto tutta la confessione resa al mio vice. Negò categoricamente di aver commesso l'omicidio di Lucena, che lui e Puig conoscevano solo con il soprannome di Retaco. Era da un anno che non
lo vedevano. Di Puig, il suo complice, disse che era implicato in un mucchio di traffici fraudolenti con cui lui
non aveva niente a che fare. E nemmeno sapeva quale
fosse stata l'occupazione di Lucena durante quello che
si era rivelato l'ultimo anno della sua vita.

La storia si ripeteva in modo inquietante, perché se
perdevamo le tracce di Lucena, che cosa ci rimaneva
in mano? Niente! Un nuovo squallido imbroglio di
truffatori e rubacani. A meno che la confessione di
Pavía fosse incompleta e che non avesse voluto ammettere di aver ammazzato Lucena nemmeno sotto la
minaccia di un cane rabbioso. Il caso non era così
sbloccato come pensava Garzón. C'era un unico sistema per verificare con una certa sicurezza se Pavía

stesse dicendo la verità, ma era complicato da mettere in atto e dai risultati incerti. Comunque fosse, lo
proposi al viceispettore e lui fu d'accordo. Non avevamo molto da scegliere.

Due giorni dopo, proponemmo un patto all'avvocato di Pavía. Era semplicissimo, se Pavía acconsen-
tiva a fare una telefonata a Puig (eravamo convinti
che sapesse dove trovarlo), il suo cliente non sarebbe
stato accusato di niente fino alla cattura del secondo
indiziato. Questo gli avrebbe risparmiato un bel po'
di giorni di carcere. Se davvero Pavía era innocente,
la verità sarebbe venuta fuori dalla deposizione di
Puig, e su di lui non sarebbe ricaduta l'accusa di
omicidio. La seconda parte del piano era scontata:
Pavía avrebbe proposto a Puig di saldare i conti
rimasti in sospeso, gli avrebbe dato un appuntamento in un posto tranquillo e lì noi l'avremmo cattura-
to. Poi avremmo potuto interrogarlo e verificare che
la sua versione non contraddicesse quella del suo
complice. Immaginavamo che Puig non potesse dire
di no a un simile appuntamento, dato che il denaro
era, nelle sue condizioni di latitante, troppo importante per essere disprezzato.

L'avvocato accettò. Nemmeno lui aveva grandi possibilità, e il fatto che il suo cliente non fosse accusato
di omicidio sembrava importargli molto. Bisognava
vedere se Pavía aveva un numero di telefono per lo-
calizzare Puig. E naturalmente, l'aveva. Che il controllo sui suoi telefoni non avesse rilevato alcun tentativo da parte del truffatore di mettersi in contatto

con lui lo dimostrava. Certo che, se i due avevano potuto parlarsi in qualunque momento, l'eventuale dichiarazione di Puig avrebbe perso gran parte della sua validità. Forse si erano messi d'accordo su una versione comune dei fatti. In ogni caso, l'interrogatorio di Puig mi sembrava fondamentale, e così sembrava anche a Garzón.

Gettammo l'esca. La preda non poteva tardare ad abboccare. Giurai al mio vice che se questa volta la pista di Lucena si fosse di nuovo insabbiata, avrei fatto domanda per entrare nell'ordine delle Carmelitane Scalze. Lui si dimostrò solidale e disse che l'avrebbe fatta anche lui, ma ai Frati Trappisti. Confidavamo nel fatto che i nostri rispettivi priori ci avrebbero concesso di tanto in tanto di centellinare insieme un bicchierino di elisir digestivo.

8

Pavía diede appuntamento a Puig in un bar di Casteldefells, per le dieci di un mercoledì mattina. Due agenti si piazzarono nel locale in tuta da operaio. Dato che Puig ci conosceva, Garzón ed io aspettammo in macchina, a qualche isolato di distanza. Alle dieci e ventitré vedemmo arrivare i nostri due uomini con Puig in mezzo, ammanettato. Non era agitato né collerico, ci salutò perfino, come se ci fossimo incontrati per caso. La preda era caduta in trappola spontaneamente.

Lo interrogammo in commissariato per due o tre ore. Per nostra disgrazia, confermò parola per parola la versione di Pavía. Lucena aveva smesso di lavorare per loro un anno prima, per motivi di sicurezza e perché pensava di mettersi a fare qualcos'altro. Che cosa? Non ne aveva la minima idea, Retaco non dava mai troppa confidenza. Nemmeno per un attimo quello strano truffatore fu tentato di scaricare sul complice la morte del rubacani. Supposi che se davvero si erano sporcati le mani, uno dei due doveva avere la coda di paglia. E molto più che la coda, dati i logici desideri di vendetta che Puig doveva nutrire in quel momento, vedendosi arrestato con la connivenza di

243

Pavía. Ma non lo accusò. E di lì non si mosse. Lo minacciammo di incolpare lui solo della morte di Lucena. Era spaventato ma non cambiò la sua versione. Tutto lasciava intendere che, in effetti, non stesse mentendo. Per il momento accantonammo l'idea di un confronto, anche se restava sempre la possibilità che si fossero messi d'accordo per telefono. Improbabile: dal momento che Pavía l'aveva tradito, ogni accordo preventivo doveva essere caduto in proscrizione.

Con infinita pazienza continuai a interrogarlo sul possibile destino di Lucena una volta cessata l'attività di sequestratore di cani. Garzón seguiva i miei sforzi con scetticismo: se fosse dipeso da lui, gli avrebbe aizzato contro un'intera muta di rottweiler invece di dargli nuove opportunità per discolparsi. Mi resi conto che Puig cominciava a essere sorpreso del mio interessamento ai passi successivi di Lucena. Capì che per la parte che lo riguardava l'avremmo lasciato in pace. Questo cambiava il suo copione. Cominciò a sforzarsi di ricordare qualche particolare che ci mettesse sulla pista. Alla fine ci fornì un'informazione, nella speranza che potesse tornarci utile in qualche modo.

– Quando lo salutai... – disse, – gli augurai che tutto gli andasse bene. Non mi disse cosa intendeva fare, né a me importava saperlo, ma ricordo che osservò: «I guadagni non sono mai assicurati, ma per lo meno ci guadagnerò in salute, me ne vado in campagna...».

– Questo è tutto?

– Glielo assicuro! Poi non l'ho più visto. Non sapevo nemmeno che fosse morto.

– Che ne è stato della sua segretaria? – domandò Garzón.

– Quando siete arrivati a me l'ho licenziata, ma non sa niente.

– Dove abita?

– Non lo so.

– E il suo numero di telefono?

– Non me l'ha mai dato.

Da quella faccenda non avremmo cavato niente di più. La passammo al pubblico ministero che avrebbe individuato gli estremi di reato e avrebbe continuato l'indagine sul possibile riciclaggio di denaro. Garzón dava di matto.

– Non può essere, ispettore, non può essere che siamo di nuovo al punto di prima! È un incubo, non le è mai capitato di avere uno di quegli incubi in cui c'è un toro che la insegue e lei, per quanto corra, ha sempre i piedi piantati nello stesso posto?

Adesso toccava a me infondere coraggio e buoni propositi, anche se non ne avevo un briciolo di voglia.

– Non siamo allo stesso punto, Garzón, siamo arrivati in fondo alle piste dei due quaderni.

– Ma adesso non ce ne sono altre di piste, Petra, né di quaderni. Risolto il quaderno numero uno, risolto il quaderno numero due, e manco l'ombra di un'idea di come Lucena abbia messo insieme tutti quei soldi. Non abbiamo più nessun appiglio e continuiamo a non sapere chi cazzo ha fatto fuori quel balordo.

– Abbiamo ricostruito due anni della sua vita, e ora non ci resta che fare lo stesso con l'ultimo.

– Come se fosse facile! Non abbiamo altre strade, ispettore. Se quei figli di buona donna hanno detto la verità il caso è fottuto. Possiamo cominciare a prepararci per il convento.

– Viceispettore, ce l'ha qui il numero di telefono di Valentina?

– Come?

– Dovrebbe chiamarla e chiederle di venirci a trovare. Credo che possa aiutarci, con tutte le cose che sa.

L'avevo colto alla sprovvista, ma la semplice menzione di una delle sue innamorate bastò perché non facesse domande.

Valentina Cortés era come sempre: straripante, bella e piena di vita. Si sarebbe detto che a lei il triangolo amoroso non pesasse per niente. Mi ascoltò spalancando i suoi enormi occhi chiari, distogliendoli da me solo per lanciare a Garzón sguardi pieni d'affetto. Sul suo petto palpitava il cuoricino d'oro.

– Allevatori di cani da difesa? Sì, sono tutti fuori città. Certo che ne conosco! Almeno quelli della cintura di Barcellona. Mi capita di lavorare con loro, voglio dire che mi portano dei cani da addestrare. Alcuni non li conosco personalmente, ma ho gli indirizzi e i numeri di telefono di tutti gli allevamenti. Fa parte della mia professione.

– E cosa pensi che potesse combinare Lucena nel mondo degli allevatori?

Gettò all'indietro i capelli biondi con un'energica scrollata.

– A dire il vero, è strano che potesse combinare

qualcosa. Un poveraccio come quello, un semplice ladro di cani... Gli allevatori da difesa sono gente che guadagna bene. I cani che vendono valgono un capitale, e quando un allevamento comincia ad avere una certa fama, la gente arriva da tutte le parti per comprare. Perché uno di loro avrebbe dovuto dare lavoro a un ladruncolo come Lucena?

Il ragionamento non faceva una piega.

– Magari rubava cani in città e li rivendeva agli allevatori.

– Ma Petra, gli allevatori trattano solo cuccioli o cani molto giovani! Non vedo che cosa potessero farsene di un cane rubato di cui non si sa neanche l'età.

– Ti ricordo che stiamo facendo l'ipotesi di un allevatore senza troppi scrupoli.

– No, non è possibile, sono tutti professionisti seri. Non è gente che compra un paio di cani e poi li accoppia nel giardino di casa. Gli allevatori professionali devono ottenere un riconoscimento ufficiale, una specie di denominazione d'origine controllata. Solo dopo molti incroci, cure e selezioni ottengono esemplari della qualità desiderata. Il prestigio conta moltissimo per loro. Credi che se lo giocherebbero vendendo cani rubati?

– Magari Lucena derubava gli allevatori e vendeva i cani da un'altra parte.

Si passò una mano nella folta criniera con un'espressione di incredulità.

– Non ci vedo chiaro. Non capisco che nesso possa esserci fra Lucena e degli allevatori. Come mai vi è venuto in mente di muovervi in questa direzione?

– Un testimone dice che negli ultimi tempi Lucena aveva una nuova attività in campagna, – rispose Garzón.

Lei alzò le spalle come una bambina.

– Valentina, tu potresti darci una lista di tutti gli allevatori di cani da difesa presenti nella provincia?

– Credo di sì.

Garzón mi guardò con diffidenza.

– Non le passerà mica per la testa di andare a vederli tutti, vero, ispettore?

– È proprio quello che penso di fare.

– Sulla base di cosa? Di una vaga indicazione?

– Le sembra assurdo provarci?

– Non lo so.

– Ci stavamo muovendo in questa direzione anche prima di questa testimonianza, e ora continueremo. Vedremo a quanti allevatori sono spariti dei cani, e seguiremo le tracce lasciate dai furti. Quando pensi di aver pronta questa lista, Valentina?

– Domani stesso. Ma, e se ne lasciassi fuori qualcuno?

– Non ti preoccupare, chiederemo alla Società Cinofila che verifichino la tua lista e la completino. Loro devono averli per forza questi dati.

Bene, l'impossibilità di risolvere il caso di Lucena ci aveva permesso di far luce su altri reati di minore importanza. Non era un brutto segno. Eravamo usciti a caccia di cinghiali e ce ne tornavamo a casa con il cestello pieno di lumache. Comunque fosse, non ci presentavamo a mani vuote davanti ai nostri superiori. Se ci avessero affidato un altro paio di omicidi, avremmo ripulito a dovere la città dalla più marginale delinquenza. Ci avrebbero promossi per quell'insperato successo, o ci avrebbero buttati fuori dalla squadra omicidi? Non sarebbe stato esatto dire che il mio umore tollerava bene la frustrazione, ma si sarebbe potuto precisare che mi ero abituata a camminare senza arrivare mai alla meta. Eravamo impantanati in quel dannato caso da tanto di quel tempo che seguire tracce di Ignacio Lucena Pastor era diventata la nostra occupazione abituale, come quella di chi si siede ogni mattina alla scrivania in una agenzia di assicurazioni. Eppure, in tutti quei mesi di sterili indagini Garzón aveva trovato l'amore, anzi due, io mi ero rimorchiata un veterinario ed ero entrata a far parte del club dei proprietari di cani. Che cosa si poteva chiedere di più? Eravamo come una grande famiglia, e Lucena era come il babbo morto che, sempre presente nel ricordo, unisce dall'Aldilà le sue creature viventi. Avremmo potuto continuare così per il resto dei nostri giorni, tanto più che l'insieme aveva un'aria di transitorietà che ci liberava da qualsiasi angoscia: Garzón non si decideva per nessuna delle due «ragazze», la mia storia continuava a stare per aria, il caso non si risolveva e Spavento viveva con me in via del tutto provvisoria. Non c'era spazio per la disperazione.

Il giorno dopo Valentina ci fece arrivare la lista che le avevamo chiesto. Conteneva un nome in più di quella fornitaci dalla Società Cinofila. Garzón ed io ci sedemmo a esaminare i dati. Lui non aveva nessuna fiducia nella linea investigativa che stavamo per adottare. Era inutile mettergli davanti la concatenazione di indizi che a me pareva significativa: statistiche che attestavano il diffondersi dei furti di cani da difesa, allevatori da difesa che a loro volta denunciavano furti, allevamenti in campagna, la dichiarazione di Lucena che la sua nuova attività si sarebbe svolta in campagna. Un bel malloppo che salta fuori all'improvviso in casa sua. Era un sillogismo ben concatenato. Tutti gli uomini sono mortali, Socrate è un uomo, ergo Socrate è mortale. Ma erano possibili anche altre varianti. Tutti i cani sono mortali, Socrate è mortale, ergo, Socrate è un cane. Era meglio che non tentassi certi giochetti di logica con Garzón. Lui non faceva che sottolineare la debolezza della mia ipotesi. E io rispondevo illustrandogli la crescita «professionale» di Lucena. Aveva fatto carriera. All'inizio rubava cani randagi, poi cani di razza. Era logico pensare che in seguito si fosse specializzato in cani da difesa. Il nostro ometto doveva aver conosciuto qualcuno dell'ambiente, e aveva accettato di correre maggiori rischi in cambio di maggiori guadagni. A questo punto il viceispettore tirava in ballo le cose più assurde.

– E come ci arrivava in campagna, uno che non aveva nemmeno la patente?

– Magari con una moto di piccola cilindrata.

– Ecco! E faceva salire i cani sul sellino?

– Le ricordo quello che ha detto l'allevatore amico di Ángela: ci vogliono due persone per un furto così.

– D'accordo, ispettore, d'accordo; ammettiamo che Lucena fosse implicato in questa storia, ma mi dica: come possiamo sostenerlo? Che prove abbiamo?

– Lei è abituato male! La polizia, se le piste non ci sono, deve cercarsele. E questo è proprio quel che faremo, andarcele a cercare.

Sbuffò scoraggiato.

– Se non le va posso chiedere che la sollevino dall'incarico, Fermín. Le assicuro che non me la prenderò per questo.

– Non scherzi, Petra. Da dove cominciamo?

– Intanto leggiamo questa benedetta lista.

– Sentiamo.

– Intanto, le razze: boxer, pastore belga, pastore tedesco, dobermann, rottweiler, schnauzer gigante, alano, pastore di Brie, bouvier des Flandes, pit bull e Staffordshire bull-terrier.

– Dio mio! Ci sono tutti questi allevamenti vicino a Barcellona?

– Sì, ma non si spaventi: il pastore di Brie e il bouvier des Flandes appartengono allo stesso allevatore. Lo stesso vale per il boxer e il pastore belga.

– Sembrano piatti di un ristorante francese.

– Be', per noi sarà come una specie di picnic. Ce l'ha un paio di scarponcini, viceispettore?

– Ho anche la borraccia!

– E allora possiamo cominciare.

Mi mostravo lieta e piena di entusiasmo come raccomanda il Manuale del comando poliziesco, ma dentro di me non c'era nulla che corrispondesse a quell'immagine. Il viceispettore aveva tutte le ragioni di questo mondo, stavamo seguendo una pista esilissima. Solo la sicurezza che Lucena non avesse abbandonato il mondo dei cani mi spingeva a cercare la sua ipotetica «specializzazione». Ero convinta di una cosa, Lucena aveva un dono naturale con i cani. La vita è piena di casi del genere: uno nasce povero, brutto, con poco cervello e poca fortuna, eppure ha un'abilità innata per ricordarsi le canzonette, per fare calcoli a mente o per scalare grattacieli. Lucena aveva impiegato la sua per commettere reati. Peccato, avrebbe potuto essere un buon veterinario o un ottimo addestratore; ma rubava cani e, grazie a questo, aveva accumulato un bel mucchietto di soldi. E io, fosse anche stata l'ultima cosa che facevo, avrei scoperto quale sventurata impresa fosse costata la vita a quel microscopico criminale.

Un martedì mattina, con i primi caldi di giugno, andammo a trovare un certo Juan Moliner al suo allevamento di dobermann. Il viceispettore aveva inalberato per l'occasione una vistosa camicia color pistacchio che, in condizioni normali, non credo avrebbe mai avuto il coraggio di portare.

– È un regalo di Valentina, – mi informò.

– E Ángela non le regala mai niente?

– Libri. Mi ha comprato le poesie complete di Neruda, due romanzi americani e una guida di cani.

– Nessun romanzo poliziesco?

– Dice che sono fesserie. Ángela è una donna molto colta, molto selettiva.

– Si annoia con lei?

– Manco per sogno! Mi domando soltanto se sono all'altezza.

– Io non me ne preoccuperei.

– Neanch'io me ne preoccupo poi tanto.

Era difficile ricavare il minimo indizio sul suo conflitto emozionale, di modo che smisi di fargli domande. Ormai avevamo davanti a noi Juan Moliner, un uomo rude e simpatico, ex agricoltore riconvertito in allevatore di cani. Ci mostrò le sue installazioni decantando le virtù degli animali che allevava.

– Ci vediamo costretti a subire l'ignoranza della gente, – disse. – Il dobermann è un cane con una pessima reputazione, rinnovata di tanto in tanto dai giornali. Noi ne subiamo le conseguenze.

– I cani impazziti, – disse Garzón.

– Sono state divulgate cose spaventose. Che il loro cervello cresce sproporzionatamente, che provengono da un incrocio geneticamente affetto da pazzia; tutte assurdità.

– Però è vero che si verificano incidenti gravi con questa razza.

– Non più che con altri cani da difesa, ma il dobermann eccita la fantasia morbosa dei giornalisti. Guardate.

Si tirò su la manica della camicia e scoprì una tremenda cicatrice che gli percorreva l'avambraccio in senso longitudinale.

– Vedete? Questo me l'ha fatto un alano, e dire che era di un amico e mi conosceva molto bene. Sono vent'anni che lavoro con i dobermann e nessuno ha mai cercato di mordermi.

253

Garzón ed io restammo a guardare impressionati i segni della ferita.

– Le fece male? – domandai.

Alzò la faccia con orgoglio da ex combattente.

– Non è mai stata morsa da un cane?

Negai ipnotizzata.

– Il morso del cane produce un dolore particolare, sorprendente, profondo, come se arrivasse fin nelle viscere.

Pensai alle ignote, per me, sofferenze del parto. Poi fissai gli stilizzati dobermann che si agitavano nelle gabbie, inquieti per la nostra presenza.

– Perché non ci racconta qualcosa dei furti che ha subito, signor Moliner?

Le informazioni che ci diede non differivano molto dal racconto già udito in precedenza. L'obiettivo erano cani maschi e giovani, uno o due esemplari al massimo. L'esecutore, qualcuno che di cani se ne intendeva. Non rimanevano indizi né impronte. L'unica cosa che si poteva dedurre con facilità era che avevano scavalcato la recinzione, la quale infatti aveva ceduto leggermente in un punto.

– A quale scopo crede che volessero i suoi cani?

– È quello che mi sono chiesto anch'io. Se avessero voluto venderli sarebbe stato più logico prendere un cucciolo, o magari una femmina da riproduzione.

– Forse i ladri avevano già un cliente e lavoravano su commissione.

– È possibile.

– Come crede che li abbiano fatti uscire dal recinto?

254

– Issandoli in cima alla rete e lasciandoli cadere dall'altra parte. L'altezza non è sufficiente perché si facciano male.

– Crede che potrebbero bastare due persone per compiere tutta l'operazione?

– Può darsi di sì. Forse sono ragazzi in cerca di emozioni forti, semplici teppisti.

– Come si spiega allora che altri suoi colleghi abbiano subito furti simili?

– Sarà una moda.

– I suoi cani, sebbene non specificamente addestrati, potrebbero attaccare?

– No, dubito che attaccherebbero. A meno che qualcuno non cercasse di portare via un cucciolo o qualcosa del genere.

Infilò una mano fra le sbarre e accarezzò la testa di un cane.

– Lo tocchi, ispettore! Vedrà che non è poi così feroce.

Allungai la mano e la passai ripetutamente fra le orecchie dell'animale. La sua lingua si dispiegò affabilmente e mi lambì. Sorrisi. Poi tirai fuori dalla borsa la foto di Lucena e la mostrai all'allevatore.

– Lo conosce?

– No. Che cosa gli è successo?

– È stato attaccato, ma non da un cane.

– Se fosse stato un cane sarebbe conciato molto peggio.

– Il suo nome è Ignacio Lucena Pastor. È sicuro che quest'uomo non abbia mai lavorato per lei in passato?

– Credo di no, ma posso controllare nell'archivio. Aspettate un momento.

Si allontanò verso l'ufficio. Garzón mi guardò con malizia.

– Ce l'ha il coraggio di accarezzare il cane, adesso che il padrone non c'è?

Era proprio come un bambino, come un adolescente cialtrone e attaccabrighe. Infilai tutto il braccio nella gabbia e accarezzai di nuovo il dobermann, che agitò la coda compiaciuto.

– Soddisfatto?

Udimmo la voce di Moliner alle nostre spalle.

– Glielo lascio a buon prezzo! È la protezione ideale per un poliziotto.

– Grazie, ma ho già un cane.

– Da difesa?

– Il mio più che altro ha bisogno di essere difeso. Ma preferisco così.

– De gustibus...

Quando rientrai a casa, quella sera, il telefono stava suonando. Era Juan Monturiol. Voleva parlare con me. Trattenni il microfono fra il mento e la spalla e, sempre parlandogli, mi spogliai rapidamente: avevo urgente bisogno di un bel bagno.

– Petra, mi piacerebbe farti una domanda. Per te le cose vanno bene così come sono?

– Non ti capisco.

– Mi riferisco alla nostra amicizia, relazione o come diavolo vuoi chiamarla.

Doveva aver avuto una brutta giornata.

– Be', se non ti riferisci a niente di particolare... io credo di sì, va tutto bene.

– Petra, ci vediamo di tanto in tanto, andiamo alle feste del tuo collega, facciamo l'amore... sì, tutto va bene in apparenza. Ma i rapporti non funzionano così.

Doveva averlo morso qualche cane.

– Quali rapporti?

– La gente, la gente normale, parla, si dice quello che prova, telefona, chiacchiera della propria vita.

– Mi dispiace, il fatto è che il mio lavoro...

– Lo so che il tuo lavoro è complicato, ma il telefono è facile da usare.

– Non avevo niente di particolare da dirti.

– Questo è il problema.

Cominciai a spazientirmi.

– Juan, abbiamo già parlato di questo argomento e tutti e due sembravamo d'accordo. Il matrimonio è un inferno che...

– Fra sposarsi in bianco in una basilica e darci una bottarella ogni tanto ci sono un mucchio di possibilità intermedie. Non ci hai mai pensato?

– Tu quale sceglieresti?

– Nessuna, hai ragione. È inutile sprecare il fiato con chi non vuole capire.

Attaccò il telefono e io rimasi stupefatta, ridicolmente nuda in mezzo ai miei vestiti sparsi in giro. Cosa voleva, era davvero da tanti giorni che non lo chiamavo? Avevamo stipulato un numero determinato di telefonate? La cosa aveva qualche importanza? No, solo che lui non tollerava di continuare una relazione che non si concretizzava in niente di serio. Che peccato, era probabile che non saremmo più usciti insieme e che non avremmo più fatto l'amore. Mi sarebbe mancata la sua bellezza. Un gran peccato, ma non era la fine del mondo. D'accordo, io non gli avevo detto quel che sentivo, ma come potevo dirglielo? Gli uomini la prendono malissimo quando gli parli della loro bellezza, a loro non piace, si offendono. Oltretutto, c'era il lavoro. Uno non viene assorbito anima e corpo da un caso veterinario, mentre può rimanere completamente intrappolato da un caso poliziesco. E poi chi se ne frega, al diavolo tutto. I problemi sentimentali possono aspettare, il mio bagno no. Troppa stanchezza per mettersi a pensare.

Di buon mattino Garzón mi aspettava seduto in auto, davanti casa, per una di quelle nostre escursioni campestri in cui mancava solo il cesto da picnic. In capo a due minuti si era già accorto che mi sentivo depressa.

– È ancora arrabbiata con me?

– Arrabbiata con lei?

– Sì, per il mio dongiovannismo e tutte quelle cose là.

– Le ho promesso che non mi sarei mai più intromessa negli affari suoi.

– Non si preoccupi, le assicuro che presto risolverò il problema.

I problemi amorosi ci incalzavano insidiosamente da tutte le parti. Feci finta di non aver sentito.

– Qual è l'itinerario oggi?

– Andiamo a Rubí, dove c'è un allevamento di

Staffordshire bull-terrier.

– Il cane assassino di cui ci ha parlato Valentina?

– Esatto! Il proprietario si chiama Augusto Ribas Solé. Vediamo se qualcuno ha avuto le palle di rubargli uno di quei cani sanguinari.

Finsi di dormire, perché Garzón non tirasse di nuovo in ballo i suoi affari di cuore. Ne avevo abbastanza dei miei. La mia recita fu così perfetta che nel giro di qualche istante mi ero addormentata sul serio. Mi svegliai sentendo che l'auto si fermava. Scoprii che eravamo in una zona molto solitaria dove si levava un recinto piuttosto alto. Un cancello scorrevole era l'unico accesso. Leggemmo su un cartello: «Attenti al cane. Suonare». Una freccina rossa indicava il campanello.

– È pronta per il gioco della verità, ispettore?

Il malefico Garzón non perdeva occasione per usare con me un tono scettico. Premette il campanello. Sorprendentemente non si levò il solito coro di latrati. Nessuno venne ad aprire. Suonammo di nuovo, senza risultato.

– È sicuro che questo allevamento sia ancora aperto al pubblico?

– Compare nella lista.

– Sembra che non ci sia nessuno. Suoni un'altra volta.

Garzón premette a lungo con uno stridore che rimase senza risposta.

– Dopo tutta la strada che abbiamo fatto per arrivare fin qui! – disse di malumore.

Presi il chiavistello e tirai. Il cancello cedette subito, lasciando lo spazio sufficiente per passare.

– Entriamo? – domandai.

– Proviamo a dare una voce.

Varcammo la soglia. Davanti a noi si apriva un ampio cortile con dei gelsi piantati nel centro.

– C'è qualcuno qui? – gridò Garzón.

Come in risposta alla domanda del viceispettore, e senza che potessimo dire da dove fosse spuntato fuori, vedemmo a qualche passo da noi un enigmatico cane che ci guardava fisso. Non abbaiava né si muoveva. Era piccolo, forte, compatto come la pietra. Il temibile Staffordshire. I suoi occhi scintillavano con un'intensità paralizzante. Udii che Garzón mi diceva sottovoce:

– Dove la tiene l'arma d'ordinanza?

– Nella borsa, – risposi con un filo di voce.

– Allora non faccia il minimo movimento per tirarla fuori.

– E la sua?

– Nella giacca, e la giacca è rimasta in macchina.

– Merda!

La lievissima salita di tono della mia imprecazione fece sì che il cane cominciasse a ringhiare. Era un ringhio grave, basso, uscito direttamente da quel torace di ferro.

– Sono spaventata, Fermín.

– Non si preoccupi. Non faccia gesti bruschi, non si muova, non alzi la voce.

– È uno di quei cani assassini?

– È uno Staffordshire. Spero che questo in particolare non abbia mai ammazzato nessuno.

Il cane fece qualche metro verso di noi e raspò con le unghie sul selciato del cortile.

– Viceispettore...

– Stia calma.

– Lei ne ha imparate di cose sui cani.

– Le ho appena dimenticate tutte.

– Che cosa facciamo?

– Cerchi di indietreggiare verso l'uscita. Piano, molto piano, senza mai voltargli le spalle. Forza.

Mi prese per un braccio. Sentii la fermezza della sua stretta.

– Adesso.

Il nostro movimento fu infinitesimo, una specie di scivolamento all'indietro. Un niente, ma il cane se ne accorse e ringhiò con più forza.

– Fermín!

– Non gli faccia caso, sta cercando di intimidirci. Indietreggi ancora lentamente, un po' più verso sinistra. Adesso.

Le gambe mi tremavano, non capivo nemmeno se mi stessi spostando o no.

– Gli dica qualcosa in tedesco.

– La pianti e vada indietro.

Il nuovo movimento destò maggiore inquietudine nell'animale. Cambiò di posto, emise un ringhio intenso, sostenuto, dalle sue fauci vidi colare una bava densa che cadeva a terra sotto forma di spessi fili. Guardava in particolare me, riuscivo appena a respirare. Allora, come un'anima sfuggita all'inferno, abbaiò per la prima volta con voce roca e io, senza poterne fare a meno, mi lasciai sfuggire un grido soffocato. Fu allora che avvenne la vera esplosione di ferocia. Il cane, impazzito, abbaiò con rabbia, spostò il peso sulle zampe posteriori, si preparò a saltare. Cercai disperatamente la pistola, ma in quel momento un grido potente e preciso giunse alle nostre spalle.

– Aus! – Poi si ripeté in tono meno imperativo: – Aus! – Il cane, come un leone da circo romano fulminato dalla grazia divina dinanzi ai cristiani, abbassò la testa, perse lo sguardo in diverse direzioni, si mosse senza meta come se cercasse di dissimulare le terribili intenzioni che un secondo prima lo avevano animato.

– Ma chi diavolo siete?

Un uomo alto, forte, di una cinquantina d'anni, con la pelle tostata dal sole, se ne stava con i pugni sui fianchi davanti a noi, ancora incapaci di reagire.

– Polizia, – riuscì ad articolare Garzón con una voce pluritonale.

– E come diavolo…?

– Lasci in pace i diavoli e porti via questo cane di qui, – gli ordinai non appena recuperata la parola.

Augusto Ribas Solé ci confermò che avevamo corso un brutto rischio. Non avremmo mai dovuto entrare. Si era assentato per cinque minuti dal recinto e non gli era venuto in mente che qualcuno potesse presentarsi a metà mattina. Ma era inutile cercare di stabilire chi avesse commesso la peggiore imprudenza. Eravamo in salvo e l'allevatore ci invitò a prendere qualcosa di forte nella parte posteriore del giardino, dove aveva disposto un tavolo e delle sedie in un angolo molto gradevole. Credo che, per la prima volta in vita mia, mi scolai un whisky tutto d'un fiato alle undici del mattino.

– Si è sistemato bene, qui, – disse Garzón.

– Mi piace ricevere bene chi viene a trovarmi.

– Dopo averlo sottoposto alla tortura dei cani.

Scoppiò a ridere.

– Vi immaginate i titoli sui giornali? «Poliziotti dilaniati da cane assassino.» Avrebbero potuto farci anche un film! La gente va matta per questo genere di cose.

– E perché diamine lei alleva cani assassini?

– Andiamo, ispettore! Non esistono cani assassini, sono gli uomini a rendere assassini i cani per mezzo dell'addestramento.

– Allora, non eravamo in pericolo di morte?

– Temo di sì, qualunque cane difende il suo territorio. Suppongo che se io non fossi arrivato... Insomma, credo di avervi salvato la vita.

– È il minimo che poteva fare, visto che i cani sono suoi.

Rise di nuovo.

– Non ci domanda che cosa vogliamo, signor Ribas?

– Lo so già. Avete messo in subbuglio tutto il settore. I miei colleghi non vedono l'ora di potervi raccontare i furti che hanno subito. Fra noi ci conosciamo tutti.

– E lei, che cos'ha da raccontare?

– Poca cosa. Mi sono spariti due cani e l'ho denun-

ciato alla polizia. Non è stato fatto niente, naturalmente.

– I ladri hanno lasciato qualche segno?

– Nessuno, sono professionisti.

– Perché pensa che siano professionisti?

– E che altro possono essere? Vengono, rubano e
se ne vanno senza lasciare traccia. Si portano via animali sani e forti, i migliori.

– Anche a lei sono spariti dei maschi giovani?

– Sì, e non capisco perché gli altri se ne stupiscano.
Li vendono a gente inesperta dicendo che sono già addestrati, che sono ferocissimi. Sono ladri e truffatori
nello stesso tempo.

– E perché ne prendono solo uno o due per volta?

– Prendono quelli che gli servono. Perché dovrebbero essere loro a dar da mangiare ai miei cani? Dove
li terrebbero senza destare sospetti? E poi, visto che
è così facile rubarli...

– Sembra che vi siate rassegnati a subire e a star
zitti.

– È quello che penso anch'io, e l'ho detto cento
volte ai miei colleghi! Per me è chiarissimo quel che
dobbiamo fare. Se la polizia non ci dà retta, dobbiamo risolverci il problema da soli. Ci riuniamo, si
forma una squadra di vigilanza e il primo che bec-
chiamo a rubare, zac! una bella fucilata e tanti saluti.
Poi gettiamo il corpo in una discarica e vediamo chi
è il furbo che ci riprova.

– Ma via, signor Ribas! Allora sì che dovremmo
intervenire noi.

– Lasci perdere, ispettore. C'è il vuoto legale assoluto nel mondo del cane, quindi dobbiamo farci giustizia da noi. Certo, un paio di cani in meno non è la fine del mondo, ma dà fastidio. Siamo gente che lavora sodo, che si guadagna da vivere con molti sforzi, perché dovremmo sopportare quei bastardi?

Inghiottii un altro sorso di whisky prima di agitare la testa in segno di diniego.

– Comunque... – continuò, – non si preoccupi. Non c'è abbastanza volontà per farlo, sopporteremo ancora.

– Capisco. E quest'uomo, lo conosce?

Guardò la foto di Lucena con aria schifata.

– No, non lo conosco. È un ladro di cani?

– Così sembra.

– Allora se l'è meritato.

Un giustiziere. Un feroce giustiziere che ci salutò sulla porta assicurandomi che dovevo dir grazie a Garzón se l'avevamo scampata con il suo cane. Fantastico, tempo sprecato e rischio corso inutilmente. Ma a Garzón quel tipo era piaciuto.

– Ecco uno che sa quello che dice, – disse appena salito in macchina. – Tutto torna. I colpevoli sono ladri e truffatori, e infatti noi abbiamo arrestato due ladri truffatori. Perché cercare oltre? Sono sicuro che Pavía e Puig sono colpevoli anche di questo.

– Nessuno ha mai chiesto un riscatto per quei cani.

– Ispettore, in questo caso si accontentavano di rubarli per poi rivenderli. I delinquenti commettono migliaia di reati diversi nello stesso tempo, non sono mica specializzati in qualcosa. Rubano quel che c'è da rubare.

– Non mi convince.

– Può darsi che non la convinca, ma vedrà come cantano quei due davanti al pubblico ministero. Verrà fuori anche la morte di Lucena, così come i furti dei cani negli allevamenti. Una cosa tira l'altra.

– Crede che stiamo perdendo tempo?

– Credo che lei sia una testarda, e che il caso sia già risolto.

– E io credo che lei sia un superficiale.

– Cavoli, un'altra volta!

– A cosa si riferisce?

– Sarei un superficiale nel lavoro perché lo sono nell'amore?

– Non rompa, Fermín!

– Magari cambierebbe opinione se le dicessi che ho preso una decisione.

Mi girai sul sedile per vederlo più chiaramente.

– Una decisione?

– Sì, ispettore. Quel che è successo mi ha aperto gli occhi. Mentre eravamo lì, davanti a quei cani che avrebbero potuto ucciderci, la realtà dei miei sentimenti mi si è rivelata con la massima nitidezza. Ora so di chi sono innamorato e a chi devo dire addio definitivamente.

– Chi?

– Ángela.

– Ángela, cosa? Ne è innamorato o vuole dirle addio?

– Dovrò dirle addio, Petra, dovrò dirglielo con enorme rammarico. Ángela è meravigliosa, però io sono innamorato di Valentina. È lei che avrei voluto rivedere per l'ultima volta prima di essere sbranato da un cane.

– Forse desiderava inconsciamente che venisse a gridare un ordine in tedesco.

– No, ispettore, non mi prenda in giro, sono sicuro di quello che dico.

– Mi scusi. Ma ne è davvero così sicuro?

– Sì, Ángela è troppo colta, troppo raffinata, appartiene a un'altra classe sociale. Prima o poi mi avrebbe trattato come un ignorante. Valentina è sempre allegra, mi rallegra la vita.

Rimanemmo in silenzio per un momento.

– Be', Fermín, lei sa che Valentina non era la mia candidata, ma… ad ogni modo mi fa piacere che finalmente abbia preso una decisione.

– Lei aveva ragione, non posso continuare a giocare in eterno.

– Quando glielo dirà?

– Stasera stessa.

– Non è una cosa facile, vero?

– No. Spero di riuscire a farlo con delicatezza.

– Lo spero anch'io, Ángela è una donna straordinaria.

– Lo so bene.

Immaginavo con dispiacere la reazione di Ángela. Un'altra illusione che svaniva, alla sua età, forse l'ultima che si sarebbe concessa. Ma comprendevo Garzón. Era desideroso di godersi la vita che finalmente aveva scoperto. Una vedova innamorata di un uomo emozionalmente immaturo. Tutto ciò non faceva che confermarmi fino a che punto sia nocivo tutto quel che ha a che fare con l'amore. Una piaga che il genere umano si trova a sopportare, che da secoli mina la sua coerenza e le sue capacità.

Passai il pomeriggio chiusa nel mio ufficio, cercando di dimenticare quella faccenda e di concentrarmi sul caso. Diedi un'occhiata ai verbali dei sopralluoghi negli allevamenti. Era nascosto lì il segreto dell'ultimo anno di Lucena? Esemplari maschi e giovani, ladri esperti in cani che non facevano il minimo danno. Furti selettivi, non generalizzati. Necessità di due persone per portare a termine l'operazione. Nessuna impronta. Che mondo paradossale il nostro: l'atto fisico di rubare non lascia tracce, mentre ne lascia l'amore. Inutile, non riuscivo a pensare al caso senza interferenze. Decisi di andarmene a casa.

Seduta in poltrona e con un giornale in mano non mi sentii molto meglio. Ci pensavo e ci ripensavo: cosa avrebbe provato Ángela? Che cosa avrebbe pensato della vita d'ora in poi? Misi un disco di Mozart: mi ero accorta che era il preferito di Spavento. Ogni volta che lo sentiva, la sua schiena si stirava in un modo speciale, si rilassava. Aprii la porta sul cortile e lasciai entrare l'aria tiepida della sera. Mi rilassai anch'io. Indossai una lunga camicia da notte vecchia maniera. Così andava meglio. Non ero responsabile dei disastri amorosi che l'esistenza comporta. Non potevo fare molto per Ángela, né per nessun altro, potevo solo risparmiare a me stessa ulteriori sofferenze, e poco di più. Sospirai di sollievo. Anche Spavento sospirò.

Dopo un paio d'ore trascorse nel più pacifico accordo, suonò il telefono. L'orologio segnava l'una di notte.

– Petra.

Il mio nome era stato pronunciato in un tono che non era interrogativo, bensì carico di risonanze patetiche.

– Viceispettore?

– Ho bisogno di vederla.

– È successo qualcosa?

– È strettamente personale.

– Capisco. Perché non viene a casa mia? Sono ancora in piedi.

– No, dobbiamo vederci in un bar.

– In un bar?

– Mi scusi, ispettore. Questa è l'ultima cosa che le chiedo.

– Va bene, Garzón, va bene. Credo che ci sia una champañería aperta qui vicino a casa. Se la ricorda?

– Sono subito lì.

Non avevo nessunissima voglia di rivestirmi, così mi infilai un impermeabile sopra la camicia da notte. Agganciai il guinzaglio al collare di Spavento e uscii nella strada, deserta a quell'ora. Dopo una passeggiata di dieci minuti davanti alla champañería, vidi arrivare la macchina di Garzón. Spavento ne fu felice, ma lui non fece neppure il gesto di accarezzarlo, né si accorse della sua presenza. Non si sarebbe accorto di nulla, neppure se avessi portato con me una giraffa. Era assorto, sbattuto, con la faccia pallida e le occhiaie disegnate al carboncino. Ci sedemmo a uno dei tavolini sparsi sul marciapiede. Ordinò un whisky con fare autoritario. Ne buttò giù mezzo non appena il cameriere l'ebbe posato sul tavolo.

– Accidenti, viceispettore, cominciamo bene!

– Mi chiami Fermín questa notte, per favore. E poi, voglio avvertirla che intendo ubriacarmi. Uomo avvisato mezzo salvato.

– Per questo dovevamo vederci in un bar?

– Per questo e perché non ho nessuna voglia di controllarmi, Petra. Se fossimo a casa sua dovrei essere educato, guardare l'orologio. Qui è più facile. Quando sarà stufa di me può alzarsi e andarsene.

Ordinò un secondo whisky, questa volta doppio.

– È stata dura, – disse finalmente. – Non avrei mai creduto che fosse così difficile dire addio a qualcuno. Un attimo prima di arrivare a casa di Ángela credevo ancora di potermela cavare con poco. Avevo provato la parte. Poi mi sono reso conto che non era questione di girarci intorno –. Bevve un bel sorso, guardò per terra. – Sono stato un imbecille tutto il tempo, fino all'ultimo. Petra, lei aveva ragione.

– Senta, io…

– Non cerchi di cambiare le carte in tavola adesso, sono stato un superficiale e uno stronzo, e basta.

– Ángela si è arrabbiata con lei?

– No, non si è arrabbiata. Ha detto che mi capiva, che nessuno può costringersi ad amare se non glielo detta il cuore. Piangeva.

Rimase zitto, non riusciva a continuare. Ordinò altro da bere. Decisi di mettermi a bere anch'io.

– Non se ne faccia una colpa, Fermín, lei in fondo non era consapevole del male che faceva.

– Non avrei mai immaginato che lasciarla potesse farmi tanto male. Da una parte ero sicuro di voler interrompere la relazione, ma dall'altra mi sentivo come se ancora la amassi.

– È sempre così, dannatamente complicato. L'amore è frustrante, e doloroso, e brucia, e distrugge... Insomma, perché crede che io mi sia ritirata dal gioco?

Venne il cameriere.

– Signori, stiamo chiudendo, ma non è necessario che ve ne andiate, potete rimanere qui seduti ancora quanto volete.

– E i bicchieri?

– Lasciateli accanto alla porta quando avrete finito.

– Allora un altro doppio, – disse Garzón, frugandosi nelle tasche.

Poco dopo i camerieri uscirono dal bar. Chiusero rumorosamente la saracinesca e si allontanarono guardandoci con la coda dell'occhio. Il viceispettore non aveva più aperto bocca. Spavento si era addormentato. Cominciai a sentirmi ridicola con la mia vecchia camicia da notte nascosta sotto l'impermeabile.

– Non conoscere l'amore è triste, ma conoscerlo può voler dire soffrire, – dissi, con la speranza di riassumere il tutto e potermene andare. Garzón non ascoltò. Meditava, o si mangiava le mani, o si stava pentendo, o Dio solo sa cosa stesse pensando seduto a peso morto su quella sgangherata sedia di alluminio. Ma non potevo andarmene, è un dovere dell'amicizia rimanere accanto all'amico a terra, anche se non si può far niente per tirarlo su.

Trascorse un'interminabile ora di silenzio. All'inizio Garzón di tanto in tanto beveva e poi sospirava. Più tardi se ne rimase immobile, a guardare nel vuoto con occhi vitrei. Negli ultimi cinque minuti, chiuse anche gli occhi e la testa gli cadde sul petto. Ritenni giunto il momento di concludere quella veglia amichevole.

– Fermín, che gliene pare se ce ne andiamo?

Non diede alcun segno di vita.

– Fermín, per favore, si alzi.

Inutile, non si muoveva. Cercai di restituirlo alla realtà per via subliminale.

– Viceispettore, insomma, le ordino di alzarsi!

Ottenni l'effetto desiderato. Alzò lievemente le palpebre e disse a voce bassissima:

– Non ce la faccio, ho preso un tranquillante.

– E da dove cazzo l'ha tirato fuori un tranquillante?

Dovetti chinarmi su di lui per capire che cosa stesse borbottando.

– Me li aveva dati la padrona della pensione. Andava dallo psichiatra, soffriva di nervi.

Non disse nient'altro. Rimase inerte, come un masso precipitato da un burrone. Mi incazzai.

– Poteva dirmelo! Come faccio a portarla via di qui con quel che pesa?

Capii che protestare non mi sarebbe servito a niente. Tanto più che Spavento si era messo a ululare non appena aveva sentito che ero arrabbiata. Cercai una moneta nelle tasche della vittima e andai a una cabina. Perché non telefonare a Juan Monturiol in un caso d'emergenza? In fin dei conti era un vicino.

Non si presentò in pigiama come avrebbe richiesto la sceneggiatura da film americano, ma se non altro aveva i capelli in disordine. Assunse subito il controllo della situazione e con le sue poderosissime braccia sollevò Garzón e se lo buttò su una spalla. Io gli sorreggevo il fianco sinistro come meglio potevo, farfugliando scuse inframmezzate da generiche imprecazioni. Lo issammo sul furgone di Juan, che sudava, aitante e virile, vestito di una semplice camicia bianca.

– Che cosa l'ha ridotto in questo stato? – domandò.

– Le pene d'amore.

– Allora avrebbe potuto essere anche peggio.

Lo portammo a casa sua: salire fino all'appartamento fu un'altra epica impresa di Juan. Mi procurai la chiave frugando nella sua giacca e finalmente riuscimmo a depositarlo sul letto e a lasciarlo lì a dormire.

– Questo è tutto quel che posso fare per lui, – disse Monturiol.

– Hai già fatto fin troppo, mi dispiace di averti disturbato, davvero.

– È stato un piacere rivederti.

– È quello che penso anch'io, anche se mi sarebbe piaciuto avere un'aria più presentabile.

Aprii l'impermeabile, della serie «esibizionista classico», e mostrai l'orrenda camicia da notte. Si mise a ridere. Fu quello un gesto innocente da parte mia?

Nemmeno ora potrei dirlo con certezza, ma lì per lì il risultato fu fulminante. Juan mi si avvicinò e afferrandomi per la vita mi baciò, ci baciammo alla disperata per un bel pezzo. Poi cercammo un po' di posto sul pavimento e facemmo l'amore. Tutto era strano: l'occasione, il luogo e Garzón che russava come un ghiro nella stanza accanto, eppure non esiterei a definire quell'atto come qualcosa di meraviglioso, speciale. Ebbe l'incanto di tutto quel che è urgente e selvaggio, una mescolanza della dolcezza di ritrovarsi e dello strazio di dirsi addio. Quando avemmo finito, appoggiai la testa sul petto di Juan e riposai.

– E così il tuo vice soffre di pene d'amore.

– Ha eliminato Ángela dal suo triangolo.

– Capisco.

– È sentimentalmente indifeso; per questo può fare tanto male senza volerlo.

– Possono farne anche a lui.

– Anche. L'amore rovina sempre tutto.

Si mise a sedere, costringendomi a spostarmi. Accese una sigaretta, e rimase a guardarmi.

– Sei un'antiamorosa radicale, vero?

– Non si tratta di una posizione teorica.

– Come spieghi la focosità del nostro incontro?

– Forse l'appartamento di Garzón invita alla scopata.

Sorrise tristemente.

– Ah, la terribile Petra, scopare o non scopare, questo è il problema!

Non mi passava neanche per la testa di cominciare una discussione in quel momento. Mi alzai, mi infilai l'impermeabile sul corpo nudo e, appallottolata la camicia da notte, me la ficcai nella tasca.

– Andiamocene, Juan: pensa se il viceispettore si svegliasse e ci trovasse in casa. Si sentirebbe molto umiliato a dover dare spiegazioni.

– Una vera delicatezza da parte tua.

Incassai l'ironia senza commenti. Non parlammo fino a casa mia. Ci salutammo con falsa cordialità. – Ciao,– disse lui con una quasi impercettibile risonanza di addio definitivo. – Ciao,– risposi io con disinvoltura. Entrai in casa piena di sonno e di cattivo umore. «Basta!» pensai, basta con le mistificazioni e le bugie e basta con i continui tentativi di far entrare il sublime nella vita quotidiana. Quel che provava Monturiol non era altro che il tipico narcisismo maschile ferito. E va bene, ciao bello, anch'io sono una dura, dimentichiamo di esserci incontrati per caso in una trincea mentre fuori cadevano le bombe. Mi rifiuto di fare la protagonista di romanzi rosa, accontentati di quello che hai, altrimenti sparisce. Spavento mi guardava con aria affettuosa. Credo che, a parte Mozart, gli piacessero anche i film di Bogart.

Il giorno seguente Garzón arrivò in commissariato puntuale, ma con gli occhi parati a lutto da due aureole scure. Prese un caffè alla macchinetta e buttò giù un paio di aspirine. Io continuai a lavorare senza alzare gli occhi dalle mie carte.

– Ispettore, – disse alla fine. – Come ha fatto a portarmi a casa ieri notte?

– Ho chiamato Juan Monturiol, è stato lui a portarla.

– Mi dispiace che abbiate dovuto fare questo per me.

– Lasci perdere, l'avremmo fatto per qualunque cretino. Sorrise.

– Be', se è così mi consolo, ma ad ogni modo mi dispiace, sono stato imperdonabile.

– Mi ripagherà andando a un allevamento senza di me. È vicino a Badalona, questo è l'indirizzo. Io rimarrò qui a mettere ordine fra tutte queste deposizioni.

Lo vidi andarsene, contrito e remissivo. Ammirai l'abilità maschile di trasformarsi da carnefici in vittime a forza di pura autocommiserazione. Per lui la tragedia era finita, per Ángela cominciava proprio allora, nel fatidico mattino dopo. Mi sforzai di tornare alle dichiarazioni degli allevatori. Per qualche dannata ragione la storia non quadrava. Ladri di cani che rischiano la vita per uno o due esemplari e poi li vendono per due soldi. Qualcuno dei proprietari aveva mentito? E se l'aveva fatto, in nome di cosa? Che senso aveva mentire sui furti dei propri animali? Quello era un bel pasticcio, un grosso pasticcio che era nato molti mesi prima. Eravamo sempre fermi allo stesso punto, e il tempo passava. Gridava vendetta il cadavere di Lucena? Nemmeno un po', era il cadavere più silenzioso che avessi mai conosciuto. Se non fossimo riusciti a smascherare l'assassino, quella non sarebbe stata altro che una delle tante ingiustizie che avvengono nel mondo, inutili come le pene d'amore. Vai poi a reclamare!

9

E così anche l'ultimo allevatore della lista fu visitato, interrogato, censito, indagato. L'ultima versione fu confrontata con le altre. Tutte ossessivamente simili, drammaticamente uguali. Lucena? Uno sconosciuto nel mondo degli allevamenti catalani. Dopo tanti viaggi nell'«ambiente naturale», come diceva Garzón, l'effetto del sole sulla mia faccia cominciava a vedersi. Sulla sua pelle si notava anche di più, era abbronzato e pieno di salute. Probabilmente completava l'effetto delle nostre escursioni con qualche fine settimana all'aria aperta in compagnia di Valentina. Passavano insieme tutto il tempo che potevano. Garzón parlava solo di lei. Io avevo la sensazione che del caso non gliene fregasse un fico secco. Ormai lo dava per perso. E di sicuro aveva ragione, presto ci sarebbero giunti ordini superiori di archiviarlo. Il nostro tempo era pagato con il denaro pubblico e avevamo avuto un margine più che sufficiente per risolvere quell'omicidio. Ma Garzón attendeva il verdetto finale con pazienza, andava avanti nell'indagine eseguendo i miei ordini in modo meccanico, al riparo da grandi frustrazioni grazie alla sua vita amorosa. Visitava e interrogava allevatori come se andasse per funghi. Ormai Ignacio Lucena Pastor non era altro per lui che un punto lontano nel passato, una macchiolina nella sua carriera di poliziotto, di cui si sarebbe ricordato solo quando una sbronza triste l'avesse gettato nella malinconia.

– Domani le consegno il verbale definitivo di quest'ultimo interrogatorio, – mi disse quel pomeriggio. – E se non ha bisogno d'altro, io me ne andrei a casa, ispettore. Valentina è a cena da me e devo ancora preparare tutto.

– Si sta già cimentando nei preparativi di una cena da solo?

– Insalata e libritos de lomo.

– Ha fatto molti progressi.

– I libritos sono surgelati.

– Che importa?

Sorrise con orgoglio un po' infantile e se ne andò. Rimasi sola, sola nell'ufficio, sola nell'indagine, sola con il fantasma di Lucena, se mai Lucena era esistito davvero. Se non altro era rimasto Spavento, unico testimone della realtà del suo padrone. Arrivata a casa lo osservai di nuovo. Nel suo cervello di cane era rimasta impressa l'immagine dell'assassino, e tuttavia lui non poteva trasmettermela. Curiosa associazione: poteva trasmettermi il suo affetto ma non tutta la verità. Dev'essere per questo che il cane è il miglior amico dell'uomo. Uscii in cortile. L'aria era fresca e vivificante. La cosa migliore sarebbe stata andare a letto, non senza aver bevuto un paio di whisky per sciogliere la tristezza assurda che cominciava a invadermi. Mi servii un abbondante bicchiere e, pochi secondi dopo, dormivo.

Nel sonno, in un sonno profondo e appiccicoso, udii l'insistente trillo del telefono. Non risposi. Dopo un intervallo di tempo indefinito, forse minuti, forse molto di più, l'apparecchio riprese a suonare. Questa volta feci uno sforzo enorme per uscire dal mio stato catatonico e sganciai. Mi giunse la voce di Garzón da un'altra galassia.

– Ispettore, ispettore Delicado?

– Sì, sono io.

– Finalmente, ispettore, meno male che risponde! È da un bel po' che la stanno chiamando dal commissariato. Dato che di solito quando non c'è mette la segreteria, pensavamo che le fosse successo qualcosa. Alla fine hanno rintracciato me.

– Scusi, ma lei dov'è?

– A casa mia, con Valentina, gliel'ho già detto!

– Abbia pazienza, Garzón, sto ancora dormendo! Mi dica di che si tratta.

– Ispettore, c'è stata una soffiata. Ha chiamato una donna, dice che se vogliamo sapere qualcosa sulla faccenda dei cani, dobbiamo andare immediatamente al settore A via F della Zona Franca. Le va bene trovarsi lì?

– Ho lasciato la macchina davanti all'ufficio. Chiamerò un taxi.

– Allora no, passo a prenderla io, faremo prima. Ma non mi faccia aspettare, per favore.

Ci misi altri cinque minuti buoni per ricostruire la

realtà. Una soffiata. Una donna. La Zona Franca. La Zona Franca: un poligono industriale pieno di magazzini. Era l'una di notte. Non ci capivo niente.

Garzón aveva consultato uno stradario prima di uscire, quindi guidò senza dubbi né esitazioni.

– Mi racconti meglio, – lo incalzai, appena mi fui seduta in macchina.

– Non c'è altro da raccontare. Una donna ha chiamato in commissariato chiedendo di lei.

– Sapeva il mio nome?

– Sì, e quando le hanno detto che, naturalmente, a quell'ora lei non c'era, ha lasciato il messaggio e ha riattaccato senza dire chi fosse.

– La chiamata è stata localizzata?

– No, non ci hanno nemmeno provato. Poi, visto che lei non rispondeva, hanno cercato me. Le assicuro che, dopo aver fatto squillare per un bel po' il suo telefono, Valentina ed io abbiamo cominciato davvero a preoccuparci.

– Abbiamo perso un mucchio di tempo. Ha avvisato una pattuglia?

– Sì, non si preoccupi, dovrebbero essere lì già da un pezzo.

La pattuglia era arrivata dieci minuti prima di noi, ma, a quanto pare, era stato ugualmente troppo tardi. Il luogo indicato dalla voce anonima era un vasto deposito di macchinari pesanti. La porta era stata forzata. Dentro non c'era nessuno, ma qualcosa aveva subito attirato l'attenzione degli agenti. In un angolo dell'enorme capannone c'era uno spazio delimitato da transenne di legno. Misurava circa cinque metri per cinque, e al suo interno era sparsa della paglia.

– Che cosa diavolo sarebbe?

– Non lo sappiamo, ispettore, ma abbiamo mandato a chiamare il proprietario del magazzino perché ce lo spieghi.

– Va bene.

L'agente si allontanò in cerca di altri indizi. Garzón ed io rimanemmo soli di fronte a quello strano quadrilatero.

– Crede che questo faccia parte del magazzino? – domandai.

– Non ne ho la minima idea, – disse tirando fuori una sigaretta.

Gli bloccai la mano.

– Aspetti, Garzón, non la accenda, il fumo può coprire l'odore.

– Che odore?

– Qui c'è odore di cane, non sente? Di sudore, di fumo, ma soprattutto di cane.

Annusò l'aria come se fosse un cane anche lui.

– Può darsi che abbia ragione.

Entrai nel piccolo recinto e raccolsi un po' di paglia per portarmela al naso.

– Sì, ne sono sicura, qui ci sono stati dei cani, fino a poco fa.

– E che cosa potevano farsene qui dentro?

– Piano, viceispettore, mi lasci pensare. Forse ci tenevano dei cani rubati, forse li mostravano ai clienti che intendevano comprare…

– Questa potrebbe essere un'ipotesi. Erano nel pieno delle trattative quando siamo arrivati noi e abbiamo mandato tutto all'aria.

– Qualcuno deve averli avvertiti che stavamo arrivando. Gli odori sono molto recenti.

– La stessa donna della soffiata?

– La stessa donna? È assurdo, perché avrebbe dovuto fare una cosa simile?

– All'ultimo momento si è pentita.

Annuii senza convinzione.

Il padrone del magazzino alla fine era stato rintracciato. Stava dormendo tranquillamente a casa sua. Venne fin lì, sorpreso e seccato. Non aveva mai visto quel recinto nella sua proprietà. Gli chiedemmo di fare un'ispezione generale e di dirci se mancasse qualcosa o se ci fosse qualcosa di cambiato. Il suo verdetto fu definitivo: tutto era come l'aveva lasciato, a eccezione di quel coso. Non c'erano stati né furto né danni. Sarebbe stato necessario interrogarlo con più attenzione, anche se non mi parve che potesse ricadere su di lui alcun sospetto. Gli agenti avrebbero setacciato il magazzino in cerca di indizi.

Garzón ripeteva:

– Cani in un magazzino? Ma perché forzare la porta di un magazzino per metterci dei cani?

– Motivi di sicurezza. Non hanno un posto loro o, se ce l'hanno, non vogliono destare sospetti. Concludono le transazioni in territorio neutro. Quando se ne vanno, insieme a loro sparisce ogni prova.

– Ma anche questo comporta un rischio.

– Senza quella soffiata, dubito molto che saremmo venuti a cercarli a quest'ora di notte nella Zona Franca.

Si sedette bruscamente.

– Una soffiata. Una donna fa una soffiata. Ma chi? Forse la segretaria di Puig. Non abbiamo saputo più niente di lei e non c'è nessun'altra donna in tutto il caso.

– Non pensi più a Puig, credo che la cosa venga da un'altra parte.

– E loro, chi li ha avvertiti? Chi ha fatto la controsoffiata? È già abbastanza una bella sfiga che finalmente arrivi una soffiata e che non serva a un tubo di niente.

– E nel momento meno appropriato, immagino.

– Immagina male.

– Cosa intende dire?

Guardò in tutte le direzioni.

– Ispettore, credo che il bar dei mercati generali stia aprendo. Andiamo a prendere un caffè, devo dirle una cosa.

Il bar, effettivamente, era aperto. Ai tavolini cominciava a regnare una certa animazione di camionisti che prendevano il caffè. Ne ordinammo uno anche noi. Ero allarmata, Garzón mi coglieva sempre alla sprovvista quando prendeva il tono confidenziale. E per di più in un momento come quello! Il cameriere portò subito le colazioni. Diedi un morso al croissant ancora caldo e tossicchiai in preda a un nervosismo intuitivo.

– Dica pure… – mi azzardai a cominciare.

Lui fece un sorriso vago, spezzò in due il suo croissant per darsi un tono e infine disse:

– Ispettore, lo so che siamo in alto mare col lavoro e che abbiamo da fare. Ma ci metterò solo cinque minuti a raccontarle questo, perché credo di doverglielo.

– Forza, – dissi, ormai completamente in preda al panico.

– Ispettore, stanotte, quando hanno chiamato dal commissariato, avevo appena chiesto a Valentina di sposarmi.

Diedi in tutta fretta un altro morso al croissant per prendermi un minimo di tempo di reazione. Lui mi guardava con impazienza mentre io ruminavo come una mucca del tutto priva di sensibilità.

– Non mi dice niente?

Mi passai il tovagliolino di carta sulla bocca per almeno dieci volte.

– Insomma, Fermín! Cosa devo dirle?

– Auguri, per esempio!

– Naturalmente, auguri, ci mancherebbe!

– Si direbbe che non le sembra una buona idea.

– Non è questo. Vede, Fermín, mi domandavo se Valentina e lei vi conosciate abbastanza bene. In realtà non è molto che vi vedete.

– Non dica idiozie, Petra! Che cosa vuole, un fidanzamento di dieci anni? Non la facevo così all'antica!

– Pensavo solo che è difficile adattarsi a un'altra persona quando non si è più giovanissimi.

– Sì, può darsi, ma è proprio perché non siamo più giovanissimi che non abbiamo tempo da perdere.

– Ha ragione, non so perché le sto facendo la predica. Le auguro tutta la felicità del mondo, se la merita.

– Grazie, ma prima bisogna vedere se Valentina accetterà.

– Come? Non ha accettato?

– Credo di averla colta di sorpresa, mi ha chiesto un paio di giorni per riflettere.

– Ero convinta che queste cose succedessero solo nei film.

– Be', il fatto è che esiste una piccola complicazione.

– Quale?

Cercò il cameriere con lo sguardo. Si schiarì la gola.

– Vuole un altro caffè, Petra?

– Grazie, sono a posto così.

– Un altro croissant?

– No, grazie.

– Sono sicuro che un altro caffè le farà bene, non abbiamo dormito niente.

– D'accordo.

Ordinò. Rimase zitto finché le tazze non furono sul tavolino. Allora mi guardò fissamente.

– Vede, Petra, la verità è che quando ho conosciuto Valentina, lei aveva una storia con un uomo sposato.

Ero infinitamente grata di avere un caffè dietro il quale nascondere i sintomi della mia sorpresa. Abbondai nello zucchero, girai il cucchiaino con un'attenzione degna di un esperimento scientifico.

– Ah, – commentai alla fine.

– E visto che fra noi non c'erano progetti seri... Però ha cominciato a vederlo sempre di meno e, senza che io le dicessi niente, in più di un'occasione mi ha assicurato di voler chiudere quella relazione così poco soddisfacente.

– Come l'ha saputo?

– Me l'ha raccontato lei stessa quando ci siamo accorti che ci piacevamo. Tutto è stato trasparente e sincero.

– Sa chi è?

– Lei non me l'ha detto e io non gliel'ho chiesto. So solo che non è nessuno che io conosca.

– E Valentina non le ha detto che cosa pensa di fare adesso?

– No, però io lo so com'è fatta. Sono sicuro che ha bisogno di questi due giorni per lasciare quell'altro. Tenga conto che è stata una relazione molto lunga. Però, le dico, sono così convinto che Valentina mi sposerà, che ho già avvisato mio figlio perché venga dagli Stati Uniti.

– Crede che sia prudente una cosa simile?

– Certo, devo presentargliela!

Temevo che Garzón si stesse ficcando in un grosso casino, ma non potevo far niente per fermarlo. Chi poteva dire che cosa fosse meglio? Forse il viceispettore si stava avviando verso il coronamento della sua vita, verso la felicità definitiva. Non sarei stata io a guastargli la festa in nome di un'astratta prudenza.

– Bene, Fermín, spero che mi terrà informata di qualunque novità.

– Non si preoccupi. E adesso, ispettore Delicado, per tornare a noi e al nostro lavoro, vorrei chiederle un favore.

– Ma com'è misterioso stamattina!

– No, volevo solo chiederle di non trascurare la segretaria di Puig. Le chiedo il permesso di continuare a cercarla e di verificare che cosa sa di tutto questo. Vede, non riesco a togliermi dalla testa che Puig e Pavía siano ancora coinvolti nel caso. E poi mi piacerebbe mettere un agente alle calcagna della moglie di Pavía.

– Pensa che una di loro fosse la donna al telefono?

– Tutte e due potrebbero essere implicate nel caso e non sono state tenute d'occhio. Non credo che possiamo permettercelo.

– Faccia pure, Garzón, io mi occuperò del sopralluogo al magazzino. Suppongo che questo pomeriggio avremo già i risultati delle analisi.

– La vedo domani?

– Mi vedrà.

Può darsi che mi fossi sbagliata pensando che dal tandem Puig-Pavía non avremmo cavato altro. Era possibile perfino che avessimo i colpevoli già al fresco. A volte queste cose succedono: i delitti sono piante con piccoli uncini che si agganciano dappertutto. Forse la segretaria di Puig era ancora in contatto con gli altri complici del suo capo, magari stava cercando di tirarsi fuori da quella faccenda senza che nessuno si accorgesse di lei. Era una buona ragione per una soffiata. Ma non riuscivo a persuadermi di questa possibilità. Perché due volponi come Puig e Pavía avrebbero dovuto coprire dei complici in libertà? A meno che questi non stessero tenendo in piedi l'attività finché loro non si fossero tolti dai pasticci. E che dire della francese? Non poteva in qualche modo agire per conto suo? Niente era da scartare, niente, questo era il nostro principale problema. Bisognava dare a Garzón la possibilità di *chercher la femme*, visto che aveva tanto successo con le donne. Anche se, povero Garzón, forse il matrimonio avrebbe messo un punto alla sua carriera di casanova. Era stata breve ma intensa; almeno non sarebbe morto con la sensazione di aver sprecato le sue doti di conquistatore.

Mi diressi di nuovo verso il magazzino. La Zona Franca si era animata molto in quel breve intervallo di tempo. C'era un gran movimento di camion e uomini in tuta da lavoro. Di certo era corsa voce che eravamo lì, perché vari curiosi si erano fermati intorno all'ingresso e all'auto di pattuglia. Il sergente che dirigeva il sopralluogo mi informò che non era stato trovato niente di significativo. L'unica cosa degna di nota erano i segni di sigarette spente sul pavimento, dai quali si poteva dedurre che avevano avuto il tempo di raccogliere i mozziconi e di lasciare tutto pulito. Erano furbi. Restai a guardare il piccolo recinto di legno che non erano riusciti a smontare. Era come un maneggio in miniatura. Per tenerci cani rubati da vendere a clienti selezionati. Un'operazione davvero complicata. Non c'era altro modo di farlo? Era difficile formulare delle ipotesi senza avere conoscenze specifiche. Ordinai al sergente di prelevare dei campioni di paglia e di mandarli al laboratorio d'analisi. Me ne andai, il magazzino sarebbe rimasto transennato fino al mio ritorno.

Forse avrei dovuto farla prima quella visita, ma così è la vita, precipitosa e ingiusta. Mi sentii a disagio nel varcare la soglia della libreria e al disagio si aggiunse l'ansia quando Ángela mi venne incontro a braccia aperte.

– Petra, che gioia vederti!

La cosa più orrenda era che quell'accoglienza sembrava sincera.

– Come stai, Ángela?

Abbassò gli occhi un istante, li alzò di nuovo senza riuscire a cancellare da essi un velo di tristezza.

– Lo vedi, come sempre in linea di combattimento.

Cercai di dirle qualcosa, di trovare una formula mai scritta che esprimesse simpatia, rincrescimento, comprensione.

– Ángela... io...

Mi prese per un braccio come per rendere normale quell'incontro.

– Vieni di là, ti offro un caffè.

Rimasi zitta mentre lei lo preparava. Poi, capii subito che dovevo raccontarle il motivo della mia presenza prima che si facesse delle idee sbagliate. Le spiegai di quello strano recinto trovato nel magazzino, le chiesi di venire con me a dare un'occhiata. Accettò immediatamente ma, un istante dopo, esitò. Pensai che forse non era il momento migliore.

– Potremmo andarci oggi pomeriggio se preferisci.

– No, non è questo, solo che... ecco, preferirei non incontrare nessuno, è ancora troppo presto.

– Non preoccuparti, lui non ci sarà.

Si mise una giacca che, come sempre, si accordava perfettamente con il suo bel vestito. Osservai che portava ancora al collo il cammeo di Garzón. Lei si accorse che lo guardavo.

– Non mi è mai piaciuto rinnegare il passato. Continuerò a portarlo, – disse, e sorrise con coraggio autoimposto. Le risposi con un sorriso poco convinto. Maledetto, maledetto Garzón, casanova da due soldi, mascalzone impenitente, una volta o l'altra mi sarei decisa a pugnalarlo alle spalle.

La reazione di Ángela quando arrivò davanti al recinto nel magazzino fu assolutamente sconcertante. Non si mosse, non parlò, non cambiò posizione per cercare nuove prospettive. Era come ipnotizzata, assorta, imbambolata. Io la lasciai fare, senza domandarle niente, senza cercare di riscuoterla dal suo stupore finché, all'improvviso, si voltò verso di me e disse con inusitata fermezza:

– Adesso so che cosa state cercando, Petra, adesso lo so.

Tacque, osservò ancora; ma io non ero disposta ad aspettare un secondo di più. La presi per gli avambracci e la costrinsi a guardarmi in faccia:

– Che cosa stiamo cercando, allora? Dimmi, che cosa?

Lei fece un sospiro rassegnato e disse:

– Combattimenti di cani.

– Cosa?

– Hai sentito bene. Lotte clandestine, lotte di cani. Come ai tempi dei romani, come nel medioevo.

Cercai di dare un qualche ordine a quel che stava dicendo ma era inutile.

– Combattimenti di cani come spettacolo?

– Combattimenti di cani come pretesto per le scommesse, Petra, e con un grosso giro di soldi.

– Come sarebbe a dire, come funziona?

– Non lo so nei particolari, ma ne ho sentito parlare e ho letto da poco un raccapricciante servizio su una rivista. Credo di avercela ancora in casa.

– Per tutti i diavoli! Lotte di cani?

– Devi andare subito dalla polizia autonoma, Petra: loro avranno dei dati. Io cercherò la rivista.

– Immagino tu sia sicura di quanto stai dicendo.

– Assolutamente! Quel che mi brucia è di averci pensato solo dopo aver visto il quadrato.

– Un quadrato! Ma certo, ecco che cos'è! Come ho fatto a non rendermene conto? Va bene, andiamo. Trovami quella rivista.

L'agente della polizia autonoma si ricordava perfettamente di me.

– Accidenti, ispettore! Ancora alle prese con i cani?

Assentii, per niente felice del suo commento.

– Senta, Mateu, ho bisogno di dati sui combattimenti clandestini di cani.

Mi guardò sorpreso.

– Adesso sì che stiamo facendo sul serio, quello è un traffico importante!

– Ma lei a suo tempo non me ne ha parlato.

– Lei mica me l'ha chiesto!

Mi condusse al computer e si mise a battere i tasti calandosi sul naso un paio d'occhiali spessi che sembravano voler nascondere la sua gioventù.

– Vediamo... Più o meno nel novantaquattro avemmo un caso a Deltebre, in provincia di Tarragona. I colpevoli non furono trovati. Qualcuno aveva denunciato strani rumori provenienti da una cascina abbandonata, ma quando arrivammo lì, se l'erano già squagliata. Riuscimmo a ricostruire più o meno la storia grazie alle testimonianze, ma non ne avemmo mai conferma. Il presunto responsabile era un tale che si era stabilito in paese dicendo di essere un addestratore di cani. Più tardi arrivammo alla conclusione che i furti di cani da difesa avvenuti nella zona potevano essere attribuiti proprio a lui. Di tanto in tanto organizzava incontri di cani, con un pubblico e un giro di scommesse. Vennero ritrovati cani mezzi morti in giro per la campagna. Doveva essere uno che se ne fregava abbastanza. Ora sospettiamo che esistano reti più organizzate operanti a Barcellona, ma non ci sono prove attendibili, quindi non possiamo fare niente.

– Che cosa succederebbe se li cogliaste sul fatto?

– Si beccherebbero delle multe, da duecentocinquantamila fino a due milioni di pesetas.

– Io li sbatterei in carcere per tutta la vita.

Sorrise con sarcasmo.

– Voi donne siete radicali, – disse.

Informai Garzón per telefono. Non riusciva a riprendersi dalla sorpresa. La terza volta che mi domandò – Combattimenti di cani? – decisi di non dire più niente a nessuno, era troppo inverosimile.

– Allora, lascio stare quel che sto facendo, ispettore?

– Continui pure a cercare la ragazza, ma se non ci riesce in breve tempo, lasci perdere.

– Ispettore, come le è venuta in mente questa storia della lotta di cani?

– Qualcuno mi ha messa sulla pista.

– Ángela?

– Sì.

– Ne ero sicuro!

– Perché?

– Lo so io.

– Bene, Garzón, rimandi i suoi affari personali a un momento più propizio e si butti anima e corpo nell'indagine.

– Ai suoi ordini.

Dongiovanni da strapazzo! Venisse pure pugnalato alle spalle, linciato, bucherellato con gli spilli, non importa, qualunque cosa pur di farlo morire.

Ángela mi rintracciò per telefono poco dopo. Aveva trovato la rivista. Si trattava di «Reportaje», un settimanale di attualità piuttosto scandalistico. Le chiesi di nuovo di accompagnarmi, questa volta alla redazione della rivista: forse le sue competenze professionali mi sarebbero state ancora d'aiuto. Purtroppo non potevo permettermi di considerare l'eventuale dolore da lei provato nel rimanere a contatto con l'ambiente di Garzón.

Ci incontrammo nell'atrio di «Reportaje». Ángela

aveva ancora un'aria lievemente afflitta. Il giornalista che si era occupato del servizio era un certo Gonzalo Casasús. Chiedemmo di vederlo e, nell'attesa, io diedi un'occhiata all'inchiesta. Le fotografie erano raccapriccianti. Un primo piano di due teste di cani agganciate per le mandibole, con gli occhi spalancati, che non guardavano da nessuna parte. Cani che saltavano addosso ad altri cani, con la ferocia negli occhi, col sangue che gocciolava dalle fauci.

– Chi è capace di una cosa simile? – mi domandai con orrore.

– Gente come te e come me, – rispose Casasús comparendo sorridente.

– Spero proprio di no, – risposi.

– Il denaro risveglia il peggio che c'è in noi. E così siete della polizia. Che cosa volete sapere?

Aveva una trentina d'anni, i capelli quasi rasati a zero, un orecchino d'argento forava il padiglione del suo orecchio destro.

– Tutto.

– Tutto sui combattimenti di cani.

– Sì. Dove hai preso le foto? Sei stato a uno di quegli incontri?

– Suppongo abbiate sentito parlare del segreto professionale.

– Tu però dovresti anche aver sentito parlare di accuse di complicità per occultamento di prove.

– Sì, ne so qualcosa. Senti, credo che abbiamo cominciato sul piede sbagliato. Perché non riprendiamo da capo?

– D'accordo, comincia tu.

– Potrò pubblicare quel che diremo?

– Adesso no, ma se collabori ti prometto che sarai il primo a saperlo, quando risolveremo il caso.

– È già una buona cosa. Però mi dispiace deludervi. In realtà non sono mai stato a uno di quegli incontri, però so come funzionano, e che se ne tengono anche a Barcellona.

– Come lo sai?

– Qualcuno mi ha informato.

– Chi?

– Ricominciamo con i nomi?

– Chi?

– Bah! Un poveraccio, non credo che fosse molto importante nell'organizzazione.

Tirai fuori la foto di Lucena, gliela mostrai.

– È questo il poveraccio?

– Cazzo, sì! Cosa gli è successo?

– È morto da un pezzo, l'hanno fatto fuori.

– Interessante, chi è che l'ha fatto fuori?

– Questo è quel che ci piacerebbe sapere. Sei mai stato in contatto con altri?

– No, solo con lui. Ci vedevamo in un bar. Prese i soldi per le informazioni e se ne andò senza neanche dirmi come si chiamava.

– Chi ti aveva parlato della sua esistenza?

– Non so, uno di quei disgraziati che ci raccontano cose della malavita.

– Sai come funziona l'organizzazione?

– Più o meno l'ho spiegato nel pezzo. Sembra che

abbiano copiato dalle mafie russe. I combattimenti di cani sono molto diffusi a Mosca.

– E allora?

– Be', c'è uno che ha diversi cani addestrati per la lotta. Un altro che lavora ai suoi ordini si occupa di rubare cani di razze aggressive. A volte li rubano per usarli come *sparring partners*, altre volte li destinano direttamente agli incontri dopo averli addestrati sommariamente.

– Capisco.

– Poi cercano ogni volta un posto diverso, che non appartenga a nessuno della banda. Così nessuno del pubblico potrà testimoniare su luoghi compromettenti. Allora tengono vari incontri in una serata e raccolgono le scommesse. A quanto pare le cifre sono alte, molto alte. Alla gente che ci va piacciono gli spettacoli nuovi, eccitanti.

– Ma come può piacere una cosa così orribile? – esclamò Ángela, rompendo il suo silenzio.

– Be', a loro piace. E non creda, sono gente normale, gente piena di soldi che si annoia con i divertimenti soliti, manager, imprenditori...

– Dubito che siano normali.

– In questo momento sto facendo un servizio sui pedofili; e ti assicuro che, al confronto, questi sono boy-scout.

Gli occhi di Ángela si dilatarono un poco. Proseguii.

– E le fotografie? Dove le hai prese?

– Le abbiamo comprate. Sono d'agenzia. Non ho la minima idea di dove siano state fatte; ma di certo non in Spagna, sono di «France-Press».

– Certo che così non è difficile mettere insieme un servizio.

– Anche voi ricorrete all'Interpol.

– Hai visto troppi film.

Mi guardò con aria maliziosa.

– Volete che vi faccia vedere altre foto? Ne ho diverse che il direttore non ha ritenuto opportuno pubblicare, troppo sgradevoli.

Si allontanò lasciandosi dietro un profumo soffuso di sigarette bionde.

– Sono impressionata da come sai trattare con questo genere di ragazzi, – commentò Ángela.

Sorrisi.

– Che genere di ragazzo ti sembra questo qui?

– Non so, è così... così disinibito.

– Uno stronzetto, nient'altro.

Tornò con un fascio di fotografie. Me le porse.

– Date un'occhiata, vi piaceranno.

A mano a mano che le guardavo le passavo ad Ángela, in silenzio. Erano spaventose. Canini che affondavano nella carne, bava schiumante, sangue fresco che colava, sangue coagulato sul pelo... Ángela si coprì gli occhi, le lasciò cadere sul tavolo.

– È terribile che nell'uomo possa esistere tanta crudeltà.

Il giornalista la guardò con sufficienza.

– Senti, non ti scandalizzare troppo, nel mondo ci sono ogni giorno migliaia di bambini che muoiono di fame, guerre, e gente che crepa sbudellata. Almeno qui sono solo cani.

297

Ángela si voltò verso di lui, quasi collerica:

– Ma la crudeltà che sta dietro a tutte queste cose è sempre la stessa, non te ne rendi conto?

Il tipo mi guardò perplesso.

– La signora non è della polizia, vero?

– No, hai ragione, non lo è. I poliziotti, come i giornalisti, hanno perso ogni sensibilità.

Alzò le spalle.

– Non l'ho fatto mica io il mondo.

Uscendo, osservai che Ángela era pallida.

– Credo che dovremmo buttar giù qualcosa di forte, ti farà bene.

Ci infilammo nel primo bar. Ordinai due cognac. Ángela bevve subito un bel sorso del suo: ne aveva veramente bisogno.

– Mi rincresce di averti fatta venire, non è stata un'idea molto felice.

– Penserai che sono una vecchia nevrotica che si emoziona per degli stupidi cani.

– No, anche a me tutto questo dà il voltastomaco.

– Suppongo di non essere nel momento migliore, più che altro –. Mi guardò negli occhi, io abbassai lo sguardo sul pavimento. – Hai saputo di Fermín, no, Petra?

– Sì, ho saputo.

– Sai anche che pensa di sposarsi con quella donna?

– Sì, tu come l'hai saputo?

– Mi ha chiamata lui e me l'ha raccontato. Anche se avevamo già rotto non voleva che la notizia mi arrivasse da altri. In fondo è un gentiluomo.

– Guarda, non so se sia un gentiluomo o un figlio di puttana, ma in ogni caso è un imbecille: non ci si sposa così, dalla sera alla mattina.

– Teme la solitudine. È un uomo che si è sentito molto solo per tutta la vita.

– Però quel matrimonio sarà un disastro. A una certa età la convivenza diventa più difficile.

– A una certa età la compagnia è ancora più preziosa.

Fissai lo sguardo sul bicchiere, lo affondai nel cognac, poi bevvi tutto d'un colpo. Ángela aveva i begli occhi pieni di lacrime, ma riuscì subito a ricomporsi.

– Bene, spero che mi appuntino una stella di latta come aiutante sceriffo, me la merito!

Rise più forte del solito, e mi lanciò un'altra battuta nel salutarmi. Fantastico, pensai, evviva l'amore, le risate, gli scherzi, la vita. Una merda, insomma.

Tornai in commissariato. Mi sedetti. Preparai un verbale. «Dalla testimonianza risulta che Ignacio Lucena Pastor si trovava implicato nei combattimenti clandestini di cani», scrissi. Mi sembrava tutto così assurdo. Il telefono suonò, un uomo voleva parlare con l'ispettore. Benissimo.

– Ispettore Delicado, sono Arturo Castillo, si ricorda di me?

– Buongiorno, professor Castillo. Certo che mi ricordo. Che cosa posso fare per lei?

– Mi domandavo se aveste risolto il caso dei cani. Ogni tanto mi viene in mente e, dato che non ho visto niente sui giornali...

– Professor Castillo, non si rende conto che con queste telefonate finisce per apparire lei stesso come un possibile sospetto?

– Come? Spero che stia scherzando!

– Non scherzo affatto. A volte capita. Certi colpevoli che si sentono perfettamente protetti dal loro alibi, provano il bisogno di controllare le mosse del braccio della legge.

– Ma cosa dice, ispettore!

– È sicuro di non aver niente da nascondere? Forse lei odiava Lucena per qualche ragione.

– Ispettore, posso venire a deporre quando vuole!

– Ci penserò, professor Castillo, ci penserò.

Chiusi la comunicazione. Il mio stato di atarassia si era trasformato in un attacco di rabbia. Il mondo si dibatteva fra le ingiustizie, cani aizzati dall'umana avidità si sbranavano fra loro, l'amore si risolveva sempre nella sofferenza e, malgrado tutto, era sempre indispensabile essere cortesi, non è vero? Al diavolo tutto! Chiusi i cassetti della scrivania facendo un fracasso infernale. Presi la giacca e tagliai la corda senza salutare nessuno. Avrei cenato da sola, in qualche trattoriaccia da camionisti, e avrei preso dei maccheroni ben annegati nella salsa di pomodoro e un'enorme morcilla fritta con cipolla come secondo. Una minuscola ribellione contro tutte le regole del bon ton.

La mattina seguente fu un po' meno disastrosa. Appena entrata nel mio ufficio, così violentemente abbandonato la sera prima, trovai la relazione del laboratorio sulla scrivania. La lessi con ansia e, dopo un secondo, con autentico ottimismo. Sì, non c'era alcun dubbio: sul campione di paglia che avevamo raccolto erano state rinvenute tracce di sangue e peli di cane. Ángela aveva acceso una luce sfolgorante. Lasciai a Garzón un biglietto con tutte le novità e volai in laboratorio. Il caposervizio confermò tutti gli estremi del reperto e mi diede una minuscola busta di nylon in cui erano custoditi sottovuoto diversi peli corti, duri, di un colore incerto che andava dal beige fino al bianco avorio. L'unica cosa sicura era che il sangue e i peli erano di cane. Qualunque altra precisazione spettava a un veterinario. Non osai domandargli se esistessero veterinari forensi nel corpo di polizia; sicché mi rivolsi a quello che avevo a portata di mano.

Mi presentai nell'ambulatorio di Juan Monturiol senza nemmeno avvisare. Aspettai il mio turno fra signore che tenevano i loro Yorkshire sulle ginocchia, uomini che portavano teneri cuccioli a fare il vaccino. Constatai una volta di più che si stabilisce una solidarietà speciale fra i padroni di cani. Nessuno si sentiva a disagio se veniva annusato senza preavviso, né offeso se si ritrovava oggetto di un ringhio poco amichevole.

La reazione di Juan nel vedermi, quando uscì in corridoio accompagnando un cliente, non fu lusinghiera, ma attribuii la sua aria sostenuta alla serietà dell'ambiente. Attesi con santa pazienza, lessi riviste impensabili su cani e gatti e, quando finalmente l'ultimo cliente se ne fu andato, il veterinario venne da me e mi strinse la ma-

301

no. Distanza. Non meno di quella che meritavo, probabilmente. Cercai di essere naturale e simpatica nei
preamboli personali; seria e leggermente intrigante in
quelli professionali. Si appassionò subito alla storia. Mi
chiese di vedere i peli. Io li tirai fuori dalla borsa con il
gesto sacrale di chi maneggia delle reliquie. Entrammo
nel suo laboratorio e lui depose i peli su una lastra.

– Vederli al microscopio non ci darebbe alcun indizio; proviamo a sottoporli semplicemente a un forte
ingrandimento.

Li mise sotto una lente, rimase a guardarli per un
bel po'. Mi ero dimenticata della sua bellezza. Le
mani forti e lunghe, dalle dita delicate. I capelli
biondi, folti. I tratti perfetti del naso e degli zigomi.
Alzò quei suoi occhi verdi verso di me.

– Che cosa vuoi sapere?

– A che razza di cane appartengono?

Esitò un momento.

– Ce ne sono alcuni quasi dorati, altri biancastri.
Possono corrispondere a due o più cani; ma possono
anche appartenere a uno stesso cane di due colori diversi sul dorso e sul ventre, oppure maculato. Comunque sia, vengono da esemplari a pelo corto e, dato il loro spessore e lo scarso deterioramento, direi da
individui giovani.

– Dal sangue non si può sapere di che razza sono?

– Assolutamente no.

– Sappiamo che si tratta di cani da difesa e conosciamo il colore. Credi che con questi peli potremmo
individuare o scartare qualche razza?

– È una cosa che richiede tempo.

– Posso tornare domani.

– No, rimani qui. Andrò a comprare qualcosa da mangiare.

– Vado io.

Uscii in strada e cercai un bar. Mi sorpresi a chiedere doppia razione di formaggio per uno dei panini. Mi stavo occupando di Juan, gradevole sensazione dopotutto. Il mio amante deluso era di nuovo gentile con me. Dopo lunghe ore di lavoro in ambulatorio trovava ancora del tempo da dedicarmi. Di certo io non mi ero comportata bene con lui. Ero stata superficiale. Forse non è poi così terribile dare un po' di fiducia a qualcuno. La compagnia è preziosa, come diceva Ángela.

Il pomeriggio fu lungo e intenso. Dopo aver consultato libri e fotografie, Monturiol fu in grado di dare il suo responso.

– Segnatelo, Petra, vediamo. Questi peli possono appartenere alle seguenti razze: boxer, Staffordshire, pastore tedesco a pelo corto, alano e cane da presa delle Canarie. Suppongo siano troppe perché possano esserti d'aiuto, mi sbaglio?

– Se la faccenda funziona come mi ha raccontato un giornalista, uno dei cani era rubato, e quindi conoscerne la razza non ci direbbe niente di particolare. Ma l'altro era di proprietà dell'organizzatore, e deve rientrare senza dubbio fra queste razze. Per questo è determinante sapere quale.

– Stai pensando a qualcuno degli allevatori?

– È una possibilità.

– Non posso aiutarti oltre.

– Mi hai aiutata moltissimo, invece. Cosa posso fare io per te?

– Accompagnarmi a casa, sono senza macchina.

E lo accompagnai. Forse non era così spiacevole mostrarsi un po' affettuosa di tanto in tanto.

La mattina seguente Garzón ed io tenemmo una riunione d'urgenza nel mio ufficio. Lui mi illustrò per sommi capi i passi compiuti nella caccia alla donna misteriosa. Non lo ascoltai. Poi gli esposi io la situazione. I nostri sforzi dovevano concentrarsi sugli allevatori delle razze indicate da Monturiol.

– Ma se li abbiamo già visti! – protestò il mio collega.

– Li rivedremo.

– Continuo a credere che stiamo perdendo troppo tempo.

– Lavoriamo con le uniche prove che abbiamo. Ora sappiamo che Lucena era nel giro dei combattimenti clandestini, oltre a sapere che con il nuovo lavoro «se ne stava in campagna». Cosa pensa che andasse a fare in campagna, le merende sull'erba?

– Ma campagna potrebbe essere il giardino di chiunque abbia una casa sufficientemente isolata.

– D'accordo, ma chi può tenersi in casa dei cani addestrati per la lotta? E dove si possono fare le esercitazioni con i cani rubati senza destare sospetti? No, Garzón, la campagna può essere qualunque cosa, ma prima di cercare aghi nei pagliai conviene dare una buona occhiata nel porta-aghi.

– Però la avverto che con la lista di Monturiol ne avremo per un bel pezzo.

– Possiamo scartare una razza: non ci sono allevatori di cani da presa delle Canarie vicino a Barcellona.

– Anche così...

– Ce li divideremo. Lei visiterà l'allevamento degli Staffordshire e quello degli alani. Io mi occuperò del pastore tedesco e del boxer. Pensi lei ai mandati di perquisizione. Questa volta ci faremo aprire tutte le porte e perlustreremo da cima a fondo. L'ispezione dovrà comprendere anche gli animali, sarà necessario verificare se alcuni presentano escoriazioni o cicatrici.

– In questo caso dovremmo essere accompagnati da un esperto. Chiederò a Valentina di venire con me.

– Buona idea, io lo chiederò a Juan o a Ángela.

– Ispettore, se Ángela dovesse passare di qui...

– Non si preoccupi, cercherò di evitare che avvengano incontri spiacevoli.

– Grazie. Vedo che si preoccupa.

– Lei non sa fino a che punto mi preoccupo.

Preferì non indagare sulle mie invettive ironiche e se ne uscì in gran fretta dall'ufficio, probabilmente felice di poter condividere il lavoro con un'esperta così confacente ai suoi gusti.

Alle quattro di quello stesso pomeriggio i mandati di perquisizione erano già sulla mia scrivania. Aveva fatto il suo dovere: Garzón il magnifico, malgrado le sue velleità amatorie, continuava a funzionare come un orologio svizzero. Mi accordai con Juan Monturiol per andare insieme all'allevamento del pastore tedesco. Fu un incontro disteso, quasi una scampagnata. Chiacchierammo del più e del meno e, una volta arrivati sul posto, mi accorsi di quanto fosse emozionato nel prendere parte a una perquisizione poliziesca. L'allevatore era un uomo abbastanza in là con gli anni, pacifico, un'assoluta eccezione al luogo comune secondo cui cani e padroni si somigliano. Lui non aveva niente in comune con i suoi ardimentosi pastori tedeschi. Accolse la nostra visita con tanta filosofia che mi domandò persino del viceispettore Garzón, da lui conosciuto la volta prima. Se era lui il colpevole, aveva sviluppato una sorprendente capacità di simulazione. Anche i locali non sembravano aver niente di sospetto: aprimmo porte, ficcammo il naso nelle gabbie, ispezionammo fino all'ultimo angolino. Non esistevano camere nascoste, né recinti che potessero ricordare quelli della lotta. Nessun animale era isolato o trattato in modo differente. Juan si avvicinava alle gabbie e osservava i cani con attenzione, le zampe anteriori, il collo... Mi disse che quelle erano in genere le parti più colpite in una lotta: le zampe anteriori servono a immobilizzare l'avversario, il morso al collo può provocare la morte immediata. Aveva portato con sé una lunga bacchetta e a volte la introduceva fra le sbarre per indurre il cane a cambiare posizione e poterlo esaminare meglio. Inutilmente, perché il suo parere conclusivo fu negativo, nessuno di quegli esemplari presentava segni di aggressione.

Affinché il sopralluogo avesse l'aria di essere completo, diedi un'occhiata più intimidatoria che altro ai libri contabili. Niente di strano, a una prima occhiata. L'allevatore ci guardava con rassegnazione e curiosità, ma non fece domande. Solo alla fine, perduta ormai la timidezza, si azzardò a dichiarare che mai più avrebbe denunciato alla polizia la scomparsa di uno dei suoi cani. Juan commise l'errore di domandargliene il perché, e lui rispose: – Con la polizia va sempre a finire che ti trattano come se fossi colpevole di qualcosa –. Il mio amico rimase impressionato da quella frase, ma io più tardi gli dissi che era un classico di repertorio, per quanto non del tutto ingiustificato.

Nel viaggio di ritorno la sensazione di relax e di benessere si fece ancora più avvolgente. Juan scartava la possibilità che l'allevatore di pastori tedeschi fosse il nostro uomo, come se davvero anche lui stesse lavorando al caso. Formulava ipotesi, le metteva alla prova con domande che lui stesso elaborava. Lo guardai con un sorriso.

– Magari si potrebbe fare di te un buon poliziotto.

– Ti ricordo che la pace e la tranquillità sono le due cose che considero più importanti nella vita.

– Però puoi giocare a guardie e ladri di tanto in tanto.

– Questo significa che avrai bisogno di me anche domani?

– Ho proprio paura di sì. Ce la fai a liberarti? Abbiamo un altro paio di allevatori da visitare.

– Vedrò di farcela.

– E adesso ce la faresti a liberarti per venire a cena con me?

Mi guardò interrogativo. – Una cena senza fretta?

– Sì.

– Mi sono già liberato.

E cenammo a casa sua, e dopo facemmo l'amore lentamente, dolcemente. Forse ci sono relazioni che bisogna saper troncare e iniziare di nuovo più volte, pensai mentre mi rivestivo stando attenta a non svegliarlo. Forse in uno di quegli inizi si trovava la via giusta.

Arrivai a casa alle tre del mattino. Ascoltai i messaggi della segreteria. Niente. La donna di servizio mi aveva lasciato delle verdure cotte per la cena. Erano fredde come cadaveri sul tavolo di cucina. Spavento stava rosicchiando uno di quei finti ossi fatti di cartilagine. Entusiasta della sua preda sintetica non venne neppure a salutarmi. Feci un bagno, mi strappai qualche pelo dalle sopracciglia e presi un libro con la sana intenzione di lasciarmi vincere dal sonno nel bel mezzo di un'attività culturale. Ma non era passato un istante che suonò il telefono. È Juan, pensai, uno dei suoi tipici omaggi amorosi: «È stato meraviglioso, mi manchi». E invece no, era Garzón, alle tre del mattino. Doveva trattarsi di qualcosa di grave.

– Ispettore? C'è una cosa molto importante che devo comunicarle.

Mi sentii pungere dall'ansia.

– L'allevatore degli Staffordshire! – gridai quasi.

– No, non si tratta di questo. Vede, è che preferi-

rei venire un momento a casa sua e dirglielo personalmente. Non ho nemmeno voluto lasciarle un messaggio in segreteria. È tutta la sera che la chiamo.

Che altro potevo fare se non dirgli di venire? Doveva aver ottenuto un'informazione così cruciale per
l'indagine che non osava comunicarmela per telefono.
Mi rivestii sommariamente e guardai se ci fosse ancora del whisky in dispensa. Mi sedetti ad aspettare il
mio vice. Quando aprii la porta capii subito che controllare le mie riserve di whisky era stata una precau-
zione superflua: Garzón aveva in mano, e scuoteva
euforicamente, una bottiglia di champagne francese.

– Vada a prendere due bicchieri, ispettore, e per-
doni l'invadenza, ma ho voluto che lei fosse la prima
a saperlo.

Lo guardai come un'imbecille. Alla fine disse:

– Valentina ha detto di sì.

Mi aveva presa così alla sprovvista che ero sul
punto di chiedergli: «Sì a cosa?», ma subito capii
che parlava del matrimonio. L'unica cosa che mi
venne da dirgli fu:

– Ma è magnifico, Fermín!

Si infilò nel salone e prese lui stesso i bicchieri.
Accarezzò la testa di Spavento e aprì lo champagne
come il più consumato dei sommelier. Brindammo.

– Alla sua felicità! – esclamai, senza sapere se
fosse quella la cosa giusta da dirsi. Lui alzò il bicchiere e ne buttò giù il contenuto tutto d'un fiato
senza battere ciglio. Poi ci sedemmo e assunse un
tono confidenziale.

– È stata dura per lei, sa? Quello là, il suo amante, non la lasciava andar via mica tanto facilmente. Ha fatto un mucchio di pressioni su di lei negli ultimi giorni, una cosa tremenda. È arrivato perfino a confessare a sua moglie la storia con Valentina, e a dirle che voleva separarsi. Naturalmente era un ricatto per Valentina. Quel mascalzone se l'è tenuta per anni come amante segreta e ora le offre di lasciare sua moglie e di sposarla non appena avrà il divorzio. Valentina ha lottato come una leonessa. «Ormai è troppo tardi», gli ha detto. «Hai dato un dispiacere inutile a tua moglie». Che gliene pare? Bella risposta, eh?

– Bella.

– Alla fine sembra si sia reso conto che non c'era niente da fare e dovrebbe lasciarla in pace una volta per tutte. Cosa ne dice lei, Petra?

– Cosa vuole che le dica? È tutto molto emozionante.

– Adesso viene il bello. In realtà è per dirle questo che mi sono permesso di venire così tardi.

– Piano, Fermín, mi fa venire un infarto!

– Appena ci sposiamo do le dimissioni dal servizio.

– Lascia la polizia?

– Pensionamento anticipato.

Rimasi stupefatta, senza parole.

– Ne è sicuro, Fermín?

– Vede, mettendo insieme i risparmi di Valentina con i miei, risulta che ne abbiamo abbastanza per comprarci un pezzo di terra in campagna e costruire la casetta e il canile che lei ha sempre desiderato.

Non è incredibile? Vantaggi del matrimonio. Così tutti e due potremo dedicarci tranquillamente all'allevamento dei cani e vivere in mezzo alla natura. Come mi vede lei in mezzo alle belve, ispettore?

– Non so, Fermín, ma ci ha pensato bene? Lasciare la polizia, cambiare attività dopo tanti anni... per Valentina è il sogno di tutta una vita, ma per lei...

Si fece serio, mi guardò intensamente.

– Sono stanco, Petra, davvero. Lei è entrata in polizia perché aveva bisogno di un cambiamento; come avvocato avrebbe potuto occuparsi di molte altre cose. Io però sono entrato nel corpo che ero un ragazzino, solo per guadagnarmi un pezzo di pane. È tutta una vita che faccio il piedipiatti, e mi dico: che cosa ci faccio io alla mia età a caccia di ladri di cani?

– Lei ha tutto il diritto di scegliere.

– È la prima volta nella mia vita che scelgo davvero, e due cose importanti: la moglie e il lavoro. Le assicuro che mi sento come un re.

– Le auguro ogni felicità. Il suo appartamento da scapolo è durato poco, dopotutto!

– Ma è stato un passo molto importante. Mi ha dato libertà e intimità. E questo lo devo a lei.

– E allora mi ripaghi con un'altra coppa di champagne!

Bevemmo e ridemmo per un bel po'. Non avevo mai visto nessuno così contento. Di certo mi sarebbe mancato, con la sua lealtà, la sua fame da lupo, il profilo rotondo e gioviale della sua pancia. L'avevo sottovalutato, forse non era così immaturo come mi era parso: aveva saputo trovare quello che voleva. Se ne andò un po' brillo, felice, baldanzoso come un maresciallo. Chissà se aveva ancora un pensiero per Ángela in quel momento? Certo che no. La felicità amorosa rende immuni dai ricordi dolorosi. Il valore della compagnia. Mi sedetti, accarezzai la testa di Spavento che si era addormentato accanto al suo falso osso. Presi il telefono e chiamai Juan. Non mi importava di svegliarlo. Si spaventò.

– Petra! Cosa succede?

– Niente, volevo solo sapere come stai.

Ci mise un po' a ritrovare la parola, ma alla fine lo fece con un tono molto dolce.

– Sto bene, cara, sto bene.

Speravo che quella telefonata gli facesse presagire un cambiamento promettente nella mia personalità.

Il sonno di quella notte o di quel che restò della notte fu così profondo che, per quanto breve, si rivelò riparatore. Mi svegliai di ottimo umore e mi infilai subito sotto la doccia. Nel bagno, mentre mi asciugavo, sentii il telefono che suonava. Cinque minuti prima sarebbe stato peggio, pensai. Mi affrettai, una chiamata a quell'ora poteva venire solo dal commissariato. Era così, riconobbi subito l'inconfondibile accento gallego di Julio Domínguez, un giovane agente da poco destinato a Barcellona.

– Ispettore Delicado, la chiamo dietro ordine dell'ispettore Sánchez.

– Dica, la ascolto.

– È stata trovata una donna morta.

– E allora?

– Be', l'ispettore Sánchez mi ha detto che la donna, la donna morta, portava al collo una medaglia, o qualcosa del genere, con la foto del viceispettore Garzón.

Il mio respiro si fece faticoso, ebbi un'ondata di nausea.

– Bionda o bruna?

– Come?

– La donna, è bionda o bruna?

– Non lo so, ispettore, mi hanno detto solo quel che le ho riferito.

– Dove l'hanno trovata?

– Nel cortile di casa sua.

– E dov'è casa sua, santo Dio?

– Non so nemmeno questo. Non sono stato io a ricevere la comunicazione. Aspetti un momento, ispettore, verifico chi ha parlato con l'ispettore Sánchez e la richiamo subito.

– Per tutti i diavoli, vengo io immediatamente, faccio prima!

Mi vestii con le prime cose che mi capitarono. Le cerniere-lampo si inceppavano e i bottoni resistevano. Dimenticai di passarmi un pettine fra i capelli e di accarezzare Spavento. Mentre mettevo in moto la macchina, sentivo l'adrenalina fluire nel mio corpo.

10

Sánchez era impressionato. Era un uomo maturo, un veterano indurito dall'esperienza, ma lui stesso mi disse: – In tutti i miei anni di servizio non avevo mai visto niente di simile –. Neanche a me, che ne avevo molti di meno sulle spalle, sarebbe forse toccato di assistere un'altra volta a una scena come quella. Sul pavimento, fatto a brandelli come un vecchio straccio, giaceva il cadavere di Valentina Cortés. Le parti esposte del suo corpo erano coperte di ferite violacee. Aveva la faccia piena di sangue e gli occhi strizzati in una smorfia di dolore, ormai fissa per sempre. Mi inginocchiai accanto a lei. I suoi bei capelli biondi erano appiccicati a ciocche per via del sangue rappreso. Sánchez si accovacciò alla mia altezza.

– È l'amica di Fermín Garzón, vero?

– Sì.

– L'ho immaginato subito, con quel medaglione… è per questo che ho preferito chiamare te per dare un'occhiata.

– Che ferite sono?

– Morsi. Sembra sia stata aggredita dal suo stesso cane. È laggiù, trincerato in fondo al suo canile. Appena ci avviciniamo, ringhia. Non credo che verrà fuori, ma ho messo un agente con la pistola pronta. Dev'essere una bestia da far paura.

– Hai avvisato il medico legale?

– Anche il giudice per il certificato di morte. Abbiamo fatto un primo sopralluogo nella casa e non c'è niente di anormale. Si direbbe che l'abbia aggredita qui fuori, davanti al canile: era legato.

– I vicini hanno sentito qualcosa?

– Dicono di no.

– È strano, non le sembra?

– Dipende da che ora era; e poi, essendo il suo cane, deve averla colta di sorpresa, così non ha gridato.

– Di sorpresa con tutti quei morsi?

– Non sappiamo se l'ha uccisa al primo colpo e ha continuato a morderla dopo.

Mi rimisi in piedi. Il mal di testa aveva cominciato a premermi alle tempie.

– Erano molto intimi Garzón e lei?

– Sì, molto intimi.

– Cazzo! E come pensi di dirglielo?

– Devo dirglielo io?

– Certo, lavora con te!

Telefonai al viceispettore. Era l'unica soluzione, e poi, era mio dovere. Se non altro, ora sulla scena del delitto c'era molta più gente, e al suo arrivo avrei trovato qualcuno che mi aiutasse ad allentare la tensione.

– Pronto, viceispettore Garzón?

– Dica pure, ispettore. Scusi se sono in ritardo, ma

sto uscendo proprio adesso per venire in commissariato.

– Garzón, è successo qualcosa di brutto, voglio
che mi ascolti e che mantenga la calma.

– Cavoli, ispettore, non mi spaventi.

– Hanno trovato morta Valentina in casa sua, Fermín.
Si ritiene che sia stata Morgana ad attaccarla ripetutamente fino a lasciarla senza vita.

Dall'altra parte non ci fu altro che silenzio.

– Ha capito, vero?

– Sì.

– Si sente bene?

– Sì.

– Allora vuol venire?

– Sì.

Arrivò il medico legale, e arrivò il magistrato, e per
ultimo, senza cravatta e con le falde della giacca svo-
lazzanti al vento, arrivò Garzón. Evitai di guardarlo
in faccia, evitai di parlargli. Vidi da una certa distanza che si avvicinava al punto in cui giaceva il corpo,
che si chinava e sollevava un lembo del lenzuolo che
lo copriva. Sánchez gli dava tutte le spiegazioni. Lui
ascoltava in silenzio. Allora mi avvicinai, gli misi una
mano sulla spalla, si voltò, mi guardò, era verde, i suoi
occhi erano privi di espressione.

– Fermín, – dissi.

– Buongiorno, ispettore, – rispose con voce completamente opaca.

– Il medico dice che è morta alle due del mattino,

e ha confermato che si tratta di morsi di cane. Ora la porteranno via per l'autopsia, – precisò Sánchez.

– Non l'ha ammazzata il suo cane, – dichiarò sottovoce Garzón. – Ispettore Sánchez, sospetto che si tratti di omicidio. Può ordinare un sopralluogo più approfondito?

Sánchez lo guardò dubbioso, ma subito rispose:

– Naturalmente. Faccio immediatamente perquisire tutto un'altra volta, faccio prendere impronte e campioni di tessuto da tappeti e tende. Bisognerà sopprimere il cane ed esaminarne i denti per trovare resti di sangue.

– Non è necessario sopprimerlo, lo tiro fuori io dal canile.

– Le sarà impossibile, Fermín.

Garzón non rispose. Si diresse verso il canile. Nel vederlo, l'animale cominciò a ringhiare. Il viceispettore non si fermò. Tutti rimanemmo col fiato sospeso, tutti gli sguardi si puntarono su di lui. Si chinò davanti alla porticina, allungò la mano aperta verso l'interno e disse con voce calma:

– Vieni, Morgana, vieni.

Il cane uscì dal nascondiglio quasi strisciando e cercò protezione contro le gambe del mio vice. Questi cominciò ad accarezzarla in silenzio. Non si muovevano, e nessuno osava interromperli. Mi avvicinai.

– Fermín, guardi che devono portarla via, bisogna farle esaminare i denti.

– Dica che non la sopprimano, cercheremo qualcuno che la tenga.

– Va bene, non si preoccupi, ci penserò io.

Prese il cane per il collare, lo slegò, e questo lo seguì mansueto fino al furgone. Il medico legale gli iniettò un sedativo e lo portarono via. Garzón rimase a guardare il furgone che si allontanava. Dovevo assolutamente trascinarlo via di lì, anche solo per qualche minuto. Non doveva assistere al prelievo della salma.

– Andiamo a prendere un caffè, viceispettore.

– Un caffè? – domandò, come se avesse dimenticato il significato della parola.

– Sì, è questione di un minuto, andiamo.

– E il sopralluogo?

– Se ne fa carico l'ispettore Sánchez; non abbia timori, sarà un lavoro come si deve.

Lo spinsi dolcemente ma con fermezza. Entrammo in un baruccio rumoroso pieno di operai che facevano colazione.

– Lo prende macchiato, Fermín?

Assentì, distratto e assente.

Bevemmo il caffè in silenzio. Io udivo le battute che si scambiavano i clienti, l'enunciazione neutra delle notizie radiofoniche che si sommava al chiasso, la musichetta della macchina mangiasoldi che dal suo angolo invitava a giocare. L'allegra routine di una mattina normale. Non sono mai stata portata all'eroismo né al sentimentalismo. Non mi piacciono le condoglianze, le parole di conforto e le frasi di circostanza. Non c'è niente da dire davanti all'avversità: può darsi che tutto nella vita prima o poi si risolva, ma c'è qualcosa di ingiurioso nel ricordarlo a chi sta soffrendo. L'unica cosa che mi sentii di dire fu:

– Ce lo facciamo un bicchiere, viceispettore?

Accettò, e non appena l'ebbe in mano, lo buttò giù in un sorso. Poi disse:

– Valentina l'ha ammazzata il suo amante.

– Con un cane?

– L'ha ammazzata il suo amante, – ripeté.

– Che cosa sa lei di questo amante, Fermín?

– Niente, guardi che è pazzesco. Non ho mai voluto chiederle niente, e lei non me ne ha mai parlato –. Rimase un secondo assorto e aggiunse: – Andiamo, voglio vedere come va questa perquisizione.

Bene, prendere le cose dal lato professionale era un buon modo per affrontare la realtà. Quando fummo di ritorno mi sincerai che il cadavere non ci fosse più. Sánchez ci venne subito incontro.

– Abbiamo trovato qualcosa nel canile, – disse. – Agente Figueredo, mi porti l'oggetto rinvenuto!

– Veramente l'abbiamo già messo in macchina, ispettore.

– E chi vi ha detto…? Mi porti subito quell'affare, per la miseria! – Mentre l'agente si allontanava, Sánchez si voltò verso di me e commentò con aria solenne:

– Un giorno o l'altro dovremo chiedergli le cose per favore a questa gente.

Figueredo tornò portando un quaderno. Garzón glielo strappò quasi di mano e cominciò a sfogliarlo nervosamente. Una smorfia di dolore gli attraversò la faccia, poi me lo tese. Era il terzo quaderno di conti di Lucena. Non c'era dubbio, la scrittura era la sua, suoi i numeri e, questa volta, comparivano le cifre elevate che potevano corrispondere ai soldi nascosti in casa sua.

– Dov'era? – domandai.

– In una profonda crepa nella parete posteriore del canile. Bel nascondiglio, vero? Nessuno avrebbe avuto le palle di infilarsi lì dentro. Vi dice qualcosa questo quaderno?

– Sì, Sánchez, temo che dovremo comunicare al commissario che la cosa riguarda noi; rientra nel caso di cui ci stiamo occupando.

– Be', non sapete il favore che mi fate, questa faccenda non mi piace per niente.

Garzón era serio come un becchino. Quando salimmo in macchina ci fu un lungo silenzio. Poi, udii la sua voce esplodere con violenza:

– E va bene, Petra, lo dica, lo dica pure quanto vuole! Valentina era dentro fino al collo nell'assassinio di Lucena, forse è stata addirittura lei a ucciderlo. Per questo ha fatto la simpatica con me fin dall'inizio, per farmi parlare, per sapere che cosa stavamo scoprendo e passare le informazioni ai suoi complici. Perché non lo dice? Lo dica, forza! Lo dica che sono un imbecille!

Aveva gridato.

– Si calmi, Garzón, e non anticipi i fatti. Se vuole ne parleremo, ma con tranquillità, quando saremo nel mio ufficio.

– Mi scusi, ma mi sembra di vivere in un incubo.

– Si tranquillizzi, è inutile lamentarsi. Indagheremo e vedremo cos'è successo.

Una volta in commissariato, mi misi alla scrivania, Garzón si lasciò cadere pesantemente su una sedia. Diedi un'altra occhiata al quaderno. Non c'erano dubbi, era il terzo quaderno di Lucena. Presi il telefono e chiamai Juan Monturiol.

– Juan? Devo chiederti un altro favore. Non è una cosa piacevole. Si tratta di assistere a un'autopsia. Vorrei che tu vedessi dei morsi di cane. Sì, ti faccio sapere a che ora, ti richiamo.

Mi sentivo carica di una nuova forza. La fine era vicina. Non si intravedeva ancora quale fosse, ma era lì, ormai, a portata di mano. Affrontai Garzón.

– Un passo alla volta, viceispettore. È ovvio che dal momento in cui l'abbiamo conosciuta al centro d'addestramento – e ora penso che Spavento ci avesse davvero guidati nel posto giusto –, Valentina ha forzato le cose per far nascere un'amicizia. Questa amicizia le serviva per passare informazioni ai suoi complici sugli sviluppi delle nostre indagini; così potevano stare tranquilli. Ma ci sono due punti che non si possono dare per scontati: primo, che Valentina non abbia assassinato Lucena, secondo, che non intendesse veramente sposarsi con lei.

– Come può esserne così sicura?

– Ci pensi, non si lasci trascinare dallo scoraggiamento o dal rancore. Il ritrovamento del quaderno accusa Valentina, certo, lei era implicata nelle attività di Lucena; ma al tempo stesso la assolve. Perché crede che lo tenesse in un luogo così sicuro?

– Perché era una prova contro di lei.

– In questo caso sarebbe stato molto più efficace distruggerlo. No, Valentina si è impadronita del quaderno alla morte di Lucena, ed evidentemente lo stava usando come strumento intimidatorio contro qualcuno. È più probabile che quel qualcuno sia il suo complice, e pertanto, il responsabile della morte di Lucena.

Ammutolì per un momento, pensieroso. Continuai con la mia spiegazione, che io stessa capivo sempre meglio via via che la esprimevo con tanta chiarezza.

– Forse proprio il quaderno è costato la vita a Valentina. La cosa più probabile è che, decidendo di sposare lei, il che dimostra che volesse farlo davvero, intendesse definitivamente tagliare i ponti con i suoi complici, i quali non gliel'hanno permesso. Paura di una delazione, paura della confidenza fra marito e moglie... Pensi! Sarebbe diventata niente meno che la moglie di un poliziotto! La minacciano, lei contrattacca tirando in ballo il quaderno, glielo chiedono indietro, lei si rifiuta di consegnarlo perché rappresenta una garanzia per il suo futuro... alla fine le aizzano contro un cane addestrato e quel cane la ammazza. Cercano il quaderno senza trovarlo, e poi rimettono a posto la casa in modo da far passare l'assassinio per un incidente con Morgana.

– Mio Dio, è una bella ipotesi!

– È pura logica. Lei sa se l'amante di Valentina può essere uno dei complici? Le aveva mai detto se apparteneva anche lui al mondo dei cani?

– Gliel'ho già detto, non so niente di quello là; ora dubito perfino che esista.

– Valentina aveva dei parenti?

– Mi ha sempre detto che era sola al mondo.

– Amici?

– Non lo so.

– Allora verifichi immediatamente.

– Vorrei che mi assegnasse un incarico sulla linea del fuoco.

– Lei faccia quel che le si ordina, Garzón, e limiti il coinvolgimento personale, altrimenti dovrò chiedere al commissario di sollevarla dal caso.

– Agli ordini, – disse, e se ne uscì tutto incazzato, immusonito. Questo mi tranquillizzò un po', era il primo segno di normalità nelle ultime ore.

Per Juan Monturiol assistere a quell'autopsia doveva essere pesante; ma era così attratto dai misteri del nostro caso che dimenticò i suoi timori e dimostrò grande forza d'animo. Io, naturalmente, rimasi ad aspettare i risultati in corridoio. Nessuno sarebbe riuscito a convincermi a entrare nella sala. Mi si allentarono i muscoli appena mi sedetti, ma avevo ancora male alla cervicale. Sembrava una follia. Via via che ci avvicinavamo alla soluzione del caso era come se al tempo stesso ce ne allontanassimo progressivamente. Spavento ci aveva dato la chiave, o parte di essa, fin dal primo momento. Adesso era chiaro. Il suo orecchio morsicato. Ricordai la reazione del cane nel ritrovarsi per la prima volta davanti a Valentina, ma lei era stata rapida e intelligente e aveva preso una decisione coraggiosa. Avevamo agito per tutto il tempo sotto i suoi occhi, lei sapeva quando ci stavamo pericolosamente avvicinando al nodo centrale della questione, e quando rimanevamo a distanza di sicurezza. Il viceispettore era stato una preda facile, il piccolo dongiovanni, il cacciatore cacciato. Con la morte di Valentina una cascata di domande travolgeva il caso, spostando l'attenzione sulla vicenda amorosa. A un certo momento Valentina si era veramente innamorata del mio vice? Pensava davvero di sposarlo? Lui le stava offrendo l'opportunità di realizzare rapidamente il sogno di una casa in campagna, e in più lei aveva scoperto la sua bontà e ne era stata conquistata. Era necessario prendere per buona questa ipotesi, per la logica dell'indagine, per la consolazione di Garzón. Supponevo che nella sua mente risuonassero gli stessi interrogativi, accompagnati da una dolorosa incertezza.

Quando Monturiol e il medico legale uscirono dalla sala, io avevo già smesso di pensare al caso; la terribile realtà della morte di Valentina mi stava prendendo allo stomaco. La vista della faccia di Juan non contribuì a tranquillizzarmi. Era bianco, con gli occhi fuori dalle orbite e i denti stretti. C'è pur sempre una piccola differenza fra animali e uomini sbudellati. O forse è tutta questione di abitudine, visto che il medico era fresco come una rosa.

– Un caso chiarissimo, – disse. – Effettivamente la morte è avvenuta verso le due di notte. Ho contato sul corpo fino a venticinque morsi di cane. Uno dei quali le ha reciso la giugulare. È probabile che l'aggressione sia avvenuta in casa e non nel cortile, perché, cadendo, deve aver urtato contro uno spigolo, forse di un tavolo; si vede il segno sul costato. Suppongo che sia stata trascinata e abbandonata fuori. La porta era aperta?

– Sì. E la vittima non era in camicia da notte. Probabilmente aspettava qualcuno.

– Io, su questo, non posso dire niente; e nemmeno sulle deduzioni zoologiche, che ho lasciato al collega. Non si è troppo divertito là dentro, vero? – ridendo mollò una pacca sulla spalla di Juan. – Ora vi lascio, ho un'altra autopsia. Stasera ti faccio avere il referto, Petra.

Se ne andò lasciando nell'aria un forte odore di disinfettante.

– Ho vomitato, – confessò Monturiol quando fummo soli.

– Mi dispiace, Juan, veramente.

– Mi sento come un novellino.

– Ne hai già tratto delle conclusioni?

– Figurati. Ho preso degli appunti. La misura dei morsi, qualche schizzo. Adesso dovrei lavorarci sopra nel mio studio.

– Puoi farlo domani.

– No, mi sento già meglio.

– Sei sicuro?

– Te lo dirò quando saremo fuori di qui.

Era straordinariamente abile al computer, un'altra delle sue virtù insospettate. Per diverse ore, con un lavoro minuzioso e perfetto, disegnò sullo schermo il profilo esatto dei morsi in base ai dati presi sul momento. Poi, partendo da quel profilo già tracciato per intero, delineò la mandibola completa che poteva averlo prodotto. Io aspettavo buttata su una poltrona, in preda a una stanchezza sempre più profonda che mi condusse al sonno. Lui mi svegliò a un'ora che non riuscii neppure a calcolare.

– Adesso credo di avere le idee chiare.

Mi sedetti al suo fianco, improvvisamente sveglissima.

– Naturalmente non è stata Morgana a morderla. Si tratta di un cane di taglia più piccola del rottweiler, ma decisamente più forte, i morsi sono profondi, precisi, senza lacerazione, inferti con un solo energico colpo. Un cane addestrato per farlo, non si è nemmeno stancato, la sua forza non è diminuita, tutti i segni sono della stessa intensità.

– Può appartenere a una delle razze che abbiamo selezionato l'altro giorno a partire dai peli?

– È quello che vedremo ora.

Sedette davanti a me, prese carta e penna.

– Vediamo. Il boxer è automaticamente scartato. La sua bocca è caratterizzata dal cosiddetto prognatismo inferiore. Vale a dire, la mandibola inferiore è leggermente più in avanti di quella superiore. Questo dà luogo a un morso dalla forma caratteristica che non corrisponde a quelli presenti sul corpo di Valentina –. Tirò una riga. – Scartato anche l'alano. La sua bocca enorme produce un morso molto più grande. In questo caso ci restano soltanto il pastore tedesco e lo Staffordshire bull-terrier. E fra i morsi di questi due è impossibile distinguere.

– Caspita, Juan, è un passo importante! Lo comunico subito a Garzón.

In commissariato mi dissero che se ne era già andato, e così, un po' preoccupata, lo chiamai a casa. C'era, spento come una lampadina fulminata. Gli parlai delle deduzioni di Juan e mi rispose solo a monosillabi. Alla fine del racconto non fece domande né commenti.

– Si sente bene, Fermín?

– Sì.

– Spero che non stia bevendo come un animale, vorrei che domani fosse in condizioni di lavorare, c'è molto da fare.

– Non si preoccupi, non sto bevendo.

– Ha bisogno di qualcosa?

– No, Petra, grazie.

– Buonanotte allora.

– Buonanotte.

Juan mi si avvicinò alle spalle e mi abbracciò. Mi girai e ci baciammo.

– Credo che come ricompensa al mio lavoro di detective dilettante tu mi debba almeno un invito a cena e poi...

– Mi dispiace, Juan, ma sono preoccupata per Garzón. Vado a vedere come sta.

– Mi è parso di capire che stava benissimo.

– Non si sa mai. Ha ricevuto un brutto colpo, ed è solo. Domani ti telefono.

Abbassò gli occhi, sorrise.

– Fai pure il tuo dovere, ispettore.

Lo baciai al volo e mi diressi verso casa di Garzón.

Quando aprì la porta diede a stento segno di riconoscermi.

– Sono venuta a controllare che non si stesse sbronzando.

– Le ho detto che non stavo bevendo.

– Bene, perché in questo caso sarà meglio che lo faccia, ma in compagnia. Ha del whisky?

Mi fece entrare. Come un automa andò in cerca della bottiglia e tirò fuori due bicchieri.

– Che gliene pare dei risultati di Juan Monturiol? Impressionanti, vero? Si ricorda gli allevatori di queste due razze? Quando siamo andati da quello dello Staffordshire per poco non ci lasciavamo le penne, forse...

– Ci sarebbe un problema, ispettore: se devo dire la verità non ho voglia di parlare.

– Bene, allora guarderemo la televisione.

C'era una partita di calcio della quale ero completamente incapace di capire alcunché. La guardammo in silenzio, sorbendo un po' di whisky di tanto in tanto. Fortunatamente i giocatori litigavano fra loro e discutevano con l'arbitro; soltanto questo, che riuscivo a capire, mi diede la forza di arrivare quasi alla fine. Mi accorsi che gli occhi di Garzón erano chiusi. Allora mi alzai e gli dissi sottovoce:

– Me ne vado, Fermín, ci vediamo domani in commissariato.

Assentì senza muoversi, mantenendo quella posizione che almeno gli aveva dato sufficiente tranquillità per addormentarsi.

Per tutta la vita avevo desiderato che mi succedessero le cose che accadono ai detective dei film. Quella notte, tornando a casa, finalmente il mio desiderio fu esaudito, ma, paradossalmente, non ne fui per niente felice. Trovai la porta forzata. Il soggiorno era in un indescrivibile disordine, avevano tirato giù i libri dagli scaffali, buttato a terra i cuscini, aperto i cassetti. Corsi in camera da letto per trovarmi davanti a una scena identica. Dal comodino erano scomparsi i pochi gioielli che avevo. Gettai la borsa sul letto. Insultai tutti i santi a voce alta. All'improvviso mi ricordai di Spavento e mi prese un colpo. Cominciai a chiamarlo istericamente cercandolo da tutte le parti, ma Spavento non rispondeva. Arrivai in cucina e la porta si aprì con difficoltà, c'era qualcosa che la bloccava. Sì, era lì, dietro la porta, un gomitolo peloso e inerte, morto. Mi inginocchiai accanto a lui, non osavo toccarlo. Lo feci con delicatezza, quasi con affetto. Era rigido e freddo. Aveva perso sangue dalla testa, dovevano averlo colpito con una mazza. Andai a cercare un cuscino, vi posai sopra Spavento e lo portai in soggiorno. Sedetti davanti al suo piccolo cadavere, stanca e desolata. Adesso sì, pensai, adesso sì che sono scomparse dalla faccia della terra le ultime vestigia di Ignacio Lucena Pastor. Il povero diavolo e il suo brutto cane. Una storia triste.

– Naturalmente non erano ladri, – dissi a Garzón, che sembrava più in sé quella mattina. – Il furto dei miei quattro anelli quasi senza valore è stato un modo per distogliere l'attenzione da quel che cercavano.

– Cercavano il quaderno di Lucena?

– Bisogna essere dei veri dilettanti per pensare che teniamo le prove indiziarie nel cassetto del comò!

– Allora quel che volevano era eliminare Spavento. Temevano che tornasse ad aiutarci con la sua muta testimonianza. Hanno visto gli agenti di piantone all'appartamento di Valentina e sanno che non ci siamo bevuti la storia dell'aggressione di Morgana. E già che c'erano hanno cercato di trovare qualcosa a casa sua.

– È possibile.

– Adesso che non hanno più Valentina a tenerli informati dei nostri movimenti, stanno cancellando tutte le possibili tracce.

– È una storia angosciante, viceispettore. Dobbiamo infilare la dirittura d'arrivo. Abbiamo tutte le carte in mano, cominciamo a giocarle con decisione una volta per tutte. È assurdo che abbiamo passato tanto tempo dietro a questo dannato caso, è ridicolo.

– Lo spionaggio di Valentina ci impediva di avanzare.

– Non scarichi troppe colpe su Valentina, adesso. Solo quelle che le spettano. In fin dei conti ha dato la vita per lei.

– Ne è sicura?

– Naturalmente, aveva perfino cominciato a venirci incontro. Fu lei a fare la soffiata alla polizia, anche se poi si è pentita e ha avvertito i complici.

Garzón alzò severamente un dito nell'aria.

– Un momento, ispettore, un momento! Lei sta affrettando le conclusioni pur di consolarmi, e questo non va.

– Cosa intende dire?

– Ma non si rende conto? Valentina non ha potuto fare nessuna soffiata semplicemente perché nel momento in cui ci fu la chiamata al commissariato, lei era con me, a casa mia. Certo, questo le permise di sapere cosa mi fu comunicato, io stesso glielo dissi. Appena uscii, lei chiamò i suoi complici e li avvisò che stavamo arrivando. Questo spiega perché quando fummo sul posto avevano già tagliato la corda. Fu lei a dare la controsoffiata, non lo dimentichi.

– Ha verificato gli orari?

– Certo che l'ho fatto.

Mi arruffai violentemente la frangia in un gesto di disperazione.

– Allora, Fermín, chi cazzo era la donna della soffiata?

– Valentina no, può starne sicura.

– E le sue indagini nell'ambiente di Valentina? Ci sono notizie sulla sua famiglia, sugli amici, sul presunto amante?

– Niente. Valentina non aveva nessuno intorno a sé, era un'anima solitaria. E l'agenda che teneva nella borsa non si trova più da nessuna parte, forse l'ha persa prima di morire.

– È mai possibile che una donna abbia un amante per anni e questo non lasci la minima traccia nella sua vita?

– Se quel che mi raccontò è vero, agivano nella massima discrezione, lui era sposato.

– D'accordo, ma lei no. Poteva pure avere in casa qualche regalo suo, un anello inciso, una fotografia... Non ricorda di aver mai notato qualcosa?

– Immagino che quando c'ero io lei non lasciasse in giro niente che potesse ricordare lui, è questione di buon gusto. A meno che...

– A meno che chi l'ha uccisa non abbia sottratto scrupolosamente da quella casa qualunque oggetto che potesse tradirlo, compresa l'agenda. Il tempo per farlo l'ha avuto.

– Questo significherebbe che amante e complice erano la stessa persona, dunque, sempre che l'amante non se lo fosse inventato.

– Non so perché avrebbe dovuto inventarsi un amante.

– Per tenermi a distanza di sicurezza sul piano amoroso.

– Ma non la teneva a distanza, si era messa con lei!

– Questo è vero.

– Qualcuno sta controllando il telefono di Valentina?

– Sì, e non ci sono chiamate.

– Anche questa è una prova. Il suo amante l'avrebbe cercata, a meno che non sapesse della sua morte.

– Sempre supponendo che esista un amante.

– Mi dispiace, viceispettore, forse è doloroso per lei riconoscerlo, ma temo proprio che un amante esistesse. Ne sono sicura, anch'io sono una donna.

Abbassò gli occhi con aria abbattuta. Lui, ovviamente, era un uomo, e riconoscere un possibile trionfo del rivale lo feriva nell'orgoglio. Uscì dal mio ufficio con le spalle incurvate. Era invecchiato di parecchi anni in soli due giorni. La vita non è giusta, ma pretendere che lo sia è un'ambizione passata di moda. Mi domandai se, alla sua età, avrei trovato il coraggio per superare una prova simile. Eppure non importava, con coraggio o senza anche lui avrebbe continuato a vivere, tutti continuano a vivere malgrado le cicatrici, i lividi, i segni di colpi senza fine.

Telefonai a Sánchez. Il rapporto sul sopralluogo in casa di Valentina era pronto. Erano state trovate minuscole gocce di sangue sui mobili. Altre, più grandi, erano state quasi completamente cancellate con acqua e sapone. Senza dubbio potevamo mettere nero su bianco che Valentina Cortés era stata assassinata, e incriminare qualcuno della sua morte. Per il momento i sospetti cadevano sui due allevatori. Qualcuno bussò. Il serafico agente gallego entrò per dirmi che uno voleva vedermi. Uno? Che fosse una confessione, una testimonianza? La mia mente galoppava sospinta dall'urgenza di condurre il caso alla sua conclusione, quindi non riuscii a collocare il ragazzo che mi guardava con occhi spalancati, bruno, tracagnotto, bene in carne.

– Così lei è l'ispettore Delicado.

– Sì, mi dica.

– Mio padre mi parla spesso di lei.

– Suo padre?

– Sono Alfonso Garzón e arrivo adesso da New York.

Come minimo rimasi con la bocca aperta. Gettai uno sguardo su di lui con autentica avidità, cercando i lineamenti ben noti. Quegli occhi dall'espressione un po' scettica... e i lobi delle orecchie da Buddha, non erano quelli del viceispettore? Si schiarì la gola, imbarazzato.

– Ma naturalmente, che sciocca sono! Suo padre è uscito che non è molto.

– Me l'hanno detto, per questo sono venuto da lei, a casa non c'è.

– Certo, caro. Vado subito a dire che ci portino un caffè.

Ebbene sì, era vero, Garzón si era riprodotto, c'era qualcuno che andava in giro per il mondo con i curiosi geni del mio vice. Anche le sopracciglia erano le sue, rigide e spioventi come due tegole.

– Certamente lei immaginerà perché sono venuto. A proposito, sa quand'è la cerimonia?

– Che cerimonia?

– Il matrimonio di mio padre, sono venuto espressamente per conoscere la sposa. Non le ha detto niente vero? L'ho avvisato del mio arrivo una settimana fa.

Mandai giù il caffè come potei. Perché quella parte toccava sempre a me?

– Vedi, Alfonso, il fatto è che negli ultimi giorni sono successe parecchie cose; e così gravi che tuo padre potrebbe anche essersi dimenticato del tuo arrivo. Avrei preferito che fosse lui a dirtelo, ma... insomma, il fatto è che la futura sposa di tuo padre è stata assassinata.

La sua voce prese un forte accento americano per gridare:

– Come, assassinata?

– Sì, barbaramente assassinata.

– Ma questo è impossibile, mio padre mi aveva detto che non era della polizia!

– Infatti non lo era, però si era trovata coinvolta in un caso; questo te lo spiegherà meglio tuo padre.

– E perché nessuno mi ha avvertito?

– Be', tuo padre, com'è logico, è molto scosso.

– Ma io vengo dagli Stati Uniti! Ho lasciato l'ospedale, ho preso dei giorni di permesso proprio quando avevo un mucchio di lavoro arretrato. Ho cancellato due importanti conferenze all'università...

– In ogni caso mi fa piacere che tu sia venuto. La tua presenza lo aiuterà a tirarsi su, moralmente è a terra.

– Sì, certo, questo sì.

Era contrariato come se gli avessero fregato un taxi sotto il naso in un giorno di pioggia, o come se avesse trovato uno scarafaggio nella stanza di un albergo a cinque stelle.

– Sai cosa faremo? Ti farò accompagnare all'appartamento di tuo padre e, nel frattempo, cercherò di rintracciarlo in modo che ti raggiunga al più presto.

– Okay, – rispose, come se quello fosse il premio di consolazione.

Lo vidi scomparire con sollievo. Non fu difficile scovare Garzón. – Mio figlio? – domandò come se gli parlassi di una strana varietà di formiche africane. – Me ne ero completamente scordato! – Bene, le cose stavano così. L'arrivo di Alfonso era provvidenziale per i miei piani. Ero sicura che tenere il viceispettore fuori dalle indagini per un po' fosse soltanto un vantaggio, dal momento che il dolore e il coinvolgimento personale non avrebbero fatto altro che intralciare la mia nuova strategia.

Questa volta, l'interrogatorio degli indiziati sarebbe avvenuto in commissariato. I due allevatori sarebbero stati prelevati da un'auto di pattuglia nelle loro case, e non sul posto di lavoro. Avremmo fatto in modo che tutto fosse molto scenografico e infamante. Gli avremmo rotto le scatole al massimo, li avremmo trattenuti il più possibile, a costo di attirarci l'intervento di qualche avvocato.

Interrogai Pedro Costa, l'allevatore di pastori tedeschi, senza la presenza di Garzón. Se quell'uomo fosse stato complice di Valentina Cortés, difficilmente avrei potuto immaginarmelo come suo amante. Il suo corpo rinsecchito, quasi ascetico, avrebbe dato poche soddisfazioni a una magnifica cacciatrice come quella, anche se nessuno conosce la vera natura delle donne e ce ne sono che si scelgono gli amanti con l'occhio di una madre. Nemmeno il suo comportamento durante il colloquio rivelò un temperamento passionale. Per quanto lo aggredissi e gli parlassi con la maggiore durezza possibile, non smise mai la sua aria monacale. Era rassegnato a subire le nostre molestie e non intendeva ribellarsi. Un simile comportamento poteva essere interpretato come franca innocenza o come una assoluta sicurezza del suo alibi. Dov'era la notte in cui fu assassinata Valentina? A casa sua, dormiva con sua moglie. La signora confermò. Lo lasciai andare. Non avevamo alcuna prova contro di lui e mi interessava che uscisse senza preoccupazioni da quella visita. Mi scusai, mi rincresceva moltissimo, questa volta poteva andarsene con la certezza che non avremmo più avuto bisogno di lui, si era trattato di un abbaglio momentaneo, di un fatale equivoco.

Proprio come mi aspettavo, far capire a Garzón quest'ultima parte non fu un'impresa facile. Alle sue domande seguirono vigorose proteste. Davvero pensavo che quell'uomo non potesse essere il colpevole? No, ancora non potevo affermarlo. E allora, perché lo lasciavo andar via con mille complimenti? Che usassimo i guanti proprio con chi poteva essere l'assassino di Valentina lo riempiva di rabbia e di disperazione, proprio come avevo temuto. Per via di queste sue reazioni mi fu del tutto impossibile impedirgli di prendere parte al secondo interrogatorio. Il che, evidentemente, non faceva che complicare le cose.

La pattuglia prelevò Augusto Ribas Solé a casa sua, prima che uscisse per andare all'allevamento. Lui, che era molto meno filosofo dell'altro indiziato, cominciò a protestare non appena ci vide. Come primo assaggio di cosa lo aspettava, Garzón lo mise a tacere con un urlo violento. Cercai di appianare le cose.

– Forse il modo in cui l'abbiamo fatta portare qui è stato un po' brusco, ma deve capire che gli agenti sono abituati così.

– Be', mi sembra ora che cambino le loro abitudini, ispettore.

– Sono d'accordo con lei, col tempo cambieranno anche loro.

Mi fece la stessa impressione di quando ci aveva salvati dal suo temibile cane. Era un individuo arrogante, sicuro di sé, paternalista e falsamente cordiale. Imprimendo alla mia voce un'intonazione pacata domandai:

– Dov'era quando fu uccisa Valentina Cortés?

– Io Valentina quasi non la conoscevo, c'eravamo visti qualche volta solo per questioni di lavoro. Ho saputo della sua morte dalle pagine dei giornali, quindi non ricordo quando sia morta esattamente, è normale, non le pare?

Garzón quasi gli saltò addosso.

– Lo diciamo noi quel che è normale, ha capito?

Ribas mi guardò scandalizzato.

– Senta, ma cosa diavolo succede? Perché mi parla così? Gli dica di moderarsi, ispettore; lei sa benissimo che posso anche non rispondere se non in presenza del mio avvocato; badi che se continua su questo tono, io me ne vado. Sto solo cercando di collaborare.

Lanciai uno sguardo assassino a Garzón.

– D'accordo, signor Ribas, mi scusi. Le dirò io quello che vuole sapere. Valentina è morta martedì scorso, alle due del mattino.

– Alle due del mattino di un martedì? Be', suppongo che stessi dormendo a casa mia, come sempre.

– C'è qualcuno che può confermarlo?

– Ma naturalmente, mia moglie!

– Permette che verifichi? Sua moglie è in casa?

– Sì, la chiami pure, e cerchi di tranquillizzarla: quando sono arrivati i suoi uomini, stamattina, si è presa uno spavento del diavolo.

Parlai brevemente con la signora, poi mi voltai verso Ribas e sorrisi.

– Dice che quella notte è rientrata tardi, signor Ribas, pare che tutti i martedì vada fuori a cena con le amiche.

– È vero, me ne ero dimenticato. Però le avrà detto a che ora è tornata, e che mi ha trovato già a letto, no?

– Me lo ha detto, sì.

– Senta, posso chiederle se ha delle prove contro di me, dal momento che sono sospettato per la morte di una donna che ho visto un paio di volte in vita mia?

Garzón stava per scaraventarglisi addosso, lo afferrai saldamente per un braccio.

– Nessuna in realtà, signor Ribas; è tutto frutto di un equivoco, ma dovevamo essere perfettamente sicuri di dove fosse lei quella notte. Ora lo siamo. Può andare.

Fece la faccia di chi non ha capito un bel niente, si

congedò cortesemente e uscì dall'ufficio con passo tranquillo. Prima che il suo buon odore di dopobarba si fosse dissipato, il viceispettore mi assalì.

– Vuol dirmi a che gioco stiamo giocando, ispettore? Perché l'ha lasciato andar via?

– Perché non abbiamo prove sufficienti.

– E così non le avremo mai. Perché non gli ha domandato della lotta dei cani? Perché non ha fatto la minima pressione?

– Che cosa voleva che facessi, che lo prendessi a sberle?

– Sì!

Avvicinai la faccia alla sua, strinsi i pugni, sibilai le parole fra i denti:

– Attenzione, Garzón, attenzione; io non le permetto di portare i suoi problemi personali qui dentro. Anche quando avremo davanti il colpevole, lei non dovrà torcergli nemmeno un capello, intesi?

Allentò la tensione, abbassò gli occhi.

– Va bene, – masticò, – e adesso cosa facciamo?

– Aspettiamo.

– Aspettiamo cosa?

– Non lo so, viceispettore, ma qualcosa deve succedere, e se non succede niente tenteremo un'altra strada, di sicuro a questo punto non ci faremo prendere dalla disperazione né ci lasceremo andare ad atti inconsulti.

– Per lei è facile dirlo.

– Forse.

E aspettammo, con tutta la calma possibile. Ne approfittai per rimettere in ordine vecchie carte, per occuparmi di questioni marginali che mi impedissero di pensare ossessivamente al caso. Ogni giorno, verso sera, Garzón ed io ci riunivamo nel mio ufficio, parlavamo del più e del meno, cercando di non menzionare ciò che in realtà occupava le nostre menti. Io gli domandavo di suo figlio. Mi disse che aveva deciso di fermarsi a Barcellona ancora per qualche giorno, a fare il turista. L'aveva già accompagnato alla Sagrada Familia e a Montjuïc. Al ragazzo piaceva ricordare il suo passato in città. Un giorno andammo a pranzo fuori tutti e tre. L'appuntamento era a Los Caracoles, e padre e figlio arrivarono con più di mezz'ora di ritardo.

– È colpa di questo traffico impazzito, – commentò Alfonso Garzón. – Ma come fate a lavorare in queste condizioni? Immagino che nessuno riesca mai a essere puntuale.

– È diverso in America? – domandai.

– Certo che è diverso! Tutto è più... organizzato. Lì è inconcepibile vivere alla mercé degli ingorghi di traffico. Quando ci si aspetta di trovarne uno, si prende il subway.

– Capisco. Che cosa vi piacerebbe mangiare? Ho visto cose molto invitanti sul menu.

Cominciammo a scegliere. Io ero assolutamente affascinata dallo spettacolo del viceispettore seduto accanto al suo rampollo. Spiavo i loro gesti e le loro facce, alla ricerca delle più piccole somiglianze.

– Che ve ne pare di una bella trippa? – propose Garzón.

– Ma papà, è puro colesterolo!

– E va be', per una volta… – si schermì.

Il figlio si rivolse a me:

– Figuriamoci! Lei non se lo immagina neanche, ieri si è mangiato una paella, l'altro ieri una spalla d'agnello. E la sera per cena uova fritte e caffè. Ah! e non creda che al mattino mangi frutta o yogurt. No, niente di tutto questo, würstel o pancetta. Quanti anni crede che possa resistere un uomo con una dieta simile, senza avere un infarto?

– Però suo padre è già un bel po' che resiste!

– Appunto, ed è ora che cominci a fare attenzione.

– Ha ragione.

– Mio figlio ha sempre ragione, – disse Garzón, buttando giù il primo sorso di un buon Rioja.

– Quando c'era ancora la mamma era tutta un'altra cosa. Una donna molto sobria, molto coscienziosa. Mangiavamo tanta verdura, minestre di legumi…

– E al venerdì, baccalà, – concluse il viceispettore con una buona dose d'ironia.

– Era una donna molto religiosa, è vero. Ma come si sa, le religioni hanno dei precetti che non sono dettati dal caso. È stato dimostrato che tendono a preservare un regime di vita sano. Sono contrarie agli alimenti nocivi, alla promiscuità…

– Sì, lo sappiamo, va', – disse Garzón, inaugurando la sua trippa. Io mi ero azzardata a ordinare uova strapazzate con asparagi, sperando che non fossero proibite da nessuna religione.

– Tu non sei sposato, Alfonso?

– No, non ne ho avuto ancora il tempo.

Mi misi a ridere.

– Non hai trovato un momento libero?

– Non rida, ispettore, dico sul serio. In America la vita è molto dura, c'è una forte competitività e ognuno è costretto a lottare per essere il migliore. Ho dovuto rimettermi in pari negli studi di medicina, che lì sono molto più selettivi. Ho fatto la specializzazione, ho avuto un posto in ospedale. Adesso sono primario chirurgo, crede che questo sia stato facile per me, soprattutto non essendo nato lì?

– Sono sicura di no.

– Fortunatamente è un mondo pieno di possibilità per chi è disposto a lavorare.

– Un mondo in cui chiunque può diventare presidente?

– Forse visto da qui può sembrare un luogo comune, ma vi assicuro che è così.

– Allora ci proverò anch'io e vediamo cosa succede, – disse Garzón, fra lo spiritoso e il seccato.

– Tu non ci riusciresti, papà, e sai perché? Perché non credi veramente nelle potenzialità dell'uomo. Sei troppo fatalista, come tutti gli spagnoli.

– La fatalità esiste, figlio mio, nel caso tu non te ne fossi ancora accorto, come esistono la sfortuna, il fallimento, la differenza di opportunità e i condizionamenti fin dalla nascita... Cosa cazzo mi vieni a raccontare a me di diventare presidente?

– Ma papà...

Alzai il bicchiere per evitare che degenerassero.

343

– Brindiamo alla fatalità, o a qualunque cosa ci abbia riuniti qui.

Non fu il mio ultimo brindisi nel corso di quel pranzo, in parte perché più volte dovetti mediare in discussioni padre-figlio che salivano di tono, e in parte perché avevo bisogno di tirarmi un po' su vista la poco confortevole atmosfera. Al momento del caffè Garzón ed io avevamo già bevuto abbastanza, di certo più di suo figlio, il quale, consigliato da clinica prudenza, si era fermato al terzo bicchiere.

Lasciammo Alfonso Garzón appena usciti dal ristorante. Voleva visitare il Museo Nacional de Cataluña e riteneva che l'orario dei pasti, così posticipato in Spagna, fosse ridicolmente poco pratico. Garzón ed io tornammo in commissariato. Lo invitai a prendere un ultimo caffè nel mio ufficio, prima di andarsene nel suo.

– Ancora zucchero? – gli chiesi.

– Crede che sia benefico per un vecchio cadente come me? Mio figlio lo approverebbe?

– Andiamo, viceispettore, dovrebbe esserne contento! Suo figlio si preoccupa per lei.

– Mio figlio è una testa di cazzo, ispettore.

– Fermín!

– So perfettamente quello che dico. Una perfetta testa di cazzo! Ne ho piene le palle di sopportarlo. Sono state due settimane di consigli non richiesti, di sviolinate alla perfezione americana, di inni alla prudenza di sua madre, alla sua bontà. Ne ho piene le palle di sentirgli dire che la vita è bella, che l'uomo

può arrivare dove vuole, che il lavoro è una reden-
zione e che chiunque può essere felice se lo desidera.

– Suo figlio cercava solo di farle coraggio.

– Be', non c'è riuscito! Che ne sa lui della vita, della vita vera? Che ne sa lui di come suo padre si è spaccato il culo in un mestiere come questo perché lui stu-
diasse? Che ne sa di quanto mi era assolutamente insopportabile sua madre? Ha mai visto la decima parte
delle cose che ho visto io? Tossicomani, puttane al-
l'ultimo stadio, rifiuti della società, cadaveri che non
si sa neanche come si chiamano? Presidente le palle!

– Quello che sta dicendo non è ragionevole, Garzón.
In fondo lei ha lottato proprio perché lui avesse altre
prospettive.

– Bene, ma che si metta bene in testa che ci sono
anche cose diverse nel mondo, gente disgraziata,
gente che nella vita se le prende e sta zitta, gente
che non è mai riuscita a tirarsi fuori dalla merda in
cui era! E soprattutto che mi lasci in pace, io mi
mangio tutte le trippe che voglio, e salsicce, e uova
fritte annegate nell'olio!

Esplosi in una risata gracchiante. Lui mi guardò
sorpreso.

– Che cosa le succede?

Ma io non ce la facevo a smettere di ridere. Alla
fine riuscii a dirgli a fatica:

– E doppia razione di salame il venerdì?

– La pianti, Petra, deve metterla sempre sul ridere? – bofonchiò, ma mi accorsi benissimo che aveva
sorriso, e che sul suo baffo senior aleggiava ancora

345

una piega di divertimento mal dissimulato. E questo mi tranquillizzò.

Proprio mentre usciva dall'ufficio, il viceispettore si scontrò con il nostro agente gallego che stava sopraggiungendo di corsa. Se Julio Domínguez aveva tanta fretta, doveva essere capitato davvero qualcosa di grave.

– Ispettore, presto, ispettore, prenda la linea, c'è una chiamata che può essere importante.

Garzón tornò indietro. Io mi lanciai sul ricevitore. La conversazione era già iniziata. La voce che stava parlando col centralinista era innaturale, ricordava un cartone animato. Domandava di me.

– Sì, l'ispettore Delicado sono io, lei chi è?

La voce ammutolì. Temetti di aver commesso un'imprudenza uscendo allo scoperto. Ripetei la domanda. Alla fine, sempre con quella ridicola intonazione, sentii dire:

– Andate al venticinque di calle Portal Nou. Secondo piano, prima porta a destra. Chiedete di Marzal. Lui sa.

Riattaccò. Avevo scarabocchiato freneticamente l'indirizzo. Garzón e l'agente gallego mi guardavano ipnotizzati.

– Cosa succede?

– Forza, viceispettore, non perdiamo tempo. Subito una pattuglia.

Garzón obbedì senza fare domande. Si precipitò fuori dall'ufficio. Lo seguii. In quel momento arrivava di corsa l'agente dal centralino.

– Si è segnato l'indirizzo, ispettore?

– Sì.

– Anch'io, per sicurezza.

– L'aveva ricevuta lei la soffiata della Zona Franca?

– Sì, c'ero io.

– Era la stessa donna?

– Ha sentito come parlava? Con quella voce è impossibile dirlo. Ma sono sicuro che anche quella volta si trattava di una donna.

Garzón tornò.

– Tutto pronto, ispettore. La pattuglia è qui fuori. Tre agenti saranno sufficienti?

– Spero di sì. Dia loro questo indirizzo. Noi li seguiremo sulla sua macchina.

Uscimmo a tutta velocità. L'auto di pattuglia mise la luce blu e la sirena. Ordinai che si fermassero a prudente distanza per non allarmare Marzal.

– E chi cazzo è Marzal?

– Non lo so.

– Ha riconosciuto qualcuno dalla voce?

– Era una donna, ma l'intonazione era alterata.

– Con un fazzoletto?

– No, più tipo Paperino o Picchiarello, sa cosa voglio dire.

– L'altra soffiata era stata fatta con voce normale. Questo può significare due cose: o si tratta della stessa donna che vuole depistarci, o è un'altra, la cui voce potrebbe esserci nota.

– È inutile fare congetture per il momento, vediamo cosa sa questo Marzal.

347

– Mi batte il cuore a cento all'ora, ispettore.

– Be', si calmi. Le ho già detto che la voglio vedere tranquillo.

– Suoneremo alla porta?

– Al minimo ritardo faremo irruzione.

– E se non c'è?

– Aspetteremo dentro finché non arriva.

– E se non arriva?

– Cazzo, Garzón, mi sta facendo diventare matta! Stia zitto una buona volta!

– Petra, ci siamo dimenticati del mandato!

– Viceispettore, o tace immediatamente o la faccio scendere dalla macchina.

Tacque, e io stramaledissi il momento in cui l'avevo lasciato venire. Quella era una lezione degna di essere scritta sul libro d'oro: un poliziotto implicato personalmente in un caso non fa altro che rompere i coglioni. Le cose potevano prendere una brutta piega, dovevo marcarlo stretto.

L'edificio corrispondente al numero venticinque non aveva niente di particolare, un vecchio palazzo in stato di completo degrado. Gli agenti scesero dall'auto e ci precedettero. Non c'era ascensore. Quando arrivammo davanti alla porta, a un mio segnale Garzón premette il campanello. Seguì una lunga pausa. Suonò di nuovo. Questa volta udimmo un rumore di passi che si avvicinavano e una voce assonnata.

– Chi è?

– Apra, polizia! – Io stessa trasalii nell'udire il mio tono imperioso.

– Ma, che cazzo…? Sentite, qui non c'è niente, vi siete sbagliati.

– È Marzal, lei?

Seguì un silenzio prolungato.

– Apra, le ho detto!

Nessuno diede segno di voler aprire. Il viceispettore prese l'iniziativa.

– Apri, bastardo, o buttiamo giù la porta! Qui è pieno di agenti, apri subito!

Spinse uno degli agenti davanti allo spioncino e dopo un istante la porta si aprì. Gli uomini si precipitarono dentro, lo immobilizzarono, lo perquisirono. Accendemmo la luce dell'ingressino buio e alla fine potei vederlo. Era un ometto gracile, sulla quarantina, la pelle bianca, capelli ricci e in disordine, con un'orribile faccia cadaverica. Era in canottiera, con un paio di jeans stazzonati.

– Sentite, io non ho fatto niente, ci dev'essere uno sbaglio.

– Molto bene, facci vedere la carta d'identità.

– Ce l'ho in camera da letto. Stavo dormendo, lavoro fino a tardi e…

– Vai a prenderla.

Sparì seguito da un agente. L'appartamento era piccolo, miserabile. Diedi ordine che cominciassero a perquisirlo. Tornò con la carta d'identità.

– Enrique Marzal. Rottamaio. È questo che fai?

– Sì, commercio in rottami.

– Perfetto, vestiti. Andiamo in commissariato, lì parleremo meglio.

– Ma insomma, cos'ho detto, cos'ho fatto, perché devo venirci?

Uscii sul pianerottolo, mi precipitai verso il portone. Avevo bisogno d'aria, non ce la facevo più a sopportare il tanfo stantio di cucina e di posacenere pieni, la sottile miscela della povertà. Ero sconvolta, a disagio. In questo consisteva la viltà del mestiere, guardare con la faccia schifata un uomo in canottiera, dargli senza preamboli del tu. Se avessi avuto a portata di mano una bottiglia avrei bevuto un bicchiere per celebrare quell'indegnità.

In commissariato, Garzón era impaziente di interrogare quel tipo. Vidi nei suoi occhi l'ansia di sapere, forte come ogni altra passione. Lo misi al corrente della mia tattica per farlo confessare. Quell'uomo era spaventato, forse non era un delinquente abituale, le sue impronte non figuravano nei nostri archivi. Cominciò il mio collega.

– E così raccogli rottami.

– Sì.

– E cosa ne fai?

– Li vendo, me li pagano, e basta.

– Bene, e dei cani, cosa mi dici?

Percepii l'accendersi di una furtiva luce nei suoi occhi.

– Come dice?

– Comincerò da un'altra parte. Sai chi è Ignacio Lucena Pastor?

– No.

– Dai un'occhiata a questa foto. Lo riconosci?

– No, non so chi sia. Cosa gli è successo? Perché è messo così male?

– Adesso è messo ancora peggio, è all'altro mondo.

Dalla sua faccia macilenta fuggì un altro po' di colore. Era arrivato il mio turno.

– E Valentina Cortés, sai chi è Valentina Cortés?

– No.

– Te lo dico io. Era una signora che addestrava cani, bionda, molto bella. E dico «era» perché anche lei è morta. Dilaniata da un cane addestrato. Assassinata. Mi segui?

– Senta, dove vuole arrivare? Non so di cosa mi stia parlando.

– Sì che lo sai. Qualcuno ce l'ha riferito. Sappiamo che sei nel giro dei cani, e la persona che ci ha dato informazioni su di te si trova già in carcere. Questa persona ci ha dato il tuo nome e il tuo indirizzo e, cosa ancor più interessante, ha giurato davanti a un giudice che quei due morti che non conosci li hai fatti fuori per l'appunto tu. Quindi sarà meglio che non ci giriamo tanto intorno.

– Figlio di puttana! – esclamò. Mi si accelerarono le pulsazioni, stavamo entrando nel vivo. Garzón fece un passo indietro, non intervenne più.

– Sono due omicidi, ragazzo, così valuta tu in che casino ti sei messo.

Cominciò a sudare, gli tremava il mento.

– Guardi, io non ammazzerei una mosca, mi creda. Adesso le racconto… le racconto tutta la verità, tutto quello che so, glielo giuro su Dio. Io, ammazzare?

Una cosa è rubare cani, che nemmeno li trattavo male, mi creda, veramente, se dovevo tenerli qualche giorno a casa spendevo un sacco di soldi per dargli da mangiare. Ci diventavo amico, sul serio, glielo giuro.

Si inceppava, parlava con la gola strozzata. Avrei dovuto immaginarlo solo a vederlo: quel rifiuto della società non poteva essere altro che l'aiutante e poi successore di Ignacio Lucena.

– Come li rubavate?

– Andavamo...

– Chi, andavate?

– Io e Lucena.

– Allora lo conoscevi.

– Sì, ma mi avevano detto che non lavorava più. Non sapevo che era morto, davvero.

– Va' avanti.

– Andavamo negli allevamenti di notte. Scavalcavamo il muro e lui si occupava del cane da guardia. Era bravissimo. Non lo toccava nemmeno. Gli rimaneva vicino, si muoveva piano piano, e i cani abbaiavano ma non attaccavano. Diceva che capivano che non aveva paura. Io intanto mettevo un cane nella gabbia che avevamo portato e poi uscivamo da dove eravamo entrati. Nient'altro.

– Chi ti accompagnava quando Lucena smise di venire?

– Mio cognato, ma non gli facevamo male, a me piacciono i cani.

– Non dovevi amarli così tanto sapendo che li avrebbero usati per la lotta.

Rimase per un attimo paralizzato.

– La lotta? Non so di cosa mi parla, glielo giuro su Dio! Io mi vedevo col tipo, gli davo il cane, lui mi pagava e tutto finiva lì. Non mi ha mai detto neppure come si chiamava, non so dove abitava. Ma lui sì che sapeva tutto di me, e adesso capisco perché, maledetto vigliacco! Sentite, ve lo assicuro, vi giuro che...

Se quel che diceva era vero, la faccenda sarebbe stata più complicata di quanto pensassi.

– Risparmia il fiato. Ascoltami bene e pensa a quello che dici, non c'è tanto da scherzare.

– Sì, però lei mi crede, vero? – Adesso non solo gli tremava il mento, ma tutto il suo corpo sussultava, prossimo alle convulsioni.

– Comincio a crederti, calmati. Chi altro hai visto a quegli incontri?

– Nessuno, glielo giuro su Dio!... – Rimase indeciso per un momento. – Be', una volta ho visto anche la donna bionda che diceva lei, ma non le ho parlato. Non sapevo nemmeno che l'avevano ammazzata. Glielo giuro su Dio!

– Non l'hai letto sui giornali, non l'hai visto in televisione?

– Le giuro di no! Io mi faccio gli affari miei. Se lo sapevo avrei tagliato la corda o avrei lasciato perdere quel tipo! Non mi va di finire dentro a brutte storie, non sono mica un criminale.

– Va bene, d'accordo, smettila di giurare, ti credo. Quindi, di solito, vedevi soltanto lui.

– Sì, qualche volta veniva con la donna, ma nemmeno lei parlava.

– Con la moglie, vuoi dire?

– Sì.

La tensione dentro di me era così forte che mi pulsavano le tempie e mi era venuto un forte dolore alla cervicale.

– Bene, bene, e che macchina usavano?

– Non l'ho mai vista. Ci vedevamo in una via della Sagrera, di notte. Venivano a piedi. Può darsi che la macchina la lasciavano lontano perché non la vedessi. Le ho già detto che non si fidavano di me, volevano tenermi fuori da tutta la storia, per questo non so niente, davvero.

Fallito lo stratagemma dell'auto dovevo tentare il tutto per tutto, correre un terribile rischio al cinquanta per cento, scommettere.

– È mai venuto qualche volta con un uomo più anziano, abbastanza alto, magro, coi capelli lunghi, bianchissimi?

Rimase a guardarmi un momento, senza rispondere. Trattenni il fiato: avevamo imboccato un vicolo cieco? Si era accorto dell'inganno? Eravamo al punto di partenza?

– No, – rispose. – Non ho mai visto nessun altro, solo lui.

Respirai profondamente.

– E così l'unico che vedevi era Augusto Ribas.

– Le ho già detto che il nome non lo so.

– E pretendi di farmi credere che non sapevi che

facesse qualcosa di illegale uno che non ti diceva nemmeno il suo nome? Perché ti sei fidato di lui? Solo perché aveva una bella faccia, era di mezza età, era alto, grosso, con i capelli ben tagliati, ben vestito, gran sorriso?

– Be', sì! Per questo e perché pagava. Ha capito? Io cosa potevo saperne che un tizio così fosse un assassino?

Colpito e affondato. Garzón si alzò bruscamente dalla sedia, questa cadde a terra. Uscì correndo dall'ufficio. Gli andai dietro, lo raggiunsi in corridoio.

– Dove cazzo va?

– Ad arrestarlo.

– Calma, Garzón, non mi rovini tutto, proprio ora che le cose si stanno mettendo bene. Andiamo avanti ma senza precipitare. Mandiamo degli agenti ad arrestare lui e la moglie. Li facciamo separare immediatamente su due auto diverse, e facciamo in modo che non si vedano nemmeno in commissariato. Lei si occupi dei mandati d'arresto. Chieda a quel povero cristo lì dentro il nome e l'indirizzo del cognato. Bisogna arrestare anche lui. A lui invece gli diamo un panino e un pacchetto di sigarette, e lo teniamo rinchiuso fino ad avvenuta identificazione, poi lo mandiamo dal giudice. Tutto legale, per favore, non mandiamo tutto a farsi fottere per una questione di forma –. Lo guardai severamente negli occhi. – E niente violenza. Si sente bene, Fermín?

Sospirò, sorrise, si rasserenò.

– È stata tostissima, Petra. A momenti mi veniva

un infarto. Se saltava fuori che era l'altro allevatore, questo disgraziato non se la sarebbe bevuta.

– Ma ora finalmente è tranquillo, o no?

– Sì, sono tranquillo.

Si allontanò lungo il corridoio, senza più correre. Forse lui era tranquillo, ma io dentro tremavo ancora.

11

Augusto Ribas lo arrestammo nemmeno un'ora dopo, all'allevamento. Non oppose resistenza. Marzal lo identificò da una finestra, senza essere visto. Due ore più tardi, quando finalmente rientrò dalla spesa, arrestammo sua moglie. Non parve sorpresa né ebbe reazioni di ribellione. A partire da quel momento io smisi di mangiare. Mi nutrivo di qualche toast mal masticato e ancor peggio digerito, di qualche magdalena e di caffè. La mia mente si era dimenticata del mio corpo. Non riuscivo a fare nient'altro che confrontare freneticamente strategie, imbastire congetture, elaborare piani per l'interrogatorio. Garzón era nello stesso stato, salvo che non aveva perso l'appetito, e tutta la sua attività cerebrale si traduceva in domande. Mi tormentava. Il suo movimento incessante, la sua terribile irrequietezza mi impedivano di pensare con un minimo di serenità. Chi dovevamo interrogare per primo? Come dovevamo comportarci? Sarebbe stato necessario un confronto fra Ribas e sua moglie? E fra loro due e Marzal? Dovetti di nuovo ammonirlo severamente.

– Basta, viceispettore! Se non cerca di calmarsi un

po', in questo preciso istante la rilevo immediatamente dal servizio.

Tacque, poi alzò gli occhi bovini ora pieni di ansia.

– D'accordo, però mi prometta che mi lascerà dare un cazzotto a Ribas, uno solo, ispettore: mi rilasserà. Le assicuro che non andrò oltre, che aspetterò finché lei non mi indicherà il momento appropriato. Un solo cazzotto non è chiedere troppo.

– Lei ha perso ogni giudizio, Garzón! Ma non si rende conto che questi sono i momenti più delicati? Quello lì può ancora scapparci dalle mani. L'ho già avvertita che in questa indagine non ci saranno cazzotti e confermo quello che ho detto. Stia attento, al minimo sgarro faccio rapporto. Sarò inflessibile, glielo giuro.

Ci mancava solo questo! Dover lottare contro Garzón e i suoi istinti vendicativi. Avrei dovuto mandarlo a casa in quello stesso istante, ma non ne ebbi il coraggio. Peggio per me, un capo non dovrebbe avere compassione nemmeno per gli amici; e se è poliziotto non dovrebbe nemmeno averli degli amici.

Interrogammo per prima la moglie di Ribas. Si chiamava Pilar ed era fisicamente l'opposto di suo marito. Piccola di statura, dalla carnagione pallida e dai capelli tinti di un biondo scialbo, appariva poco attraente, indifesa e nervosa come un topino da laboratorio. Le tremavano le mani e, per nasconderlo, le teneva intrecciate in grembo in un gesto di finta fermezza. Ma quell'aria indifesa andava in frantumi

358

non appena cominciava a parlare. La sua voce era risoluta e senza incrinature, energica.

– Signora Ribas, lei sa perché si trova qui?
– No, – rispose, piegando all'ingiù gli angoli della bocca.
– Però sa perché suo marito si trova qui, vero?

Esitò un momento, fece una strana smorfia, strinse impercettibilmente i pugni sulla gonna e disse:
– Sì.

Assentì varie volte con la testa. La guardai cercando senza successo i suoi occhi.

– Bene, questo è già un punto da dove cominciare. Suo marito organizza incontri clandestini di cani da combattimento. Non è così?
– Sì.
– Ed è stata lei, in una telefonata anonima, a darci le indicazioni perché potessimo fare irruzione durante uno di questi incontri, che si teneva nella Zona Franca, vero, signora?
– Sì.
– Recentemente lei ha nuovamente segnalato alla polizia l'organizzazione di suo marito.
– Sì.
– Nella seconda telefonata ha parlato con me contraffacendo la voce.
– Sì.
– Non poteva venire a dircelo personalmente?
– Certo che no!
– Perché?

Cominciò a dare segni di impazienza.

– Che razza di domanda! Non volevo far sapere a mio marito che ero stata io, né volevo che la polizia mi coinvolgesse in questa storia.

– Però lei era al corrente di tutto.

– Lui non mi ha mai nascosto quel che faceva. Ne avevo un'idea in generale, ma non ho mai partecipato ai suoi affari.

– Ne è sicura, signora Ribas?

– La smetta di chiamarmi così! Io mi chiamo Pilar.

– D'accordo, Pilar. Mi dica una cosa, lei sapeva che suo marito aveva assassinato un uomo?

Mi guardò con faccia allarmata. Per la prima volta le sue mani abbandonarono il grembo e si aggrapparono con forza ai braccioli della sedia.

– No! – disse categoricamente.

– Lei ha mai conosciuto Ignacio Lucena Pastor?

– Non so chi sia.

– Però conosceva Enrique Marzal, il suo successore, e abbastanza bene da denunciarlo.

– Sapevo che quel Marzal da qualche mese si incontrava con mio marito, ma non so cosa facesse per lui. Presi il suo indirizzo dall'agenda di Augusto e ve lo passai. Questo è tutto.

Tirai fuori da un cassetto la foto di Lucena, gliela mostrai.

– Sa chi è?

Lo guardò con aria contrariata.

– Sì, è Lolo. Venne qualche volta a casa nostra. Non scambiai mai più di due parole con lui. È da un po' che non si fa più vedere.

– E la cosa non la stupisce?

– E perché dovrebbe stupirmi? Mio marito vede parecchia gente, a volte vengono a casa, io dico buongiorno e buonasera e me ne vado. Preferisco non sapere.

– Vede, Lolo è stato ammazzato a forza di botte. Abbiamo motivo di ritenere che sia stato suo marito, e pensiamo che lei potrebbe essere accusata di complicità.

Entrò in tensione. I suoi occhi smorti presero vita all'improvviso.

– Ma voi credete che una, una che per ben due volte vi telefona per mettervi sull'avviso, possa essere colpevole di qualcosa? Perché avrei dovuto accusare me stessa?

– Non lo so. Perché ha denunciato suo marito, Pilar?

Ammutolì, balbettò:

– Quella donna...

Garzón si raddrizzò come se avesse mangiato un manico di scopa.

– Quale donna?

L'interrogata lo guardò con timore, poi guardò me. Mi sforzai di sorridere.

– A quale donna si riferisce? – domandai con il tono più garbato che riuscii a trovare.

– A quella là. Era da anni che andava avanti la faccenda, e io ero sempre stata zitta, sopportavo. Ma quella era una donnaccia. Sapeva che era sposato, eppure continuavano a vedersi. Avevano la scusa del lavoro.

– Sta parlando di Valentina Cortés?

– Sì.

– È per questo che ci ha chiamati?

– Sì, volevo che li beccaste.

– Ma perché proprio ora, Pilar? Lei stessa dice di aver sopportato per molti anni.

– Da un po' di tempo Augusto era molto più agitato del solito, e io ero sicura che non era solo perché voi gli stavate alle calcagna. Lo sorpresi diverse volte a telefonarle da casa. Riattaccava, ma io sapevo che aveva parlato con lei. Decisi di avvisarvi dei suoi affari. Volevo solo fare in modo che tutto finisse. Ma voi non siete riusciti a prenderli. Passò un po' di tempo e una sera Augusto tornò a casa sconvolto. Disse che mi lasciava, che gli dispiaceva davvero, ma che rischiava di perdere Valentina e non riusciva ad accettarlo.

Garzón si intromise, nervoso, ansimante, fuori di sé.

– Quella donna voleva sposare un altro, vero?

– E io che ne so! Crede che mi importasse di conoscere i motivi? Lui voleva andarsene, ed era la prima volta che mi diceva una cosa simile. In tutti quegli anni, pur vedendosi con quella, non aveva mai pensato di andarsene di casa. Mai! Io sono sempre stata sua moglie.

Il viceispettore si acquattò come un animale in agguato. Intervenni io.

– E poi, Pilar, che altro successe?

– Si mise a camminare come un lupo in gabbia, tesissimo. Quella notte c'era un incontro, così dopo le undici uscì. Supposi che l'avrebbe vista lì, e che poi sarebbe tornato a casa per dirmi che se ne andava, che faceva le valigie...

Tacque, guardò per terra.

– Cosa successe, allora?

– Ero nervosa e me ne andai a fare un giro. Non volevo rivederlo quella notte. Quando tornai era già a letto.

– Lui cosa le disse?

– Niente, che era successo qualcosa e che l'incontro era stato sospeso.

Mi accesi una sigaretta, riflettei.

– E il giorno dopo lei seppe che Valentina era stata uccisa e pensò che fosse stato suo marito.

– Sì, e dopo qualche giorno vi ho di nuovo chiamati. Voi non avevate ancora capito niente. Eravate venuti a prenderlo ma l'avevate rilasciato subito. Cercai la sua agenda e vi diedi il numero di telefono di uno che lavorava per lui. Era un modo per rimettervi sulla buona strada.

– Ma perché, Pilar? In realtà il pericolo di Valentina era stato scongiurato, e ora aveva suo marito tutto per sé.

– Lui voleva lasciarmi, niente sarebbe più stato come prima. E poi adesso è un assassino. Deve pagare per quello che ha fatto.

La guardai con diffidenza.

– La capisco. Eppure sarebbe anche stato possibile che... insomma, che suo marito accusasse lei di aver ucciso Valentina. Che scaricasse la colpa su di lei, voglio dire. A pensarci bene, lei, uscendo a passeggiare da sola quella notte, gli ha reso le cose facili, non crede? Mi dica una cosa, Pilar, voi avete un cane a casa?

Era arrossita, mi guardava inquieta:

– Naturalmente.

– Di che razza?

– Di quelli che alleva mio marito, uno Staffordshire. Si chiama Pompeyo.

– Aveva con sé Pompeyo, quella notte, durante la sua passeggiata?

– Lo porto sempre con me quando esco di sera! Mi sento più sicura.

– Suppongo che lei si senta sicura perché il cane è addestrato alla difesa.

– Certo che è addestrato! Cosa vuole insinuare? Torno a dirle che se io fossi colpevole di qualcosa non vi avrei chiamati.

– Però deve osservare, Pilar, che c'è un curioso parallelismo in tutto questo. Proprio come suo marito potrebbe dare la colpa a lei, lei potrebbe cercare di fare la stessa cosa con lui, e per questo ci avrebbe chiamati. Mi dica, lui cercò di scaricare la colpa su di lei?

Lei si agitò nervosa sulla sedia.

– Sì, è vero. Ci ha provato. Ancora adesso mi stupisce la sua sfacciataggine. Quando la polizia venne a prenderlo mi minacciò di dire che ero stata io a uccidere Valentina. Ne è ossessionato e non ha fatto che ricattarmi in tutti questi giorni. Credo che sia pazzo, può fare qualunque cosa. Io voglio che la mia innocenza venga messa bene in chiaro.

La guardai intensamente.

– Chiariremo tutto, non si preoccupi. Se lei è innocente, lo scopriremo. E scopriremo anche se non lo è.

Uscì dalla stanza accompagnata da un agente, con quel suo musetto da felino invecchiato e preoccupato. Garzón mi si catapultò addosso.

– Crede che sia stata lei?

– Non lo so. Lei o suo marito, entrambi avrebbero potuto farlo. Dobbiamo verificare che cosa fece lui dopo l'incontro andato a monte, chi vide prima di tornare a casa.

– Vedrà che non ha nessun alibi. Mi stupirebbe che quella donna avesse ammazzato Valentina.

– E non sarà che ha più voglia di dare un cazzotto a lui?

– Ho promesso che non ci saranno cazzotti e sarà così.

– Perfetto, Garzón. Occupiamoci di lui adesso.

Augusto Ribas Solé sapeva bene in che brutta situazione fosse finito. Gli era stato comunicato senza alcuna spiegazione che anche sua moglie era stata arrestata, nient'altro. Gli avevamo dato il tempo di pensarci su. Non appena entrò nel mio ufficio mi resi conto che non avrebbe opposto troppa resistenza. Non era agitato, ma distrutto. Il suo fisico imponente aveva subito un notevole colpo. Sedette accanto al vice-ispettore, di fronte a me. Io avevo deciso di condurre l'interrogatorio in modo razionale.

– Signor Ribas, – gli dissi, – mi propongo di giocare

il più pulito possibile. Sappiamo molte cose su di lei, perfino cose che lei stesso ignora. Quindi non cercherò di farla cadere in contraddizione, né di tenderle delle trappole. Ritengo che non sia necessario. Le chiedo di fare uno sforzo e di non cercare di negare cose che sono evidenti. Comportiamoci da adulti e tutto finirà prima.

Mi ascoltava in silenzio, guardandomi in faccia con estrema attenzione.

– Qualcuno l'ha pugnalata alle spalle, Ribas, l'hanno tradita. Vuole sapere chi è stato? Glielo dico io: è stata sua moglie, è stata lei a denunciarla.

I suoi grandi occhi dimostrarono a stento una certa sorpresa. Me li puntò addosso.

– Be', certo, ha fatto la spia per salvarsi, è stata lei a uccidere Valentina Cortés.

Mi alzai, feci qualche passo, mi misi accanto a lui:

– Non sto parlando di Valentina.

– E allora, di chi?

– Ricorda la soffiata che ci fu durante l'incontro nella Zona Franca?

– Non so di cosa stia parlando.

– Lo sa benissimo. Quella soffiata venne da sua moglie, ce l'ha appena confessato.

Ribas rimase a bocca aperta. Il suo sguardo evitò il mio.

– E ieri ci ha fatto un'altra soffiata, per questo lei è qui. Ci ha indicato dove trovare Enrique Marzal, e Enrique Marzal ci ha raccontato tutto sulle sue attività. Vede, Ribas, sono due testimonianze che convergono contro di lei, non c'è via d'uscita.

– Merda! – mormorò.

– Perché ha ucciso Valentina?

– Io non l'ho uccisa!

– Perché voleva piantarla per un altro, o perché possedeva gravi prove contro di lei?

– Quali prove? Di cosa sta parlando?

– Chi ha ammazzato Lucena Pastor? Sempre lei?

– Non so chi sia.

All'improvviso Garzón si alzò e mollò un tremendo pugno sul tavolo.

– Sì che lo sai chi è, puttana Eva!

Ribas trasalì, sbatté gli occhi inquieto, ammutolì. Garzón gridava. L'interrogato era bianco come un cencio.

– Chi è stato, chi è stato a uccidere Lucena, gran figlio di buona donna?

– Lei, è stata lei! – gridò.

– Lei chi?

– Valentina!

– Non dire cazzate, stronzo!

Garzón si era precipitato su di lui, lo tirava per i risvolti della giacca, lo scuoteva come un fantoccio. Mi misi dietro di lui, gli afferrai entrambe le braccia all'altezza del gomito e tirai.

– Calma, viceispettore, calma!

Tornò in sé. Mi guardò. Si morse le labbra. Ansimava. Ansimavamo tutti e tre. Lo feci sedere. Mi rivolsi di nuovo a Ribas.

– Non è stata Valentina. Abbiamo trovato in casa sua un quaderno contabile di Lucena. Se fosse stata

367

lei a ucciderlo, non avrebbe mai conservato una cosa simile.

Abbassò la testa, poi la lasciò cadere finché il mento gli si appoggiò sul petto. Rimanemmo in silenzio per un pezzo. Nell'aria viziata dell'ufficio risuonava il nostro respiro, ancora agitato.

– Dove l'avete trovato quel quaderno? – domandò alla fine Ribas.

– Nel canile di Morgana.

Assentì gravemente, si portò una mano agli occhi, nascondendoli.

– Lei cercò di ritrovarlo frugando in casa mia; era molto compromettente, vero? E uccise Valentina perché non volle darglielo al momento dell'addio. Voleva mantenere un certo controllo su di lei, non si fidava. E voleva assicurarsi che lei non avrebbe più interferito nella sua nuova vita.

– No, – mormorò ormai senza forze.

– Lei è perduto, Ribas, la smetta di giocare.

Cominciarono a tremargli le mani. Esalò un profondo sospiro. Si calmò.

– Quando picchiai Lucena non avevo intenzione di ucciderlo. Dovevo fargliela pagare, forse mi è scappata la mano… ma non avevo intenzione di ucciderlo. Poi seppi che era all'ospedale, e più tardi che era morto, ma non ebbi mai intenzione di ucciderlo. Altrimenti gli avrei sparato. Ho il porto d'armi, sono stato cacciatore.

– Perché non si è costituito alla polizia?

– Mi sono spaventato. Ho pensato che, in fin dei conti, Lucena era un povero cristo senza nessuno.

Non sarebbe cambiato niente se dicevo la verità. Era stato un incidente e ormai era successo. Mi sarei complicato la vita inutilmente.

– E avrebbe messo a repentaglio la sua attività.

– La mia attività è allevare cani.

– Ma c'è anche la lotta clandestina, che deve arrotondare non poco i suoi guadagni. Perché lo uccise?

– Io non volevo ucciderlo.

– Va bene, perché lo picchiò?

– Era già un mucchio di tempo che mi faceva sparire dei soldi. Si era intascato più di un incasso, aveva fatto degli affari per conto suo approfittando del mio nome. Aveva perfino dato informazioni a un giornalista in cambio di un compenso. Se le stava cercando e io lo avvisai. Non mi diede retta e lo avvisai di nuovo, ma gliele suonai un po' troppo forte e lui non resse.

– Un avviso piuttosto energico.

– Era un debole.

– Allora incaricò Valentina di andare a cercare i soldi in casa di Lucena.

– Sì.

– Però lei non li trovò. Trovò invece i quaderni dei conti e si tenne quello che poteva incolparla. Era preoccupata dopo aver visto a che punto di violenza lei poteva arrivare. Cercava di coprirsi le spalle. Non le venne neppure in mente di prendere gli altri due quaderni. Un errore stupido, non era una professionista del crimine.

– Mi disse che su quel quaderno c'era il mio nome.

369

– E invece non è vero.

– L'ho sempre sospettato.

– E, pur sospettandolo soltanto, la uccise.

– Vi giuro che non l'ho uccisa. Ho già confessato. Ho detto la verità. Picchiai Lucena e lo uccisi accidentalmente. E poi, organizzo combattimenti di cani. Tutto questo va bene, ma Valentina non l'ho ammazzata io. Io l'ho sempre amata.

Garzón faceva l'impossibile per contenersi, mandando fuori fumo come una locomotiva.

– Mi racconti che cosa successe la notte in cui fu aggredita Valentina.

– Venne da me all'allevamento nel pomeriggio e mi disse che se ne andava, che era finita per sempre. A forza di controllare e di prendere in giro quel ciccione di un poliziotto se ne era innamorata. Volevano sposarsi.

Guardò sdegnosamente Garzón. Anch'io lo feci, con la coda dell'occhio. I suoi tratti si erano rilassati di colpo. Ora forse aveva saputo quel che più gli interessava.

– E lei andò in collera.

– No. La pregai di rimanere con me, di non abbandonarmi.

– E la minacciò.

– No. Le promisi che avrei lasciato immediatamente mia moglie.

– Lo fece?

– Sì, andai a casa e dissi subito a Pilar che me ne andavo. Lei ha sempre saputo che Valentina era la mia amante e non gliene è mai importato niente. Ma quando si è resa conto che stavo facendo le valigie...

– Reagì male?

– No, fece come sempre, si mise a piangere. Ma la cosa finì lì. Io avevo un incontro e non potevo trattenermi oltre.

– E poi cosa successe?

– Molti degli scommettitori non si presentarono e l'incontro fu sospeso. Andai all'allevamento, lasciai lì i cani, e quando tornai a casa mia moglie non c'era. Tornò più tardi, quando io ero già a letto, disse che era uscita a fare una passeggiata perché era nervosa.

– Che ora era?

– Le due, le tre, non lo so.

– Non le parve strano?

– Non vi diedi la minima importanza. Ma quando seppi che quella stessa notte avevano ucciso Valentina...

– Pensò a sua moglie.

– Sì.

– E pensò anche che aveva avuto una magnifica idea a uscirsene a quell'ora, sarebbe stato più facile scaricare la colpa su di lei.

– Io non ho ucciso Valentina, ve lo assicuro. E nemmeno sto dicendo che sia stata Pilar; in fin dei conti è pur sempre mia moglie.

– E lei un perfetto cavaliere spagnolo, – sbottò Garzón saltando di nuovo su tutte le furie.

– Con lei non voglio parlare.

Temetti il peggio.

– Qui non sei in un albergo, parli con chi vogliamo noi.

– Con lei, no.

– È stato lei a entrare in casa mia? – intervenni.

– No, non sono stato io. Non so di cosa stia parlando.

– Mi hanno mandato all'aria la casa e hanno ucciso il cane di Lucena. Senza dubbio cercavano il famoso quaderno dei conti. Lei non lo sapeva?

– No.

– Ma sua moglie non può essere stata. Probabilmente ignorava l'esistenza del quaderno.

– Non è vero. Io glielo avevo spiegato.

– Le aveva spiegato che la sua amante era in possesso di prove che potevano incolparla?

– Sì, l'avevo fatto perché mi lasciasse in pace e non mi chiedesse più di lasciarla.

Vedendo che su di noi incombeva un pericolo imminente, bloccai tutto chiamando un agente che portasse via l'indiziato. Per il momento avevamo finito. Garzón sbuffava come una pentola a pressione.

– Non sa quanto mi spiace di essere un poliziotto, – mi disse.

– Perché?

– Perché se non lo fossi, gliene darei tante da...

Cominciai a raccogliere le mie cose senza prestargli attenzione.

– Dove va? – mi chiese.

– Me ne vado. Sa che ore sono?

– È tardi, sì; però se battessimo il ferro finché è caldo... gli indiziati sono stanchi e magari crollano.

– Mi sa che qui se c'è qualcuno che crolla, quella

372

sono io. Ci hanno appena confessato un omicidio, Garzón. Ho la nausea, sono confusa e tesa. Ho bisogno di rimettere in ordine tutto quel che ho sentito, di farmi una doccia, di mangiare... e anche lei ne ha bisogno.

– No, io sto benissimo.

– Bene, domani starà meglio. Vada a cena con suo figlio.

– Mio figlio? È una settimana che se n'è andato. Non sono riuscito neppure a salutarlo. Mi ha lasciato un biglietto sul frigo.

– Non gli ha dato tanta retta, vero?

– Avevo altre cose a cui pensare.

Era strano tornare a casa e non trovare Spavento. Forse mi ero abituata a una gradita compagnia, sia pure di un animale tanto piccolo. Mi sedetti pesantemente, senza neanche la voglia di versarmi un whisky. Un crimine passionale e qualche botta di troppo, questo era tutto. Niente di sofisticato, certamente. Denaro e amore. Brutalità e risentimento. Volgarità. Le ragioni per uccidere si contano sulle dita di una mano, sono le stesse dai tempi di Shakespeare, dai tempi di Caino e Abele. Tutto il resto è ripetizione. La vita è stupida quasi quanto la morte, e molto più stancante. Avevo sonno, e mal di schiena, ma la sensazione che mi dominava era un vago rimpianto. Di cosa? Forse della testolina deforme di Spavento, di quanto fosse facile comunicare con lui, senza parlare. Uno dei coniugi Ribas aveva ammazzato Valentina. Adesso Garzón non sarebbe più andato a vivere in campagna. Che assurdità! Mi facevano male perfino gli occhi. Non è sano riempirsi il cervello per settimane degli stessi pensieri, contaminano il recipiente, possono deteriorarlo. Bisogna sapersi fermare. Presi il telefono e chiamai Juan Monturiol. Gli raccontai tutto.

– Lo vedi che il tuo intervento è stato decisivo?

– Ti ho solo dato una mano. Come sta Garzón?

– Di merda.

– E se nessuno dei due Ribas confessa, cosa farete?

– Adesso non riesco nemmeno a pensarci. Perché non vieni a trovarmi e beviamo qualcosa?

– Non credo che sia una buona idea, Petra.

– Perché?

Ci fu un momento di silenzio. Si schiarì la gola.

– Credo, sinceramente, che dobbiamo interrompere la nostra relazione, mi capisci?

– No.

– Non mi abituerò mai, Petra, è così. Anche se non esiste fra noi il minimo impegno, mi piace che la donna che viene a letto con me mi consideri una priorità, che mi telefoni, che mi informi di quello che fa... Insomma, l'accoppiata amicizia-sesso non fa per me. E mi rincresce, perché mi piaci un sacco. Capisci adesso?

– Sì.

– Comunque questo non vuol dire che ce l'abbia con te. Ci vedremo quando porterai Spavento in ambulatorio.

– Spavento non c'è più. L'hanno ammazzato quando mi sono entrati in casa.

– Mi dispiace. Allora vuol dire che ci vedremo nel quartiere, magari qualche volta prenderemo un caffè insieme.

– Sì, certo.

– Mi piacerebbe che capissi davvero il mio punto di vista.

– Lo capisco, e sono d'accordo.

– Mi fa piacere. Mi racconterai come va a finire con i Ribas?

– Sì, lo farò.

Riattaccai. Messa alla porta alla mia età. Me l'ero cercata. Chi credevo di essere, Miss Universo? Un'allegra quindicenne capace di far innamorare al primo sguardo? Una donna fatale? Prendere un caffè! Ma come cazzo facevo ad accontentarmi di prendere un caffè con uno come Juan Monturiol! Vedere le sue mani scartare la zolletta di zucchero, le sue labbra avvicinarsi alla tazza, i suoi occhi verdi inchiodarsi su di me. Al diavolo il caffè! Sarei andata a letto immediatamente, senza neanche farmi la doccia, senza cena, senza più pensare a quella spazzatura riciclata che sono le storie d'amore. Sentii la mancanza di Spavento con terribile intensità.

È difficile preparare in anticipo i confronti. Qualunque strategia finisce per crollare sotto la forza d'inerzia sprigionata dall'incontro. E quanto più stretto è il rapporto fra i soggetti messi a confronto, tanto

maggiore è l'intensità con cui questa forza si manife-
sta. Non sarebbe stato uno scherzo, trattandosi di
marito e moglie. Ma a parte ascoltare, tirare le fila e,
nel caso, arginare il tutto, c'era poco che potessimo
fare in quelle circostanze.

Quando sua moglie entrò, Ribas si alzò in piedi.
Cercai di analizzare con la massima rapidità lo sguardo
che si scambiarono furtivamente. A quanto mi parve
di percepire, fu di reciproca vergogna. Formavano una
coppia complementare. Lui, forte, potente, bell'uomo.
Lei, di una fragilità sbiadita e infantile. Fu Ribas il primo a parlare, e lo fece in tono addolorato, lasciandosi
sfuggire una frase mozza che era un lamento.

– Ma come hai potuto…?

Lei non rispose. Corrugò la fronte e strinse i denti,
piena di una cieca volontà. Sedette accavallando le
gambe con forzata impertinenza. Mi guardò.

– Dovrò rimanere ancora a lungo qui dentro?

Si vedeva chiaramente che era combattuta. Non
era abituata a essere spavalda né scortese.

– Pilar, vogliamo che confermi a suo marito di
essere stata lei ad avvisare la polizia, in due occasioni, affinché lo cogliessimo sul fatto nello svolgimento
della sua attività illegale.

Senza distogliere lo sguardo da me, rispose:

– Sì, fui io.

– Può spiegarci perché?

Tacque.

– Risponda, per favore.

Adottò un'aria cinica che non le apparteneva.

– Sono una buona cittadina.

– Su di lei pende un'accusa di omicidio, le sembra il momento giusto per scherzare?

Ribas intervenne.

– Telefonò perché moriva di gelosia.

Lei si tese, ma continuò a non guardarlo e disse in tono indifferente: – Sì, e infatti ho sopportato per cinque anni che tu vedessi quella donna.

– Avrei dovuto lasciarti molto tempo fa, non hai sangue nelle vene, per te tutto è lo stesso.

Lei guardò suo marito in faccia per la prima volta. Le sue mani di bambina si tramutarono in due zampette contratte.

– Sei sempre stato un mascalzone, Augusto, non ti sei mai preoccupato di me. Eri così convinto di essere superiore, e che io dovessi solo ringraziare di poterti stare accanto, che mi trattavi come una pezza da piedi –. Ribas ne fu sorpreso, i suoi occhi si spalancarono, increduli. – Eri il meglio che potevo permettermi, no? Il re! Abbassandoti a sposarmi avevi già dato abbastanza. Mi fai pena!

Ribas finalmente reagì:

– Sta' zitta!

Il piccolo viso di sua moglie si tinse di un rosso intenso.

– Non ho nessuna intenzione di star zitta! – gridò. Stavamo assistendo a una rivoluzione, chissà quanto a lungo preparata. – Sono stata zitta per troppo tempo, e adesso voglio parlare! Non sei altro che un fallito, Augusto, nient'altro. Dove sono tutte le meraviglie del nostro futuro, la villa in campagna, i viaggi? Sembrava che dovessi spaccare il mondo con le mani e sei finito a pagare dei miserabili ladri di cani per fare qualche soldo in più.

Il marito era alterato, si rivolse a me.

– Le dica di star zitta.

Aprii le braccia in gesto pontificale.

– Siamo qui per parlare.

– Non abbiamo nemmeno avuto figli per colpa tua! Sei solo riuscito a correre dietro alle altre donne, più erano volgari meglio era.

– È questo che ti rode, vero? Per questo l'hai ammazzata.

– L'hai ammazzata tu! Tu sei diventato pazzo quando ha detto che ti mollava per il poliziotto! Lasciare il grand'uomo per un poliziotto vecchio e ciccione! Mi immagino che questa sia la cosa che ti ha dato più fastidio, in fondo a te dell'amore di una donna non te ne frega niente. L'unica cosa di cui ti è importato per tutta la vita è apparire, essere al centro. Perché dovevi metterti in quegli sporchi affari, a cosa ci servivano altri soldi?

Ribas si alzò con aria minacciosa, Garzón balzò verso di lui con troppo impeto. Alzai la voce.

– Signori, per favore, basta! Se non mantenete la calma saremo costretti a sospendere.

Guardai Garzón, preoccupata. Lasciò andare il braccio di Ribas, si sedette. Questi aprì l'ultimo bottone della camicia sportiva ed emise uno sbuffo da cavallo. Parlò in tono più basso questa volta.

– L'hai uccisa tu, Pilar, smettila di raccontare storie. Ormai mi hai punito abbastanza. Raccontaci perché sei uscita quella notte.

– Avevo paura di affrontarti, di vederti andar via di casa sotto il mio naso. Troppe volte ho avuto paura, Augusto, e questo non è normale fra le persone sposate.

– Storie! Hai preso Pompeyo e sei corsa a casa di lei. Non potevi sopportare che ti abbandonassi. Le hai aizzato contro il cane e hai continuato a ordinargli di attaccare finché non l'ha ammazzata. Poi hai pensato che potevi scaricare tutto sulle mie spalle. O forse l'avevi messo in conto fin dall'inizio!

– No! L'hai uccisa tu perché non riuscivi a convincerla a lasciare quel poliziotto!

Stavamo entrando in una via senza uscita. La tensione allo stomaco si era trasformata in un ronzio nella testa.

– Abbassate il tono, per favore! Credo sia meglio sospendere fino a domattina.

Li feci uscire. Mi accorsi di Garzón. Aveva la bocca macchiata di sangue. Si era morso il labbro inferiore. Gli diedi un fazzoletto di carta. Si pulì. Rimanemmo a guardarci, incapaci di qualunque commento, incapaci quasi di parlare. Non sapevo che ora fosse, spostai gli occhi sull'orologio, non riuscivo a sostenere più a lungo lo sguardo del mio collega.

– Che gliene pare di tutto questo? – domandò alla fine.

– Non lo so, e a lei?

379

– Io credo che sia stato lui.

– Perché?

– È quello che aveva da perderci di più, si ricordi del quaderno.

– Non sempre si uccide per motivi razionali.

– Però ha mandato Marzal a casa sua.

– Mi stupisce che una persona esperta in traffici poco puliti come lui abbia commesso una sciocchezza simile.

Le cose erano chiare, Garzón era per la colpevolezza di Ribas. Mi domandai fino a che punto pesasse sulla sua anima addolorata il desiderio inconscio che fosse lui. Condannare il rivale, confondere l'odio che provava per un uomo che aveva aspirato all'amore di Valentina. Infatti riconduceva la sua presunta colpevolezza unicamente alla faccenda del quaderno, dimenticando la componente passionale.

Così come si presentavano le cose, ero convinta che la soluzione avrebbero dovuto porgercela i nostri indiziati. E non mi sbagliai. Il giorno dopo, non appena misi piede in commissariato, un agente mi disse che Ribas desiderava parlarmi a quattr'occhi. Interpretai immediatamente quella condizione come l'espressa richiesta che Garzón non fosse presente. Sì, probabilmente era l'unico modo di andare avanti.

Ribas si mostrò grave e riflessivo. Confessò di non aver chiuso occhio tutta la notte. Il pernottamento presso di noi gli aveva schiarito la mente, tanto che aveva escogitato delle strategie per condurci al colpevole, il quale naturalmente non era lui. Si era perfettamente reso conto che la sua incriminazione sarebbe stata ben diversa per aver ucciso un uomo in modo più o meno premeditato, o per aver commesso un crimine con piena volontà di uccidere. Mi chiese di incontrarsi da solo con sua moglie. Gli dissi che non potevo permetterlo: qualunque tentativo di influire su di lei fuori del mio controllo era impensabile.

– Va bene, acconsenta per lo meno a lasciarmi parlare con lei in sua presenza. Senza il suo vice.

– Davvero crede di aver tanto ascendente su sua moglie da farle dire la verità?

– Ne sono sicuro.

– Ieri non ho avuto questa impressione; forse la signora è cambiata nei suoi confronti.

– So quello che dico.

– D'accordo.

– Ancora una cosa. È indispensabile che non venga usato contro di me ciò che dirò. Cercherò soltanto di farle dire la verità.

– Vedremo.

– E il viceispettore?

– Non si preoccupi, non ci sarà.

Mi aspettavo una reazione violenta da parte di Garzón quando gli comunicai l'ultima novità, ma non ricevetti altro che uno sguardo di constatazione per il mio tradimento. Anche tu, Bruto? Sì, anch'io. Era in gioco un omicidio, non potevo fermarmi a pensare ai suoi sentimenti. Si adeguò di malavoglia, tornò nel suo ufficio, dove immaginai avrebbe passato uno dei momenti più amari della sua vita. Io preparai il nuovo confronto, cercando di non lasciarmi trasportare da nessun presentimento. Mi sorpresi perfino nel trovarmi così serena. Il mio proposito era di comportarmi come le tre scimmiette: vedere, udire, non parlare.

Pilar entrò nell'ufficio prima di suo marito. Notai qualcosa di terribile nella sua semplicità: una sola notte di reclusione fa strage nella personalità della gente normale. Era pallida, smagrita, ma soprattutto assente, sconfitta nella sua dignità. Guardò Ribas come se fosse un estraneo, quando comparve; a me non fece neanche caso. Ci sedemmo e ci guardammo in silenzio, per più di un minuto che mi parve angoscioso e senza fine. Finalmente Ribas parlò.

– Sei stanca? – domandò alla moglie.

Lei aggrottò la fronte, e fece una piccola smorfia di dolore nel raddrizzare la schiena.

– Voglio andare a casa, – disse.

– Non ti preoccupare, ci andrai.

La voce di Ribas aveva acquistato un calore speciale. Si avvicinò a Pilar, le prese la mano. Lei non resistette. Accettò perfino, senza ritrarsi, dei colpetti sulla spalla.

– Ci andrai subito, vedrai.

Aveva assunto il controllo assoluto della situazione. Lei cedette. Cominciò a parlare senza guardarlo. Per entrambi io avevo cessato di esistere.

– Ma perché dovevi andartene con quella donna?

– Vedi bene che non me ne sono andato. Sono tornato a dormire vicino a te, come sempre.

– Perché lei ti aveva mandato via!

– Io sono tornato a dormire a casa nostra, non me ne sarei mai andato, lo sai.

– Mi hai fatto molto male, Augusto, questa volta sì.

– Anche tu a me, cara, lo vedi. Non saremmo qui se tu non mi avessi denunciato alla polizia.

– Volevo punirti, volevo che tutto finisse, che finisse la storia con quella donna.

Cominciò a piangere sommessamente. Lui la consolò con piccoli schiocchi della lingua, come si fa con un neonato. Entrambi parlavano a sussurri. Io ero sbalordita dalla situazione, dall'emotività ferita e indifesa di quella donna.

– Ma tu ora te ne andrai subito a casa.

– E tu?

– Io non posso andarmene, Pilar, mi hai denunciato, ricordi? Io andrò in carcere. Ci andrò anche per te. Dirò che ho ammazzato Valentina. Pagherò io per tutti e due. Tu va' a casa e aspettami, un giorno tornerò.

Era arrivato il momento cruciale. Alzai sulla donna gli occhi che il pudore mi aveva costretta ad abbassare. La vidi dibattersi per un istante fra le lacrime, il dolore, la follia.

– No, – disse. – Non voglio che tu faccia questo, l'ho uccisa io, anch'io andrò in prigione se tu ci andrai. L'ho uccisa e non me ne pento, adesso non esisterà più.

– Per me non esisteva già più, per me sei esistita sempre e solo tu.

Piangeva. Ribas alzò lo sguardo verso di me. Intervenni, sorpresa di udire la mia voce fra le loro.

– L'ha uccisa lei, Pilar?

Assentì varie volte con la testa.

– Ed è stata lei a venire a casa mia per quel quaderno?

Assentì di nuovo.

– Volevo farlo sparire, far sparire tutto quel che poteva mettersi fra mio marito e me. Speravo di trovare il quaderno di cui lui aveva tanta paura e metterglielo sotto il naso, dirgli: «Vedi? Adesso non resta più niente di quella storia, scomparso il quaderno, scomparsa la donna... adesso tu ed io possiamo ricominciare».

– Però lei l'ha denunciato! Come può aver fatto tutte e due le cose insieme?

– Non lo so, non capivo più niente, non lo so!

– Potrebbe descrivere la mia casa?

Si asciugò le lacrime con la mano aperta. Ribas era rimasto in piedi, accanto a lei, la accarezzò. Lei cercò di concentrarsi. Parlò con la voce innocente di una bambina.

– Sì, più o meno sì. Casa sua è a Poblenou. C'è un ingresso con un quadro allungato, un piccolo giardino interno. Nel soggiorno ci sono un divano chiaro, molti libri su uno scaffale e, nei cassetti, tovaglie e tovaglioli, tutti verdi.

Questo dato sarebbe stato sufficiente, li avevo comprati a una svendita, tutti uguali, un'idea assurda che mi era venuta. Ma lei continuò descrivendo la camera da letto con sorprendente esattezza. Oltre a cercare il quaderno doveva aver provato una certa curiosità.

– E il cane? – domandai.

Mi guardò per la prima volta durante il suo racconto. Colsi paura nei suoi occhi, orrore. Cominciò a tremarle il mento mentre parlava.

– All'inizio se ne stava zitto, agitava perfino la coda; ma a un tratto si mise ad abbaiare. Abbaiava e abbaiava, sempre più forte... ebbi paura che qualcuno lo sentisse. Lo picchiai, lo picchiai sulla testa con il pestello della carne che trovai in cucina. Fu orribile, orribile, io... veniva fuori un mucchio di sangue... io non volevo...

Si mise a piangere istericamente, con singhiozzi, convulsioni e spasmi nervosi.

– Ma questo non doveva commuoverla, Pilar, in fin dei conti lei aveva ammazzato Valentina.

Alzò la faccia deformata dal pianto.

– Non ho dovuto neanche toccarla, ha fatto tutto Pompeyo, io non ho dovuto sporcarmi le mani, è stato come...

Interruppe la frase a mezz'aria. Io la continuai.

– Come un gioco, vero? Come uno degli addestramenti di suo marito. Solo che questa volta il figurante era senza protezione. È stato così, non è vero? Non si è nemmeno accorta di uccidere.

Cessò di singhiozzare per un istante, mi guardò con un lampo fugace di lucidità.

– Sì, è stato così.

– È comprensibile, Pilar; ma non si illuda, lei l'ha assassinata nel pieno delle sue facoltà. Valentina le ha aperto la porta di casa sua perché le aveva detto che voleva parlarle, e poi lei le ha aizzato il cane contro e l'ha uccisa. L'ha uccisa con rabbia, l'ha uccisa. Poi ha cancellato ogni traccia e l'ha trascinata in giardino. C'è stata la precisa volontà di uccidere, e la premeditazione. È l'opera di un'assassina, tutto meno che un gioco.

Si chinò in avanti sulla sedia, i singhiozzi contenuti la scossero violentemente. Ribas le si avvicinò ancora, la tirò su, circondò con le braccia la sua testa convulsa.

– La lasci, la lasci stare. Ha confessato, la smetta di torturarla.

Non mi parve che stesse recitando, cercava davvero di proteggerla. Formavano uno strano quadretto. Lui in piedi, alto, forte, a reggere il corpo seduto di quella donna fragile che era sua moglie. La consolava, si consolavano a vicenda. Non sapevo se sentirmi commossa o disgustata.

Quando entrai nel suo ufficio, Garzón mantenne la compostezza sufficiente per lasciarmi cominciare da sola senza domande. Prima di farlo accesi una sigaretta. Mi tremavano le mani.

– Bene, viceispettore, abbiamo il colpevole.

Interrogò l'aria con occhi da pazzo.

– La moglie di Ribas ha ucciso Valentina.

– Ne è sicura?

– Sì, può darlo per certo.

Si alzò bruscamente, si mise a correre, lo seguii con l'anima appesa a un filo.

– Viceispettore, dove va?

Vidi che si avvicinava a Pilar. Fece fermare gli agenti che l'accompagnavano lungo il corridoio. Ascoltai quel che diceva.

– Aveva preso Pompeyo quella sera, vero?

– Sì, gliel'ho già detto.

– È stato lui a uccidere Valentina?

– Sì! Ma non mi lascerete mai in pace?

– E adesso dov'è?

– All'allevamento.

– Dove all'allevamento?

– È l'unico cane sciolto che c'è nel giardino. Mi lasci, per favore, mi lasci andare.

Temetti che la strattonasse o qualcosa di simile, ma l'unica cosa che fece fu tornare indietro, prendere l'impermeabile e allontanarsi. Lo seguii. Sulla porta del commissariato trovai Ribas piantonato da due agenti. Stavano andando in tribunale. Mi guardò, scoppiò a piangere, senza più difese.

– Anche se può sembrarle assurdo, ispettore, la prego in ginocchio di fare in modo che non la trattino male. Pilar è debole, forse mi sono comportato male con lei, ma sarà sempre mia moglie. Non so se mi capisce.

– La capisco, – risposi, ma non capivo assolutamente niente; volevo solo andarmene. Garzón si era allontanato e poteva sfuggirmi del tutto. Lo raggiunsi quando già stava salendo in macchina.

– Dove va, Fermín?

– A fare un giro.

– Posso accompagnarla?

– Faccia come vuole, – disse, alzando le spalle in

malo modo. Uscimmo dalla città, entrambi in silenzio. Garzón aveva acceso la radio ad alto volume per evitare qualunque possibilità di dialogo. Si stava facendo sera. C'era un programma di interviste. Stava pontificando uno dei tanti psichiatri che scrivono libri. La svalutazione dell'io. «In un mondo sempre più materialista, per l'individuo sembra contare soltanto il successo sociale». Di che diavolo parlava? Pensavo a Lucena, ai rifiuti della società come lui, ai rubacani miserandi e agli imbroglioni pronti a tutto, agli amanti maturi e solitari, alle coppie che si amano e si distruggono. Nessuno di loro si sarebbe mai disteso sul lettino di uno psicanalista. L'individuo, l'ego, il successo sociale, i rifiuti, gli scarti, i resti. E l'amore.

Fermò la macchina. Eravamo davanti all'allevamento di Ribas. Sorgeva scuro e ermetico come una fortezza. Lui scese e io gli andai dietro. Si avvicinò al cancello d'ingresso. Cominciò ad alzarsi un immenso coro di cani, e immediatamente, libero, fiero, con aria di sfida, apparve Pompeyo. Infilava il muso fra le sbarre, mostrava i denti. Non abbaiava per mettere in fuga o dare l'allarme, era piuttosto un ringhio grave, un alito caldo gonfio di minaccia. Garzón rimase nell'ombra a guardarlo, assorto, calmo. Non cambiava d'espressione né batteva ciglio, in quel baccano. Ebbi freddo e, senza saperne il perché, paura.

– Cosa fa, Fermín?

Non rispose.

– Forza, andiamocene!

Non si mosse. La notte, il gruppo satanico dei cani

che abbaiavano senza tregua... che cosa sperava di trovare in quella bestia, brandelli dell'anima di Valentina, la sua trasmigrazione?

– Viceispettore, andiamocene, su, che ci stiamo a fare qui?

Allora Garzón infilò la mano sotto la giacca e tirò fuori la pistola d'ordinanza. Prese la mira.

– Non lo faccia, Fermín, lasci perdere. È solo un animale senza colpa. Non se ne rende conto?

Continuò a mirare sul cane, guardandolo fisso. Respirava lentamente.

– Poi si sentirà male, perché ucciderlo? È innocente. Lo lasci stare!

Tese il braccio. Il cane capì che doveva morire. Tacque, alzò il muso come un condannato coraggioso e Garzón sparò. Il chiasso generale cessò completamente. L'animale si afflosciò trasformato in un fagotto e rimase disteso a terra. Allora un cane isolato ricominciò ad abbaiare, e poi un altro e poi un terzo. Abbaiarono tutti di nuovo, pazzamente. Con il cuore stretto, mi avvicinai al viceispettore. Piangeva in silenzio. Le lacrime scivolavano sui suoi baffi languidi. Gli misi una mano sul braccio.

– Andiamocene, Fermín, è molto tardi.

E ce ne andammo così com'eravamo arrivati, furtivi. Mi sentivo come se avessi assistito all'esecuzione dello zar, ma era solo la morte di un cane. Una morte come altre. Un cuore che cessava di battere. Una morte in più. Uomini e cani e donne e cani. Tutti esseri indifesi nella notte.

Epilogo

Invitai a pranzo Ángela e Juan Monturiol. Glielo dovevo. Avevano diritto a sapere. Preparai tre insalate diverse, un bel piatto di salmone e un'immensa torta decorata con un cane di cioccolato. Una vera idiozia, nessuno aveva voglia di scherzare dopo quello che era successo. I miei invitati furono molto stupiti per il modo in cui si erano risolte le cose.

– Che abilità! – esclamò Ángela riferendosi a Pilar. – Si è mossa completamente nell'ombra.

– A me è sembrata decisamente disturbata.

– Credi che avesse qualcosa che non andava?

– Forse non permanente, ma è chiaro che, da un certo momento in poi, ha perso la ragione. Non ha il profilo di un'assassina.

– E chi è che ha il profilo dell'assassino? – disse Juan, fra la domanda e l'affermazione.

– Io ho studiato che qualcuno ce l'ha.

– Gli studi non servono a niente quando si tratta dell'essere umano! – esclamò filosofico.

– La cosa che mi stupisce di più è che si siano scatenate tante passioni fra gente di una certa età, – buttò lì Ángela come per caso.

390

– E cosa mi dici di quella coppia? – aggiunsi. – Si amavano, si odiavano, si facevano del male, si aiutavano…

– Non è sempre così? – fu il nuovo interrogativo categorico di Monturiol.

– Spero di no, – esclamai con troppo ardore.

– Pensi di sposarti un'altra volta? – mi punzecchiò il veterinario.

– Parlavo in generale.

– In ogni caso, è stata una tragedia, – concluse la libraia.

– Mi stupisce che Ribas non immaginasse che sua moglie poteva fare la spia, – disse Juan.

– Credeva di averla in pugno. La disprezzava, per questo non ha mai preso precauzioni.

– Ma lei si è stufata. Noi donne a volte tiriamo fuori un po' di buon senso.

Dopo aver parlato guardammo entrambe il povero Juan Monturiol, che si fece piccolo sulla sedia.

– Una storia davvero tragica! – sospirò la mia compagna di rivendicazione.

– E dannatamente complicata! Combattimenti di cani, chi l'avrebbe mai pensato!

– Non siamo molto progrediti dai tempi dei Romani, – osservò Monturiol.

– A proposito, Petra, cos'è successo al cane di Valentina?

– Una volta risolto il caso, suppongo che la sopprimeranno.

– Ma è terribile, non potrei adottarla io? – domandò Ángela.

– Ne saresti capace?

– È solo un povero animale che è rimasto senza la sua padrona.

– Non so, se vuoi posso interessarmi.

– Mi piacerebbe.

Juan guardò l'orologio.

– Signore, temo sia arrivata l'ora di aprire lo studio. Devo lasciarvi.

Baciò Ángela su entrambe le guance. Lo accompagnai fino alla porta. Gli tesi la mano, lui me la strinse.

– Ti ringrazio molto del tuo aiuto, dottore.

– È stato un piacere.

– Vorrei sapere se è stato un piacere per davvero.

Mi guardò intensamente negli occhi. Sorrise.

– Puoi star certa che lo è stato.

Sorrisi anch'io. Mi voltò le spalle e si allontanò verso il suo furgone. Stetti a guardare tristemente il cane impresso sul portellone sparire dietro l'angolo. Sospirai.

Tornata in soggiorno, trovai Ángela altrettanto malinconica.

– Prendi ancora del caffè? – le chiesi.

Mi porse la sua tazza vuota.

– Petra, adesso che siamo sole, voglio domandarti qualcosa. Davvero Valentina pensava di sposarsi con Fermín? Mi sono fatta l'idea che avesse agito per dispetto. Magari aveva annunciato il suo matrimonio all'amante sperando di convincerlo a lasciare finalmente la moglie.

– Non potremo mai saperlo. Questo è un segreto che si è portata nella tomba.

– Credi che Fermín sia consapevole di questa eventualità?

– Non mi sembra un uomo che ama raccontarsi delle balle.

– Allora deve aver doppiamente sofferto; anzi, starà ancora soffrendo.

– Stai pensando di chiamarlo, di parlargli? Forse potreste...

Fece segno di no, divenne molto seria.

– No, Petra, non se ne parla. So bene che è tutto finito, per sempre.

Guardai il suo volto affabile e buono. Le diedi dei colpetti sul dorso della mano.

– Non saprà mai che donna si è perso.

Fece uno sforzo per sorridere.

– Vorrei che tu mi facessi un favore. Restituiscigli questo.

Tirò fuori dalla tasca il cuoricino d'oro che racchiudeva l'immagine di Garzón. Lo posò sul tavolo.

– Pensi che sia necessario?

– Mi sembra la cosa migliore. Non si può negare il passato, ma non è bene conservarne i feticci.

– Forse hai ragione.

Si alzò con l'impeto autoimposto di un'eroina. Le porsi la sua giacca. Ci abbracciammo. Chiusi la porta dietro di lei. Avevo promesso di passare a trovarla qualche volta, di prendere un tè insieme. Era improbabile che avessi ancora bisogno di consigli sui cani, ma nei suoi occhi avrei sempre trovato il riflesso tranquillizzante dell'amabilità.

Arrivata in commissariato, mi misi a riflettere. Il caso è chiuso, fu la prima frase che mi venne in mente. Il caso è chiuso. Ignacio Lucena Pastor mi apparve come una cosa lontana, perduta nelle ore e nei giorni, come un sogno o come le foto dimenticate di un vecchio supplemento domenicale. Certo, a causa di quell'ombra non più localizzabile nel mondo, una donna era morta e il mio collega aveva il cuore spezzato. Incerti del mestiere, conclusi, cercando di ritrovare uno sprazzo di normalità a partire dal più vieto luogo comune.

Per pura abitudine guardai l'agenda. In realtà ricordavo perfettamente a chi dovevo telefonare. Alzai il ricevitore canticchiando, feci il numero...

– Professor Castillo, è lei?

Lo scienziato appassionato di crimini non si riaveva dallo stupore. Lì per lì era addirittura ammutolito. Non riusciva a capacitarsi che fossi io, né a capire quale fosse il motivo della mia chiamata.

– Spero che abbia letto sui giornali com'è andata a finire.

– L'ho fatto con molto sollievo.

– Sollievo?

– Be', sono sfuggito alla sedia elettrica o qualcosa di simile. L'altro giorno ho rivisto «Falso colpevole» in televisione e mi sono venuti i sudori freddi.

Non potei trattenere una sonora risata.

– Sì, rida pure, intanto mi ha fatto prendere un bello spavento.

– Immagino di doverle chiedere scusa, la chiamo per questo, infatti. Ma cerchi di capire, lei mi ha beccata in un momento di grande tensione. E poi, perché si interessava tanto al caso?

– Per tutti i diavoli, non lo so! Mi sono sempre piaciuti i polizieschi. E non solo questo, ma… io… lei è sposata, ispettore?

– Divorziata, perché?

– Insomma, le sembrerà una sciocchezza, ma mi era venuto in mente… mi era venuto in mente di invitarla a prendere un aperitivo per fare due chiacchiere. Anch'io sono divorziato, da poco. Ma, si capisce, quando per poco non mi sentivo accusare di un crimine, ho cambiato d'opinione. Ho ritenuto più prudente tenermi ben lontano dalle sue grinfie.

– Non mi sorprende. Però mi sembra che potremmo risolvere il malinteso.

– Per esempio come?

– Per esempio prendendo finalmente questo aperitivo.

– Da parte mia ne sarei felicissimo! Anzi, dopo l'aperitivo non sarebbe male andare a cena da qualche parte. Mi riferisco a questa sera.

– Conti su di me.

– Bene! Passerò a prenderla alle otto nel suo ufficio.

– No. Oggi pomeriggio non lavoro, passerò io a prenderla in facoltà.

– Se non si ricorda di me, mi riconoscerà dalla faccia da assassino.

Risi di nuovo. Bene, non mi sarebbe mai passato per la testa che il professore volesse uscire con me. Benissimo, aveva senso dell'umorismo, poteva rivelarsi una serata memorabile. Avevamo dei punti in comune, di fatto ci dedicavamo entrambi alla ricerca, sia pure su fronti diversi. Lui cercava di porre rimedio alla sofferenza umana, e io ci scavavo dentro. Piccola differenza e tuttavia sostanziale. Che compito sterile quello di un poliziotto, rimuginai. Frugare nel passato recente solo per ricavarne dei fatti. Nessuna possibilità di cambiare il futuro, di evitare ciò che già è accaduto. Ricordai il mio fugace compagno Spavento, il suo orecchio certamente morso da uno dei cani consacrati alla lotta. Che cecità la mia, a non rendermene conto! Non ero stata neppure capace di proteggerlo, di sottrarlo al suo tragico destino. Provai una profonda pena, una malinconia struggente. Mi alzai e andai nell'ufficio di Garzón.

Il viceispettore era seduto alla scrivania, abulico, freddo. Mi guardò senza grande interesse.

– Come va, ispettore?

Vidi che stava facendo scarabocchi su un pezzo di carta. Mi lasciai cadere su una sedia senza chiedergli il permesso.

– Cosa cazzo sta facendo?

– Lo vede, niente.

– Dovremmo metterci a scrivere il rapporto.

– Non ne ho nessuna voglia.

– Neanch'io.

– C'è tempo.

– Sì.

Accavallai le gambe. Feci scorrere lo sguardo sulle pareti nude.

– Perché non appende qualche quadro? Questo posto fa impressione tanto è impersonale.

– Bah!

Sapevo che non era un buon momento per assolvere il mio incarico, ma se lo rimandavo sarebbe stato peggio; magari non ne avrei più avuto il coraggio. Tirai fuori dalla tasca il cuoricino di Ángela e glielo porsi.

– Fermín, mi è stato chiesto di darglielo.

Lo osservò stancamente. Lo prese. Si frugò nelle tasche e fece comparire l'altro cuoricino, identico, recuperato dalla salma di Valentina. Me li mostrò tutti e due sul palmo della sua mano, solcato dal tempo e dall'uso.

– La vita mi restituisce i regali, – disse.

– La vita non restituisce mai niente.

– Allora vuol dire che sono stato punito per la mia assoluta coglionaggine.

– Non esiste un castigo.

– E cosa esiste allora?

– Non so, ben poco, la musica, il sole, l'amicizia…

– E la fedeltà dei cani.

– Anche questo.

Ci scambiammo uno sguardo pieno di rassegnata tristezza. Dovetti fare una bella provvista d'aria per riuscire a proseguire.

– Ed esiste il whisky. Che gliene pare se attraversiamo la strada e ci facciamo un bel cicchetto?

– Non so se ne ho voglia.

– Andiamo, Fermín, la smetta di fare la Signora delle Camelie! Le sto proponendo una medicina spirituale!

– Allora va bene, qualunque cosa piuttosto che dovermene stare qui a sopportare i suoi insulti.

Uscimmo dal commissariato. L'agente di guardia ci salutò. Entrammo alla Jarra de Oro. Ordinammo due whisky.

– Scommetto che non sa con chi esco a cena stasera?

– Con Juan Monturiol.

– Manco per idea, quella è acqua passata. Ho un appuntamento con il professor Castillo, se ne ricorda?

– Davvero esce con lui?

– Naturalmente, e per poco che non stia attento gli do una bella ripassata. Nei miei archivi di donna fatale mi manca proprio uno scienziato pazzo.

Gli sfuggì una risata scandalizzata, come sempre di fronte alle mie dichiarazioni di libertinaggio.

– Lei è incredibile, Petra!

– Vero?

– Certamente.

In quel momento arrivarono i due whisky. Il cameriere depose i bicchieri sul banco con gesto amabile. Li facemmo incontrare discretamente brindando a noi

stessi. Non ci veniva in mente nessuno che potesse ap-
prezzarlo di più.

Barcellona, 4 dicembre 1996

Ringraziamenti

Non sarei mai riuscita a raccogliere la documentazione necessaria per scrivere questo romanzo senza la stretta collaborazione di Antonio Arasa, esperto in etologia canina, che ha rivisto il manoscritto e mi ha fornito una grande quantità di informazioni utili per la verosimiglianza della trama.

Desidero al tempo stesso ringraziare per il loro contributo Carlos Esteller (veterinario), il dipartimento per la tutela dell'ambiente dei Mossos d'Esquadra de la Generalitat de Catalunya e la Guàrdia Urbana della città di Barcellona.

A. G.-B.

Indice

Questo volume è stato stampato
su carta Palatina
delle Cartiere Miliani di Fabriano
nel mese di settembre 2010

Stampa: Officine Grafiche Riunite, Palermo
Legatura: LE.I.MA. s.r.l., Palermo

La memoria